山内 淳［監修］

西洋文学にみる 異類婚姻譚

Homme et créatures

histoire de leur union dans la littérature européenne

小鳥遊書房

目次

まえがき

人間と人間以外の生き物とが縁を結ぶ物語には、不思議ではあるが受け入れ難くはないという、いわば捉えどころのない魅力がある。鶴や狐のような野生動物、さらには超自然的な異類と人間との婚姻譚は、民話や伝説の枠を超えて伝統芸能から現代文学、映画やマンガなどの様々なジャンルで語られ愛されてきた。自らの定義を問わずにはいられないという人間の本性が、その根底にはある。何が人間をそれ以外のものから分かつのかということを、異類婚姻譚を読む者は考えざるを得ないのである。

本書は、西洋文学における異類婚の物語を、「人間と異類との境界線を考える物語」として読み直す試みである。神々と人間が自由に交わっていた神話時代には、異類婚によって神の力を帯びた英雄が生まれ、英雄は人間を超える力で戦に勝ち、優れた技術を伝え、文明社会の基盤を作る。こうした物語は、人間が自然状態を脱した契機を説明したものだといえよう。

その後、キリスト教が西洋世界を席巻すると、それまでの多神教は「異教」として辺縁に追いやられ、人間とそれ以外の存在は断絶した。かつては超越的な力をもつと思われていた動物たちは、唯一絶対神を頂点としたヒエラルキーにおいて、人間の被支配者として位置づけられた。言い換えれば、人間の定義は安定し、異類間の婚姻によってその定義が揺るがされることはほとんどなくなったのである。

しかし、十九世紀以降、ロマン主義文学や民俗学・神話学が、異類婚姻譚をさかんに扱い始める。これは、キリスト教が精神世界への支配力を低下させた結果、人間と自然界との絶対的な隔たりに疑念が生じたことと無関係ではないだろう。

近年、巷で異類婚の物語を目にすることが増えてきたがそれも人間の定義が揺らいでいることの証であろう。生物学の発展によって得られた新たな知見によって、人間と動物との境界線は曖昧になってきた。その一方で、機械が人間を支配する未来が真剣に考えられ始めた結果、機械と人間との境界は絶えず動揺している。人間とは何かという問いが意味をもつ限り、異類婚姻譚が消え去ることはないのである。

島森尚子

令和二年十月

第1章　エウリピデスの悲劇『メデイア』

――異類と人間の婚姻が破綻するとき

佐藤りえこ

はじめに

黒海沿岸にあるコルキスの王女メデイアは、「わが子を殺した」母親として、悲劇からオペラや映画にいたるまで、様々な翻案作品に登場する。その典拠とされる文学作品のうち、完全な形で現存する最古のものが、エウリピデスの悲劇『メデイア』（*Μήδεια*, B.C.431）である。子どもの死については異なる伝承があったにもかかわらず、エウリピデスのこの作品以降、「わが子を殺す」メデイアという設定が踏襲されている。悲劇『メデイア』の初演からおよそ五〇〇年後、セネカが悲劇『メデア』を執筆した。「魔女メデアの再生の物語」を創出するために、セネカはエウリピデスの悲劇に改変を加えたとされる。セネカの作品には、「人間と魔女との婚姻譚」という解釈の可能性があることが指摘されている。本章ではこの指摘に基づき、とくにセネカによる改変を手掛かりに、エウリピデスの悲劇を読み直すことにする。

悲劇『メデイア』には、先行する物語「アルゴ船の冒険譚」がある。ギリシアのテッサリア地方にあるイオルコスの王ペリアスは、甥のイアソンから王位を譲るよう求められる。王位を簒奪していたペリアスには譲位する意思はなく、甥の殺害を企てる。彼は、譲位の条件として蛮地《コルキス》にある黄金の羊皮の奪還をイアソンに命じた。辺境の地への航海から無事に生還できないと考えたからだ。ペリアスの命を受け、アルゴ船が建造され、ギリシア各地から五十人あまりの強者が集う。

コルキスにやって来た英雄イアソンに、王女メデイアはたちまち心を奪われる。コルキスの王アイエテスは彼を死に追いやるため、羊皮の引き渡し条件と偽り、火を吐く牛に軛をかけて畑を鋤き、そこに竜の歯を撒くよう命じる。なす術もないイアソンをメデイアが援《たす》ける。そして、彼女が魔術で調合した薬のおかげで、羊皮の奪還に成功する。父を裏切ったためメデイアは蛮地《コルキス》にいられなくなる。イアソンは彼女を連れてアルゴ船で帰還する。イアソンの留守中、彼の両親はペリアスに自死させられたため、メデイアはペリアスに復讐した。イオルコスを追われた二人はコリントスに落ち延びる。そしてコリントスを舞台にして、イアソンとメデイアの破局を描いたのが、エウリピデスの悲劇『メデイア』である。

あらすじ

イアソンとメデイアには二人の息子が生れ、幸せに暮らしていたが、夫は不遇な生活に焦りを感じていた。そこへコリントスの王クレオンの娘との結婚話が転がり込んでくる。イアソンは妻を棄て、王女と結婚してしまう。王はメデイアの報復を恐れ、彼女と子どもを、国外へ追放しようとする。クレオン親娘《おやこ》とイアソンに復讐するため、メデイアは思案をめぐらせる。そこへ偶然、アテナイの王アイゲウスが彼女を訪れる。メデイアの事情を理解した王は、彼女を受け入れることを約束する。逃亡先が見つかったメデイアは、復讐の対象をクレオンの娘、さらに自分とイアソンとの間にできた二人の子どもに変えて、計画を実行に移した。まず、婚礼の贈り物と称して毒を仕込んだ打ち掛けと冠を送り、クレオン王の娘を焼き殺した。娘の遺骸を抱き上げた王も、巻き添えになって失命した。二人の死の報告を聞いたメデイアはわが子を刺し殺し、その遺体を抱いて竜が曳く車に乗り込む。自分を激しく罵るイアソンを眼下に見ながら、メデイアはアイゲウスが待つアテナイへ飛び立った。

1　二つの悲劇『メデイア』と『メデア』

メデイア伝承

ギリシア悲劇は、基本的にギリシア神話のエピソードを題材にする。その典拠にはホメロス（前七五〇年頃）の叙事詩『イリアス』（*Ἰλιάς*）『オデュッセイア』（*Ὀδύσσεια*）（?B.C.800-700）やヘシオドス（前八世紀頃）の叙事詩『神統記』（*Θεογονία*, c.

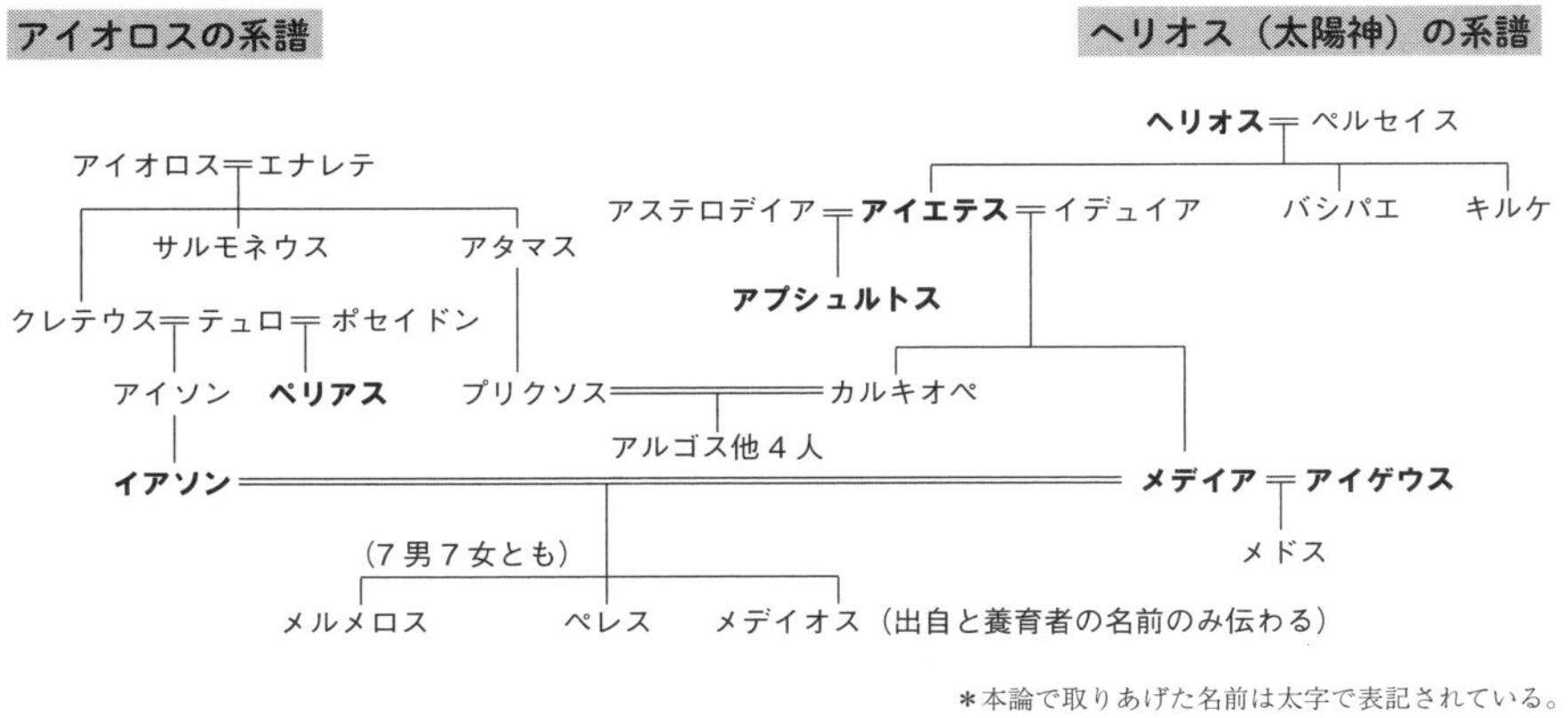

【図１】メデイアとイアソンの系譜（筆者作成）

B.C.730）などがある。メデイアの系譜（【図１】）および人間との結婚に関するもっとも古い伝承は、『神統記』の中に見られる。それによると、彼女は太陽神ヘリオスの孫、父は太陽神の息子でコルキスの王アイエテスである（九五六〜六二行）。また、人間と結婚した女神たちの一人にメデイアが挙げられており、イアソンが父のもとから彼女を連れ出し、船でイオルコスにたどり着いたこと、そこで彼女は息子メデイオスを産んだことが歌われている（九九二〜一〇〇二行）。

メデイアとコリントスの関係については、パウサニアス（後一六〇年頃）の『ギリシア記』（*Περιήγησις τῆς Ἑλλάδος*, ?A.D.160-176）に神話伝説時代の『コリントス史』（*Κορινθιακά*、コリントス出身の詩人エウメロス（前七三〇年頃）による）が紹介されている（パウサニアス『ギリシア記』第二巻第一章（10））。神話によると、コリントスの支配権は太陽神《ヘリオス》から息子アイエテス（メデイアの父）に、彼がコルキスに去った後はメデイアに継承され、彼女と一緒にいたイアソンがコリントスの王になったという。

またパウサニアスは、メデイアとイアソンの別離に関する『コリントス史』のくだりも書き留めている。それによると、彼女は子どもが生まれるたびに、わが子を不死身にするための秘儀を施した。女神ヘラの神域（【図２】）へ子どもを「抱いていって隠した」(1)が、目的を達成することができなかった。その行為を知ったイアソンは妻が許せず、イオルコスへ出帆してしまった（パウサニアス 第二巻第一章（11））。

メデイア伝承と悲劇作品

メデイアの伝承に基づく悲劇作品のうち、完全な形で残っているのは、エウリピデス（紀元前四八年代後半〜四〇六年）のギリシア悲劇『メデイア』（前四三一年上演）と、セネカ（前四頃〜後六五年）のラテン悲劇『メデア』（*Medea*, ?）である。エウリピデスはメデイアを、女神ではなく人間味溢れるキャラクターとして描いた。一方セネカは、エウリピデスの作品を典拠にしながら、異界からやって来た魔女というキャラクターを創出した。ここでは二つの悲劇作品の特徴を整理しよう。

なお「メデイア」はギリシア語の名前、「メデア」はラテン語の名前である。劇に登場するそれ以外の人物で名前がある者には、ギリシア語の人名を用いる。ただし、『メデア』でクレウサと呼ばれる「クレオンの娘」は、『メデイア』では名前が与えられていないため、統一して「クレオンの娘」とする。台詞の引用箇所は（ ）に行数で示す。

エウリピデスの悲劇『メデイア』

・登場人物：メデイア　イアソン　二人の息子　メデイアの乳母　息子たちの守役
　使者　クレオン（コリントスの王）　アイゲウス（アテナイの王）　コロス
・舞台：コリントスにあるメデイアの住居の前
・時：イアソンは家を出てクレオンの娘と結婚した。メデイアは家の中に引きこもり悲嘆にくれる。

【図2】コリントスの遺跡から見たヘラの神域がある山（アクロコリントス）（1990年筆者撮影）

エウリピデスの『メデイア』は「情念の悲劇」作品とされる。激しい怒りがメデイアを復讐へ駆り立て、理性が激情を制御できなくなったとき、母メデイアはわが子を殺す。この悲劇的な出来事をとおして、不可避な不幸に際し、人間がいかに無力かを描いたところにエウリピデスの斬新さがある。

「母親によるわが子の殺害」についてパウサニアスは、この悲劇とは異なるエピソードを伝えている。それは、コリントスの住民たちが、メデイアの息子たちを「贈物に関する罪」で石打ち刑にした（パウサニアス 第二巻第一章（6））、というものである。「贈り物」とは、メデイアからコリントスの王女に贈られた打ち掛けと冠のことで、それにはメデイアが調合した毒薬が仕込まれていた。子どもたちは母の命令で王女に届けただけだったが、王女が怪死したことから、贈り物を「運んだ罪」で住民たちに殺されたという伝承である。

このように、メデイアの子どもたちは何者かに「殺された」と古くから伝えられていた。そして「生みの母による殺害」という設定は、エウリピデスの独創か、あるいはエウリピデスよりも古い作品にあった話を彼が悲劇に取り込んだのか、そのどちらかだといわれている。

セネカの悲劇『メデア』

・登場人物：息子たちの守役が登場しないこと、二人の息子たちは無言であることがエウリピデスの作品と異なる。
・舞台：コリントスにあるメデアの住居の前。
・時：夕方、まさにこれからイアソンとクレオンの娘の結婚式が始まろうとしている。

メデイアがわが子を殺し竜車で天高く逃げていく最後の場面は、エウリピデス以降のメデイア／メデア作品の定番になり、メデイア＝「子どもを殺した母親」と記号化し、様々な作品に取り込まれてきた。

セネカのラテン悲劇『メデア』はエウリピデスの翻案である。エウリピデスからセネカまでの約五〇〇年の間に、メデイア伝承をもとにした作品は十編ほど書かれたが、みな散逸しているため、作品に見られる改変がセネカ自身によるものなのか、あるいは先行する作品を踏襲したのかは不明である。

セネカの劇は、人間の非合理性、魔性、生の不可解さなどを主題にしたものが多く、彼がエウリピデスの作品を好んで翻案した理由も、ここにあるといわれている。修辞的技巧を凝らした独特の文体と、死や暴力、怨念、狂気、復讐などのモチーフが作品の特徴である。

なお、セネカの作品制作に関わる問題（制作年、制作目的など）、上演に関わる問題（上演の有無、上演形式など）については稿を改めたい。

『メデイア』は異類婚姻譚か

小林は、セネカの『メデア』は「異類婚姻譚」という筋立てによる「メデア再生の物語」であり、「異質の者同士の、本来不可能なはずの組み合わせの結婚がなされ、それが不可避的に壊れていく」展開を意味すると指摘している。「メデアの再生の物語」とは、人間の妻となり、人間界に移り住み、そこに馴染もうとした魔女《メデア》が、「人間に裏切られ、その超能力で彼らを壮烈に罰して自分の真に属する世界へ戻っていく物語」ということである（小林標B「《メデアになる》、《メデアである》」一九六頁）。

セネカの『メデア』が異類婚姻譚として解釈できるならば、その典拠であるエウリピデスの悲劇にも、異類婚姻譚的な特徴や文脈、装置があるのではないだろうか。というのも、セネカがエウリピデスの悲劇とは「大きく異なる別の作品」に作り変えたのは、先行する作品に異類婚姻譚としての素地と、それにふさわしくない部分の両方があったからだと考えられるからである。セネカは、次のような改変を行なっている（小林B一九七頁）。

①メデアは最初から最後まで一貫して魔女として描かれている。
②メデアは徹底して孤立した状況に置かれている。

③イアソンは観客から同情に値する人物に設定されている。
④メデアは子どもの遺体を遺棄する。
⑤メデアがイアソンと縒《よ》りを戻そうと試みる。

右の五点のうち①～④はセネカが作り変えた設定、⑤は追加した場面である。以下、セネカの改変を手掛かりに、エウリピデスの悲劇を読み直し、メデイアの異類的特徴を抽出してみたい。そして「子どもを殺した母親」メデイアの物語が異類婚姻譚として解釈できるかどうか、その可能性について考察したい。

2 エウリピデスのメデイア像

アルゴ船のギリシアへの帰還を、五十名を超える船員の家族は歓喜して出迎えた。生還者は、メデイアの知恵や機転に救われたことを家族に語って聞かせた。こうして「賢い女（σοφή / sophe）」メデイアの評判がギリシア人の間に広まった。イアソンの次の台詞を見てみよう。

> だいいち、蕃地に住まわずに、ギリシアの地に住めている。正義をわきまえ、力の赴くままに任せず、法を用うることを知るようになっているのだ。ギリシア人《びと》らは、すべて、そなたの賢いことを知り、そなたの声名も高い（五三六～四〇行）。

メデイアの故郷コルキス（【図3】）は、「蕃地」＝「地の果ての境《さかい》（βάρβαρος χθών）」（五三六行）とされている。「非ギリシアの、ギリシア語でない言葉を話している」という意味の βάρβαρος（barbaros）は、排他的、差別的なニュアンスで用いられる

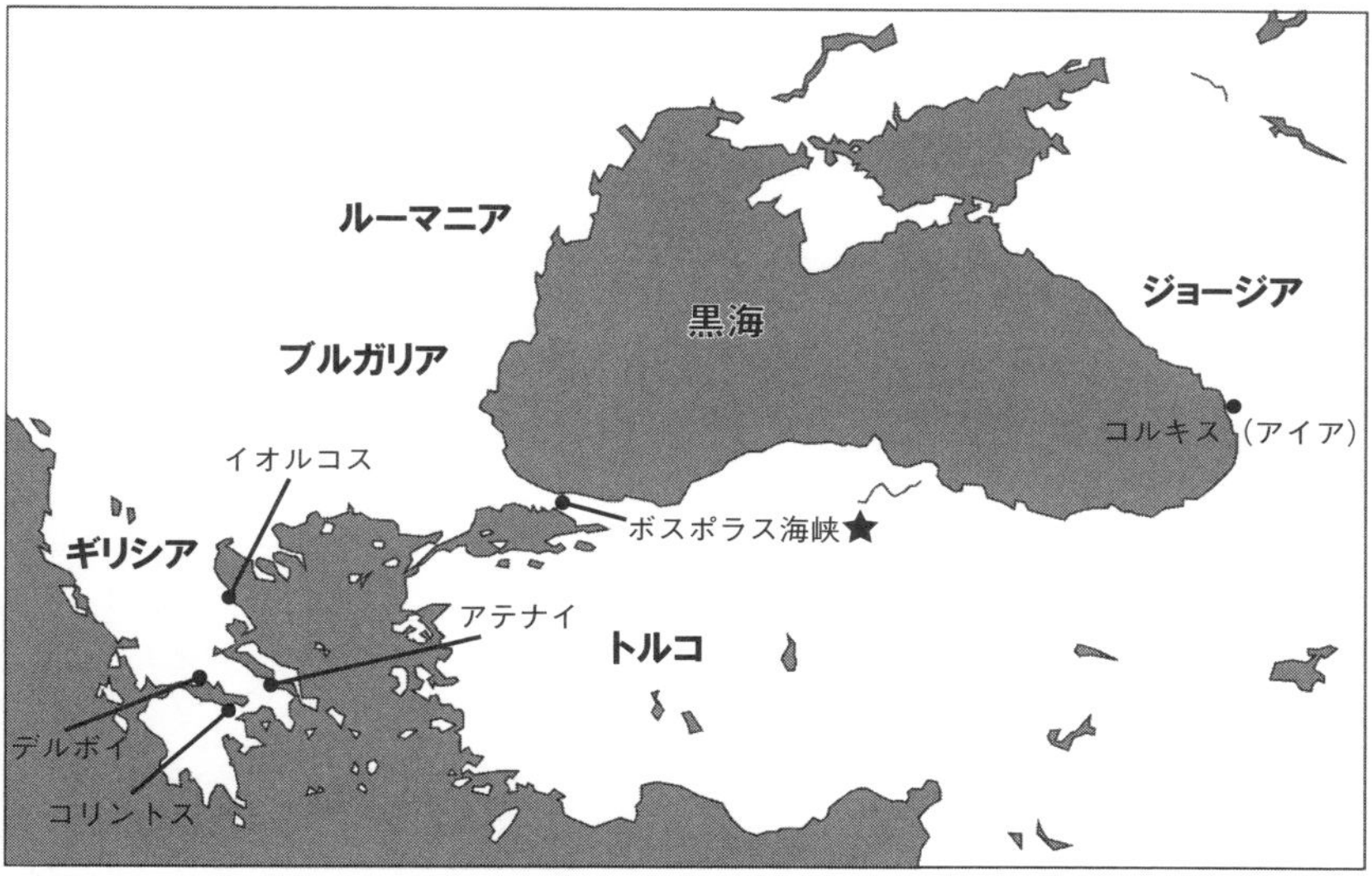

★入口に「撃ち合い岩」と呼ばれる二つの浮島があると考えられていた。
間を船が通過しようとすると、両側から岩が圧し潰し、黒海への出入りを妨げていた。
伝承では、ここを無事に通過できた最初の船がアルゴ船だった。

【図３】作品に出てくる地名（筆者作成）

ことがあり、この台詞でも、コルキスがギリシアから見て辺境にある夷狄《いてき》の国として表されている。

イアソンが言及する「法」は、叡智、自由、勇気と並んで、紀元前五世紀中葉のギリシアにおいて「ギリシア人をギリシア人たらしめる重要な価値概念」と認識されていた（エウリピデス「メデイア」丹下和彦A訳註 一三六、四二二頁）。蛮地《コルキス》で「力の赴くまま」行動していたメデイアが、ギリシアで法に従い、「理性的に」振る舞う術を学ぶことで「ギリシア化」した。イアソンは、彼女が高い名声を得たのは、彼女をギリシアへ連れてきた「自分のお蔭」であると考えている。一方、メデイアは名声がもたらす災難について、「世に高い聞えがかえって仇《あだ》となり、ひどい目に遭いましたのも、たびたびのこと」（二九二行）、と言っている。

ここから「賢い女」はギリシアでの仮の姿であり、「力の赴くまま行動する蛮地《コルキス》（つまりギリシア人にとって異境）の女」が、彼女の「本来の姿」だったと解釈できる。異境からギリシア世界へ連れてこられ、そこに馴染むためにメデイアは魔性（＝自分の力）を封印したのである。

【図4】Frederick Sandys, *Medea* (1866-1868) Birmingham Museum and Art Gallery

メデイアの毒薬の効き目

セネカは「魔女《メデア》」のイメージを徹底するために、彼女が毒殺に用いる薬を調合する場面を挿入している（【図4】）。毒薬の成分となる物質や薬草を列挙し、効能を高める呪文を追加している。彼女が調合した毒薬でクレオン親娘が死ぬ様子は、使者がコロス（本章3節を参照）にごく簡単に報告するだけである。毒薬の威力は水を掛けると火の勢いが増す「炎の恐怖」（八八七行）という語句で抽象的に述べられるが、殺害の詳細は省かれている（セネカの作品では、二つの殺害シーンのうち、クレオン親娘の殺害は使者によって観客に伝えられるが、メデアによる子どもの殺害は俳優によって舞台上で演じられる）。

ギリシア悲劇で人が死ぬ場面は、舞台上の演技によるのではなく、使者が状況を報告するか、あるいは舞台裏で演じられる。エウリピデスの作品では、クレオンの父娘《おやこ》が毒殺される状況は、使者が報告する。贈り物を受け取ってからクレオン父娘が死ぬまでの使者の台詞（一一三六〜一二三〇行までの九五行）のうち、二人の死にざまは、五九行にわたって詳述される。クレオンの娘が打ち掛けと冠を身に着けると、冠の毒が炎を上げて燃え、その熱で眼球が溶け、顔の形は崩れてしまう。身体に食い込んだ衣が燃え、血が滴り、肉が松脂のように骨から離れて流れ落ちる。駆けつけた父が娘の亡骸をかき抱くと、老いた肉体に打ち掛けがへばりつく。無理やり剥がそうとすると、肉が骨から引き剥がされる。力尽きた父親も息絶えた。

ギリシア悲劇には「恐怖《おそれ》」と「憐憫《あわれみ》」の感情が欠かせない（アリストテレス『詩学』松本仁助解説 一三八頁）。エウリピデスが毒殺の場面を使者に詳細に語らせるのは、これらの感情が、台詞によって観客の心に引き起こされることを意図したからである。役者はみな、仮面をつけるため、観客にその表情はわからないが、使者が語る毒薬の威力と禍々しさは、観客に恐怖を引き起こすのに充分な効果があったと考えられる。ギリシア神話では、自分の邪魔をする「死すべき人間」たちに、神々は様々な方法で報復する。神の尊厳が人間に傷つけられたとき、その報いは残酷で容赦ないのである。メデイアがクレオン父娘を殺したのも、夫を奪われたことで傷つけられた女神としての尊厳を回復するためだったといえる。

それと同時に、結婚のために殺されなければならなかった幼な妻に対して、「お可哀そうに、クレオンのお姫御さま、あなただけは、お気の毒に思えてなりません」と、コロスの長が観客の気持ちを代弁する（一二三三〜三四行）。世間知らずで無邪気なだけの娘が、いとも簡単にメデイアの奸計に陥ってしまったからである。このように観客は、毒殺の場面で女神メデイアの怒りの激しさに恐怖を感じ、彼女に殺されたクレオンの娘を哀れに思うことになる。

この毒殺の場面には、作劇上の別の意図を読み取ることができる。劇中、メデイアが魔性の存在であることを、何よりも観客に強列に印象づけるのがこの場面なのである。父娘の毒殺が詳述されるのは、自在に毒薬を使いこなすメデイアの力を描き出す意図があったからであろう。

3　メデイアを取り巻く女たち《コロス》

ギリシア・ラテンの古典劇において、一つの役を演じる複数の俳優から成る集団をコロス（χορός / choros、英語 chorus「コーラス」の語源）と呼ぶ。悲劇の場合、コロスは十二ないし十五名で構成される。俳優と台詞のやり取りをするほか、劇で幕間にあたる場面では、歌いながら踊る舞踏集団でもある。

エウリピデスの作品では、コリントスの女たちから成るコロスは「蛮地《コルキス》」からやって来たメデイアに同情的である。「はげしい心のお怒りが／どうか静まりますように／真心こめて／つくしましょう」（一七六〜七七行）と、彼女の嘆きや怒りをなだめるために、家に引きこもるメデイアを外へ連れ出すようにコロスは乳母を促す。そしてコロスは、イアソンを「不実な夫《つま》」（二〇八行）と呼び、「正義《テミス》」（＝「誓い」の神）が彼を裁くように祈る。

コロスの前に姿を現したメデイアは、「男は戦争で戦うのに、女は家で呑気にしている」と威張る世の夫たちを一蹴し、「一度お産をするくらいなら、三度でも戦場に出るほうがましではありませんか」（二五〇～五一行）と訴え、その主張にコロスは賛同する。メデイアと同様に彼女たちもまた、男性優位の社会（＝ギリシア）で不当に扱われる社会的弱者であったからだ。そしてメデイアはコロスに復讐の計画を打ち明け、他言しないように口止めをする。コロスの長は「ご主人さまを懲《こ》らしめなさるのも当然ですもの」（二六七行）と、イアソンへの報復が正当なものであることを認め、彼女の計画を口外しないことを約束する。このように、復讐の企てがメデイアとコロスの会話から観客にだけ伝わるようになっているため、両者が心を許しあって会話を進めることは、劇の展開上、重要なのである。

「メデイアの怒りと憎悪を共有する」コロス（丹羽隆子「メーデイアはなぜわが子を殺したか？」三五頁）には、彼女が孤立無援の状態にあることを際立たせる役割がある。不幸になったとき、コロスには頼れる者がいるが、メデイアは「異境から連れてこられた身」で夫に捨てられた今、誰にも頼れない。この境遇の違いこそが、集団の中でメデイアが孤立している所以だといえる。

一方、セネカはコロスをメデアに批判的なものに変えている。イアソンとコリントスの王女との結婚を寿《ことほ》ぐ行列の中でコロスは、「おぞましきパシス女（＝メデア）の寝床からお逃げなさい。／荒くれ女を妻として、胸の動悸を隠しつつ／お義理で抱くのにはお慣れでしょうとも」（一〇三～〇四行）と歌い、イアソンがメデアを棄て王女と結婚することで、幸せになることを祈願している。コリントス王に逆らうメデアにコロスが味方するのは、現実的でないこともあり、セネカはコリントスの王女とイアソンとの結婚を祝福し、メデアを敵視するコロスを創出することで、彼女を周囲から孤立させたのである。

4　イアソンの人物設定②

イアソンの言い分「エロスの矢のせい」

エウリピデスのイアソンは、徹底的に卑劣で自己中心的な人物である。メデイアは、彼に尽くしたことを言い立て、結婚の誓いを破った彼を激しく責める。

これに対してイアソンは、彼女の行為は愛によるものではなく、神がそう仕向けたからだと抗弁する。それというのもメデイアの恋心は、エロスの「逃れられぬ矢」により「意図的に」惹き起こされたものだったからだ。アルゴ船の遠征で絶体絶命の危機にあった彼を助けたのは、「神々の中にも人間の中にも、ただ一人、アプロディテさま（ここではエロスとアプロディテは同一視されている）」（五二七～二八行）に他ならない、と言うのである。

イアソンのこの「言い分」は、ギリシア悲劇が、神話に基づいて創作されることに関連している。ギリシア神話では、不幸は神の力によるため、人間はそれを避けることができず、無力である。つまりメデイアの恋は女神ヘラの計らい③であり、エロスの矢からは人間だけでなく神も逃れられないのだから、彼女は「イアソンに恋をする運命」を受け入れるしかないのである。そして彼女がイアソンに貢献したことはすべて「エロスの矢のせい」だから、イアソンが責められる理由はない。このようにメデイアの愛情を否定するイアソンは、愛を信じない。クレオンの娘との結婚も愛情からではない。「いいか、よく聞け、王家とのこの縁組は、女に惹《ひ》かれたからではない」（五九三行）というイアソンは、子どもが女でなく別のところから生れてくればいい、女はこの世にいなければいいと平気で言う、女性嫌悪主義者の一面を見せている（エウリピデスが女性嫌悪主義者と見なす有力な典拠の一つ、丹下A訳注 一三八頁）。

イアソンの裏切り

イアソンには他人に認められたいという強烈な承認欲求がある。この欲求を満たす「名誉、名声」こそが彼にとってもっとも価値があることだ。名誉を得るために彼は結婚を利用する。メデイアとの結婚によって彼が得たものは、金の羊皮、名誉の帰還、叔父ペリアスへの報復、そして世継ぎとなる息子たちだった。コリントスで彼に無いものは、王族としての名誉と繁栄である。それゆえ王女との結婚は、王位の継承と繁栄という「名誉」を手にする絶好のチャンスなのだ。

一方、メデイアにとってイアソンとの結婚は、愛情で結びつけられた縁が保障されるように、神々の前で宣誓した契約である。宣誓したことが破られたとき、神々は当然その破誓行為を厳しく罰する。このため宣誓の行為には相当の覚悟が伴うのである。

異類と人間の婚姻には、しばしば「禁忌《タブー》」が設けられている。それは異類が、「本来の姿」を人間に知られないようにするための装置である。禁忌が破られると多くの場合、婚姻関係は破綻し、異類は人間のもとを去る。メデイアとイアソンの悲劇において「神々に宣誓した結婚という契約を破ってはならない」というのが、二人の間に設けられた禁忌ではないだろうか。イアソンが結婚関係を反故にしたとき露わになったのは、彼の不実な本性であってメデイアのそれではないという反論があるだろう。しかし、「その夫が、世にもひどい人間だとわかったのですから」(二二八〜二二九行)とメデイアが言うように、夫の裏切りで彼の卑劣さが明らかにならなければ、彼女は復讐することもなかっただろう。ギリシアに来て「法を用いることを知るようになった」メデイアが、法ではなく、かつて自分が得意としていた手段、すなわち毒薬と肉体を切り刻む刃を選んだところに女神メデイアへの回帰を見ることができる。

5　アテナイの王アイゲウスの登場場面《シーン》

アイゲウスの登場

クレオン、そしてイアソンに続いてメデイアを訪れたのは、アテナイの王アイゲウスであった。メデイアが復讐の計画を練っているところに、突然、何の前触れもなくやって来たのである。彼は世継ぎが生まれないので、デルポイ（別名、ピュティア）に神託をうかがいに出かけた。アテナイへの帰路、ピッテウスに神託の謎解きをしてもらうため、トロイゼンに向かう。その途中、メデイアのもとに立ち寄る。劇中、彼は訪問の目的を明言していないが、メデイアには予言の能力もある（ピンダロス『ピュティア祝勝歌集』（*Πυθιονίκαι*, ?）第四歌、九～十六行）ことから、神託について彼女の意見も聞くつもりだったと推測できる。

この作品が上演されて以来、アイゲウスの登場場面《シーン》の必然性が問題視されてきた。その問題の所在を明らかにしたうえで、セネカがこの場面を削除した意図と、エウリピデスの作品におけるアイゲウスの登場場面の必然性を考えてみよう。

アリストテレスの指摘とセネカによる削除

アリストテレス（前三八四～三二二年）は『詩学』（*Περὶ ποιητικῆς*, ?）で、詩作における問題点として、まったく必要のない「不合理な要素」を挙げ、アイゲウスの登場がこれに該当すると述べている（アリストテレス『詩学』第二五章 1461b20）。メデイアが復讐後の逃亡先を思案しているところに登場し、彼女に身元の受け入れと保護を約束する展開は、不合理で因果関係が認められないために、劇中で演じることは避けなければならないというのである。

セネカは、悲劇の創作に関しては著作の中で何も言及していないため、アリストテレスの指摘を意識していたかどうかは不明である。しかしアイゲウスの登場場面を削除した理由として、この場面に作劇上の合理性がないと彼が判断した可能性は否めない。つまり、セネカのメデアが万能な魔女であるのに、人間（＝アイゲウス）の庇護が必要だとする設定は不合理だと判断したのである。

エウリピデスの作品にアイゲウスが登場する意味

アイゲウスの登場場面は、神託に関する会話と、取り決めに関する会話から成っている。問題は、二人の会話によって劇がどのように展開するのか、この場面が筋立てに与える影響である。神託に関する会話から、王位にある人間（クレオンやアイゲウス）、また王への野望を抱くイアソンが世継ぎに執着する理由を、メデイアは明確に理解する。これにより夫に与える復讐のダメージは、夫を殺すよりも息子たちを殺害する方がはるかに大きいと判断するに至る。また、「逃亡先《アテナイ》」で保護してもらう見返りに、魔術で「世継ぎ」を誕生させるという取り決めが成立したことで、復讐への時機がメデイアに到来する。(4) このことからアイゲウスの登場は、復讐の実行に関わる必然的な場面であるといえる。

この場面を異類婚姻譚の文脈に置きその意味を考えるとき、アイゲウスが登場する別の理由が浮かんでくる。彼メデイアを受け入れるのは友人としての人道主義的立場からではなく、人の命を操る術（魔術で薬を調合する能力）が彼女にあるからだ。夫の裏切りがきっかけになり、「力の赴くまま行動していた」かつてのメデイアが覚醒した。そしてアイゲウスの来訪により彼女は、「人間の欲望を叶える力」が自分にある限り、人間界に自分の居場所があると悟った。アテナイ王の登場を契機にメデイアが「魔術に長ける女」に回帰したという点で、劇の展開上、この場面が不可欠であることが示唆できるのである。

6　わが子を殺すメデイア

殺害に向かうメデイア

娘をイアソンに嫁がせたクレオン王により、メデイアとともに息子たちも追放されることになっていた。しかしメデイアは贈り物でクレオンの娘を懐柔し、子どもを追放しないよう取り成しを依頼した。贈り物が功を奏し、守役は、子どもたちが国外追放を免れたことを告げる。これで子どもたちは期せずして母の企みに荷担し、贈り物を届けた廉《かど》でクレオンの親族による報復の危険に身を晒《さら》すことになる。

使者がクレオン父娘の怪死（2節を参照）を報告し、退場する。メデイアは意を決し、子どもたちの所へ向かう。クレオンの遺族が報復するために動き出すのは必至だからである。

エウリピデスの作品で子どもたちの殺害は舞台裏（＝家の中）で演じられるため、いったんメデイア役の俳優は退場する。このときの彼女の台詞（一二三七〜四〇行）から心の動きをたどってみよう。

ぐずぐずしていて、あれたちを、もっとひどい人たちの、手にかからせるようなことはなりません（①）。あの子たち、どのみち命はないのです（②）。そうというなら、生みの母の手にかかるのが、せめてもの仕合せと言えましょう（③）。

丹羽は、①は母親の子どもに対する直観的、本能的守護意識かつ理性的な判断、②は人間はみな、死すべき存在であるという死生観、③は子どもの殺害を自分自身に納得させる根拠だと分析し、結論に至る過程は論理的で、非理性的でも非人間的でもないと指摘している（丹羽 四二頁）。

イアソンに裏切られたとき、メデイアは子どもたちを呪い、自死を願った。彼らを疎ましく思うのは、自分にとって彼らが「親しい者」であると同時に、憎い夫に属する者でもあるからだ。しかし、夫への復讐にわが子の殺害を決意すると、逆に疎ましさは薄れ彼らへの愛おしさが募る。メデイアには、「敵には容赦はなくて、親しいものには情を尽す」（八〇九行）、というギリシア人の倫理観がある。親として子どもに尽くすべき情は、彼らを慈愛をもって育てることであって、その命を損なうものではない。しかし彼女が置かれた状況で唯一できることは、子どもを自らの手で殺すことであった。ギリシア悲劇の主題――人間が避けることができない不幸――を、ここに読み取ることができる。

メデイアがイアソンに復讐するのは、「愛情で結びつけられた関係を維持していくために、神々の前で宣誓した契約

（異類婚姻譚における禁忌）」が破られたからであった。禁忌が破られれば、異類は人間界を去らなければならない。自分をイアソンと結びつけている絆、縁を断ち切り、彼が住む世界を去るためには、子どもを犠牲にして遺骸を運び去る以外の選択肢はなかったのである。自分が人間界を去った後、愛おしいわが子が人間に辱められるのは、女神として、「魔性の女」として、そして何よりも母として、甘受することはできない。古代ギリシアで、親族の遺体が埋葬されずに放置されたり、墓場が暴かれたりすることは、残された者には耐えがたい屈辱であった。それ故に、メデイアは子どもを殺すのである。

復讐神《エリニュス》

退場するメデイアを見送ってコロスは太陽神《ヘリオス》（＝「み光」）に祈る。

貴けき　み光よ、護らせたまえ、／地の下の　怨霊《おんりょう》に／とり憑《つ》かれ、血に飢えた、／さながらの復讐神を／家よりは　遠ざけたまえ（一二五八～六〇行）。

ギリシア神話では、メデイアが蛮地《コルキス》を出奔するとき、彼女は追っ手を撒くために、連れてきた弟アプシュルトスを殺し、八つ裂きにして海にまき散らした。劇でもメデイアは、「わが弟を無慙《むざん》にも／手にかけ」（一六七行）と、弟殺しに言及している。また、わが子の殺害を知ったときのイアソンの台詞、「そうだ、そなたにつきまとう怨霊《おんりょう》を、わが上へ神々がくだしたもうたのだ」（一三三三行）の中の「怨霊」は、メデイアにつきまとう弟のものであることを暗示している。復讐神《エリニュス》（三人の女神たち）は、主に肉親を殺した者を、殺された者に代わって追い立て復讐する神で、「古代における因果応報の思想が神格化されたもの」と考えられている（上村くにこＡ「ギリシア悲劇における暴力と女性なるもの」二五〇頁）。このことから、「地の下の怨霊」をメデイアに殺された弟の怨念だとすると、「怨霊」が殺人者メデイアに復讐するために「復讐神」を呼び出すことなる。しかし、前述のイアソンの台詞以外にメデイアの弟の亡霊が登場することもなければ、弟がメデイアに復讐するという筋立てもない。ここでコロスが歌う「復讐神」は、イアソンを断罪するため息子たちを殺《あや》めるメデイア自身が、まさに「復讐神」であるという解釈が可能である（Mastronarde, D. J. Euripides, *Medea*. 三六七頁）。

一方セネカは、子どもの殺害場面《シーン》に怨霊を登場させる。わが子を殺そうとすると、メデアは慈悲と怨念に激しく心を揺さぶられ実行できない。このとき彼女は、自分に復讐するため迫りくる復讐神の幻影と弟の亡霊を見る（九五八〜六四行、復讐神と亡霊は俳優が演じるのではなく、メデアの台詞によって伝えられる）。メデアは亡霊に、自分の身代わりに息子を復讐神に捧げることを提案し、わが子を一人刺し殺す。この犠牲により彼女は弟殺しの罰から免れた。遺骸を抱き息子を連れて屋根に上りながら、「これでやっと、わたしの王笏と弟と父とを取り戻すことができた。〔中略〕王国が再建されたのだ。一度は奪われたわたしの純潔も、昔に戻った」（九八二〜八四行）と言うように、彼女は「過去の自分」を取り戻したのである。そしてイアソンの眼前でこの息子も殺し、彼への復讐を完遂する。

7　竜が曳く車で立ち去るメデイア

定型としての「機械仕掛けの神」

ギリシア悲劇に登場する「機械仕掛けの神（Deus ex machina／デウス・エクス・マキナ）」とは、俳優が「機械仕掛け《メカネ》（μηχανή／mechane）」＝綱と滑車でできた吊り上げ装置で、垂直方向に移動し、神を演じることである。野外劇場では天井がないため、歌舞伎の宙乗りのようにはいかない。円形の舞台の奥にある建物の屋上まで持ち上げられるだけなので、その飛行距離はたかが知れている（エウリピデス『メディア』山形治江訳 解説 一〇一頁）。

この演出方法は、劇の展開に行き詰まったときに、神が登場することにより無事に劇を終わらせようとするもので、膠着した状況を打開する安易な策だと批判されることもある。しかしエウリピデスはしばしば劇の終盤に、「機械仕掛けの神」を登場させた。現存する十九の作品中、十二作品（中山恒夫「再び『メーディア』のエクソドスについて」八頁）にこの演出方法を用いたといわれ、その頻度はかなりのものである。観客に大いに受ける演出なので、エウリピデスは「機械仕掛けの神」を登場させて、観客の期待に応えたようだ。

「機械仕掛け《メカネ》」で初めて舞台に姿を現す神は、まず名を名乗り、それから膠着した状況を打開するため、何らかの解決策を人間に提示する。神の登場の効果は絶対的で、人間は神に恭順の態度を示す。このように「機械仕掛けの神」が登場する場面には、「神の認知」と「神の言葉」、そして「神への恭順」という「定型」がある（中山 七〜九頁）。

竜車のメデイア【図5】

悲劇『メデイア』でも、終盤で「機械仕掛けの神」が出現する。正確には残酷な復讐を完遂したばかりの、神の血を受け継ぐメデイアである。メデイアが仕組んだ毒で、クレオン父娘が怪死したという知らせを聞いたイアソンは、とっさに息子たちにも身の危険が迫っているのを察知し、彼らの救出に駆けつける。門を開けようとするイアソンの頭上に竜が曳く車に乗ったメデイアが登場する。

この機械仕掛けのメデイアのシーンは、以前から議論が分かれるところであった。[5] メデイアは太陽神《ヘリオス》の孫であり、機械で吊り上げられるのは、神役の俳優という「機械仕掛けの神」の定型から、メデイアは神になった、あるいは神格化したという解釈と、「定型」に当てはまらないから、メデイアはあくまでも人間であるという解釈とがある。

「機械仕掛け《メカネ》」で登場するメデイアを、人間と解釈する論拠は、前述した「定型」のうちの「神の名乗り」と「神への恭順」がなされていないということである。メデイアは劇の最初からすでに舞台に登場しており、「機械」に乗って登場したのが誰であるかは、観客にも舞台の登場人物にも一目瞭然なので、メデイアは名乗らない。さらに彼女に対してイアソンは「憎い奴」、「憎い女」と罵り、「このわしを、生き甲斐もない、子無しの身の上にしおったな」（一三二五行）と、子どもを殺された恨み悔しさで彼女を責めたてた挙句に、「滅んで失せろ」（一三二九行）とまで言い放つ。これらの台詞には、殺人鬼メデイアへの憤怒はあっても、女神メデイアへの恭順の姿勢は見られない。

それでも、エウリピデスがメデイアを、「機械仕掛け《メカネ》」で登場させる目的とは何だろうか。その答えとして、彼女を竜車に乗せることで復讐を成功させただけでなく、圧倒的な優位に立つ勝利者として、コリントスを去る姿を演出しようとしたのだと中山は指摘する（中山 十五〜十六頁）。

アイゲウスの登場する場面が契機となり、メデイアは「本来の自分（＝女神）」に回帰し、その能力を発揮して復讐を完遂した。そして「神」が乗るべき機械に、メデイアが乗るのは、ギリシアで「賢い女」と称賛された彼女が「異質な存在」に変化《へんげ》し、彼女の本性が顕現したことを象徴的に描出するためと考えられる。何よりも「機械《メカネ》」（＝竜車）は彼女の祖父である太陽神《ヘリオス》が彼女に贈ったものであることを忘れてはならない。地に伏して切歯扼腕するイアソンと、その彼を眼下に見下ろす「圧倒的に優位な場所」にメデイアを据えることで、人間の卑劣さと女神の優越性を対照的に可視化する。上昇するメデイアに、自尊心を完全に取り戻した女神としての姿を見ることができるのである。

【図５】竜車に乗るメデア（メデアの周囲の図柄は太陽神ヘリオスを表す。）
上部の両端には一組の復讐神《エリニュス》がいる。

子どもの埋葬

エウリピデスの劇では、竜車に乗るとき、メデイアは二人の息子の遺体を腕に抱いている。子どもの埋葬を願うイアソンの訴えを却下し、コリントス人に墓が穢されないように、コリントスのアクロポリスにある女神ヘラの神殿に遺体を運び、彼女が自ら葬ることを宣言する（＝「神の言葉」）。わが子をメデイアが殺す理由は、イアソンから息子を奪い、王位への野望を挫くためであると同時に、子を愛する母として、彼らの死を悼み埋葬するためでもあった。しかしコリントスで最後に彼女が為すことは、子どもの埋葬だけではない。自らが犯した殺害の穢れを浄め、罪を償うために、「おごそかな祭典の儀」（一三八二行）を設けることである。彼女に代わってコリントス人が罪の償いに祭事を執り行なうのは、メデイアが神的存在であり、人間に祭典を設けるように命じる権能を有するからだと解釈できる。そして「アルゴ船の残骸に頭を打ち割られて」死ぬ（一三八七行）とイアソンの「みじめな最期」を予言して、メデイアは竜車でコリントスを去るのである（予言を「人間の力を越えた女神しかできないこと」と上村は指摘している、上村くにこB「メデイアとは誰か」一九四頁）。

セネカはメデアが去る前に彼女が屋根から子どもの遺体を遺棄するように改変している。「では、親御さん（parens、単数形、メデア自身はもう「彼らの親という意識はない」ことを暗示している）、息子を返してあげましょう、どうぞ受け取って」（一〇二四行／（ ）内についてはセネカ「メデア」小林標A訳 作品解説 四五二頁）と言って、子どもの遺体を屋根から遺棄する彼女には、子どもへの哀悼の気持ちも、埋葬の義務を果たす意思も見られない。あるのは魔女《メデア》の非情さである。徹頭徹尾、セネカはメデアを魔女《メデア》として描いたことが、ここでも確認できる。

8 結語にかえて

セネカの『メデア』の新しい解釈（1節を参照）として、小林は、――『メデア』は「若い日の恋愛の故に人間の妻となり、人間界に移り住んでそこに馴染もうとした魔女が、やはり人間に裏切られ、その超能力で彼らを壮烈に罰して自分の真に属する世界へ戻っていく物語」である――と指摘した（小林B 一九六頁）。

女主人公がイアソンのもとを去る点はエウリピデスもセネカも同じである。セネカの場合、メデアは、「わたしは、大空高く翔《かけ》る車に乗って、旅することにいたします」（一〇二五行）と、行先は告げずに去る。しかし、メデアが人間界を去り戻っていく先は、かつて彼女が属していた「蛮地《コルキス》（＝再建された王国）」であった（丹下和彦B「アエゲウス登場セズ」七三頁）。

一方、エウリピデスのメデイアは、「エレクテウスの国（丹下訳＝アテナイの地）」の「パンディオンの御子のアイゲウス」のところに行くと告げている（一三八四〜八五行）。アテナイは作品が上演された場所である。「アイゲウスどのとごいっしょに暮すことになりましょう」（一三八五行）という台詞が意味するのは、観客がいる場所《アテナイ》にメデイアが再び姿を現し、人間の欲望を満たすべく、「魔術で人間の命を自由に操ることができる女」として生きるということである。つまり、初演時の観客にとってコリントスを去るメデイアは、自分たちがいる「現在」への来訪者でもあるのだ。

ここで、アテナイを「人間の様々な欲望が渦巻く場所」、観客を「作品を読む者たち」に置き換えれば、「時空を超えてあらゆる所に存在するメデイア」像が見えてくるのではないだろうか。エウリピデスの『メデイア』は、かつて人間の男と結んだ縁を断ち切り人間界から去った「異界の存在の物語」ではなく、人間と縁を結ぶために、人間界に再び舞い戻ってくる物語と解釈することができる。なぜなら、「人間の欲望を満たす力」をもつメデイアには、欲望を抱く人間がいる場所が彼女の居場所になるからである。

＊＊＊

註

（1）訳者飯尾は「隠す κατακρύπτειν / katakryuptein」は「葬る」とも解釈している（飯尾都人『ギリシア記附巻』四六頁）。ギリシア神話では子どもを不死身にするために、母である女神がわが子を河の水につけたり（女神テティスと英雄アキレウス）、乳母である女神が世話をしている子どもを燃える火に投じたり（女神デメテルとエレウシスの王子デモポオン）する話が出てくる。

（2）クレオンの娘との結婚に関して、エウリピデスの作品では、イアソンは既に結婚していることになっている。一方、セネカは結婚する当日に悲劇が起こるという設定に変え、ペリアス殺害の罪でアカストス（＝ペリアスの息子）がイアソンの身柄引き渡しを要請するという事情を追加することで、心理的に追い詰められた状況に彼を置いた。結婚と引き換えにクレオンに庇護されることで「心安らかになりたい」と、平安な暮らしを望むイアソンに、観客は同情するのだった。

（3）メデイアの恋は、イアソンを加護する女神ヘラが、アテナとアプロディテの協力によって仕組んだものである。このエピソードについては、恋のお呪《まじな》いとして「アリスイの輪（iynx-wheel）」（コラムⅠを参照）をアプロディテがイアソンに授けるという話もある（ピンダロス「ピュティア祝勝歌第四歌」）。

（4）セネカはアイゲウスの登場場面を削除し、その代わりに「メデアがイアソンに復縁を迫る場面」を挿入した。子どもへの愛情を吐露するイアソンに、メデアが夫の弱点を見つける重要な場面である。

（5）竜車に乗ったメデイアを「神」ではなく「あくまでも人間」であるとする解釈に対して、「古代ギリシアの神《テオス》概念への現代人としての抵抗あるいは躓きが、無意識のうちにも作用している」、という指摘がある（川島重成A「『メーデイア』のデウス・エクス・マーキナー場面《シーン》について」二九頁）。それによると、「現代人は人間性の中に獣的・非人間的なものを認めるが、『獣的な神』は容易に受け入れ難いと感じている。一方、古代ギリシア人にとっては神々と野獣と（そして人間もまた）、元来は原自然に帰一すべきものであった」というのである。

※なお、ギリシア語、ラテン語をカタカナで表記するにあたり、固有名詞は原則として音引きを省くことにした。

引用・参考文献

〈本文で引用した邦訳書〉

エウリピデス「メデイア」中村善也訳『ギリシア悲劇Ⅲ　エウリピデス（上）』松平千秋編、ちくま文庫、一九八六年

セネカ「メデア」小林標訳『西洋古典叢書　セネカ悲劇集Ⅰ』小川正広・大西英文他訳、京都大学学術出版会、一九九七年、小林A

〈参考文献〉
Clauss, J.J. and Johnston, S. I. eds.（1997）*Medea: Essays on Medea in Myth, Literature, Philosophy, and Art.* Princeton University Press.
Cleasby, H.L.（1907）"The Medea of Seneca." *HSCP* 18 : 39-71
Johnston, S.I.（1995）"The Song of the *Iynx*: Magic and Rhetoric in *Pythian* 4." *TAPA*125:177-206.
Johnston, S.I. "Corinthian Medea and the Cult of Hera Akraia." In Clauss and Johnston（1997）44-70.
Knox, B.M.W.（1983）"The Medea of Euripides." In *Oxford Readings in Greek Tragedy*, ed. by Segal, E.,Oxford University,（1983）272-93.
Kovacs, D. ed.（1994）Euripides, *Cyclops. Alcestis. Medea* vol. I（Loeb Classical Library）, Hauvard University Press.
Mastronarde, D. J. ed.（2002）Euripides, *Medea*. Cambridge.
Miller, F. J. ed.（2002）Seneca, *Tragedies* vol.I（Loeb Classical Library）, Hauvard University Press.
飯尾都人編『ギリシア記附巻（解説・訳註・索引編）』龍渓書舎、一九九一年
上村くにこ「ギリシア悲劇における暴力と女性なるもの」上村くにこ編『暴力の発生と連鎖』人文書院、二〇〇八年、上村A
上村くにこ「メデイアとは誰か――太古の『女神』からエウリピデスの『人間の女』へ、そしてセネカの『魔女』へ」『甲南大學紀要文学編』一六三巻、二〇一三年、上村B
エウリピデス「メデイア」『西洋古典叢書　エウリピデス悲劇全集Ⅰ』丹下和彦訳、京都大学学術出版会、二〇一二年、丹下A
エウリピデス『メディア』山形治江訳、れんが書房新社、二〇〇五年
川島重成「『メーデイア』のデウス・エクス・マーキナー場面《シーン》について――『バッカイ』との神顕現との比較から」『ペディラヴィウム』第五十号、一九九九年、川島A
川島重成『ギリシア悲劇　神々と人間、愛《エロース》と死《タナトス》』講談社学術文庫、一九九九年
小林標「《メデアになる》、《メデアである》――セネカにおけるメデア劇のメタモルフォーゼ」『西洋古典論集』十一、一九九四年、小林B
セネカ「メデア」丹下和彦訳『和歌山県立医科大学進学課程紀要』第十四巻、一九八四年

丹下和彦「アエゲウス登場セズ――セネカ『メデア』考」『和歌山県立医科大学進学課程紀要』第十五巻、一九八五年、丹下B
中山恒夫「再び『メーデイア』のエクソドスについて」『ペディラヴィウム』第六一号、二〇〇七年
丹羽隆子「メーデイアはなぜわが子を殺したか?」『ペディラヴィウム』第五十号、一九九九年
『アリストテレス 詩学／ホラーティウス 詩論』松本仁助・岡道男訳、岩波文庫、一九九七年
パウサニアス『ギリシア記』飯尾都人訳、龍渓書舎、一九九一年
ピンダロス『西洋古典叢書 祝勝歌集／断片選』内田次信訳、京都大学学術出版会、二〇〇一年
ヘシオドス『神統記』廣川洋一訳、岩波文庫、一九八四年
ボナール、アンドレ「1凋落と発見――エウリピデスの悲劇『メデイア』」『ギリシア文明史』第三巻、岡道男・田中千春訳、人文書院、一九七五年

◉図版出典

【図4】Clauss J.J. and Johnston S. I., eds.（1997）*Medea. Essays on Medea in Myth, Literature, Philosophy, and Art.* Princeton University Press 表紙

【図5】Medea in the Chariot of the Sun. Bell krater, Cleveland Museum of Art 91.1（Leonard D. Hanna Jr.Fund）. 出典：Sourvinou-Inwood, C.(1997) "Medea at a Shifting Distance: Images and Euripidean Tragedy," in Clauss and Johnston（1997）270

コラムⅠ

†恋のお呪《まじな》い

佐藤りえこ

「愛のキューピッド」といえば、弓矢を持ったかわいらしい天使の姿を思い浮かべるだろう。キューピッド（ローマ神話のクピド）は、翼の生えた幼い子どもの姿で描かれることが多いが、擬人化される前は、あらゆるものを結びつける恐るべき力をもつ原初の神、ギリシア神話のエロスだったとされる。その力を具象化したエロスの矢には、射ぬかれると恋に落ちる「金の矢」と恋を避ける「鉛の矢」があり、どちらも刺さるとたちどころに効力を発揮する。ギリシア悲劇『メデイア』でイアソンにメデイアが恋したのは、彼女が「エロスの矢」に射ぬかれたからだった。

メデイアの恋には女神アプロディテ（エロスの母）が関わる別の話がある。女神がくれた「お呪《まじな》い」をイアソンがメデイアにかけ、彼女の心を奪ったのである（ピンダロスの「ピュティア祝勝歌第四歌」）。神々の住むオリュムポスから初めて人間（イアソン）に授けられた「恋のお呪《まじな》い」とは、アリスイという鳥を「四本の輻《や》」にゆわえた輪――「アリスイの輪（iynx-wheel）」――のことである。この鳥は伸ばした首を自在に曲げ、蛇の擬態をして身を守る。後頭部から背にかけて首に黒い縦縞が一本あるため、首がくねる様子は、まさに蛇そのものである。

以前、「アリスイの輪」を模した素焼き《テラコッタ》の出土品を見たことがある。それは、アプロディテの崇拝地で知られるキプロス島で発見された、紀元前八世紀頃の埋葬品である。七羽の鳥が取り付けられた輪に、何ヵ所か穴があることから、紐で輪を吊り下げて回転させたものと考えられている。恋のお呪《まじな》いにアリスイが用いられたのは、鳴き声が魅惑的だからだという指摘があるが、回る輪に結びつけられた鳥は、かなり騒々しく鳴きたてるのではないかと想像する。

アリスイの学名 iynx は、英語の jinx（ジンクス、不運を招くもの）の語源でもある。「お呪《まじな》い」をかけられたメデイアの恋がハッピーエンドでなかったのは、「縁起が悪い」アリスイのせいだったからなのかもしれない。

第2章　メリュジーヌ伝説考
——蛇の尾をもつ妖精の悲劇

山内　淳

はじめに

フランス西部の都市ポワティエ近くに、中世には城塞都市として知られたリュジニャンという小さな町があり、その中心には今は朽ち果てた城跡がある。だがそこは、かつて妖精メリュジーヌが建てたといわれる伝説の城があった場所なのである。伝説によると、妖精は人間の男と結ばれ幸せな日々をおくり、子どもたちはフランスの大領主や異国の王になったともいわれる。だが、結婚の際に交わされた「約束」が破られ、二人は永遠に別れることになったという。メリュジーヌの名前がヨーロッパ中に広く知られるようになったのは、この物語が十字軍や英仏百年戦争などを背景として実在の大貴族リュジニャン家の始祖伝説となり、さらにはフランス王家とも結びつけられ、それまでの妖精譚には見られなかった目新しさを読者に提供したからであろう。揺れ動くフランスの中世社会を背景とした妖精譚は、今もなおその魅力を失ってはいない。

旧ポワトゥー地方（現在はヌーヴェル＝アキテーヌ地方に含まれる）の中心都市ポワティエは、古くからフランスの南北文化の交流点あるいは軍事上の拠点として発展してきた町であるが、フランク族クロヴィス対西ゴート族アラリック二世の「ヴイエの戦い」（五〇七年）、フランク王国宮宰のカール・マルテル軍対イスラム軍の「トゥール＝ポワティエ間の戦い」（七三二年）、それに「英仏百年戦争」（一三三七〜一四五三年）など、フランス史上重要な戦いがいくつも繰り広げられてきた場所でもある。人と妖精の愛と別離の物語はここからほど近い、とある静かな森の中で始まった。それは、十四世紀から十五世紀初頭に生きた、二人の人物によって今日まで伝えられている。

一人はフランスの宮廷に書籍商・製本師として仕えたジャン・ダラス（一三九二〜九四年頃）で、彼は国王シャルル五世の弟ベリー公（一三四〇〜一四一六年）と妹のバール公妃マリの依頼により、『リュジニャンの高貴な物語あるいは散

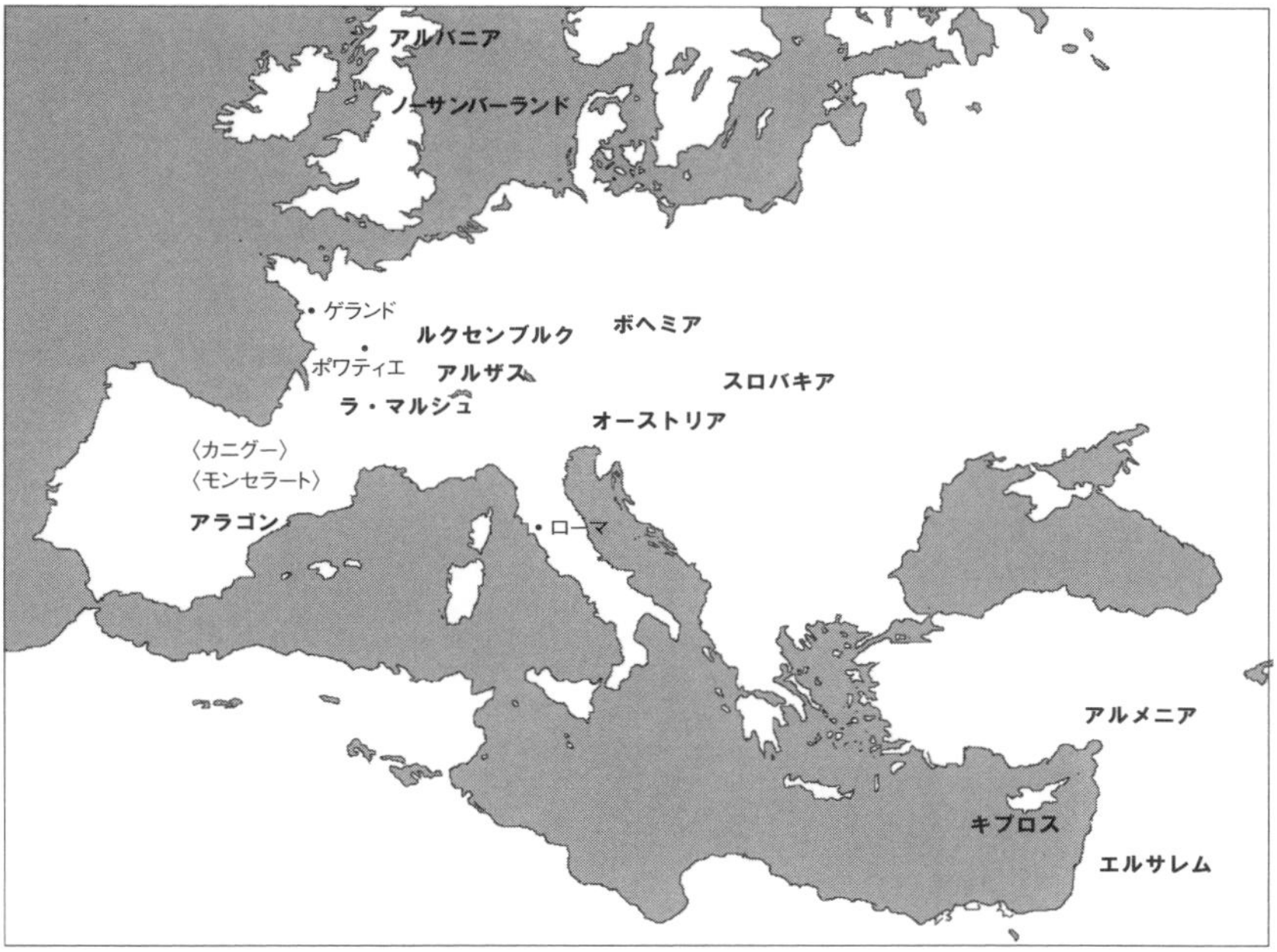

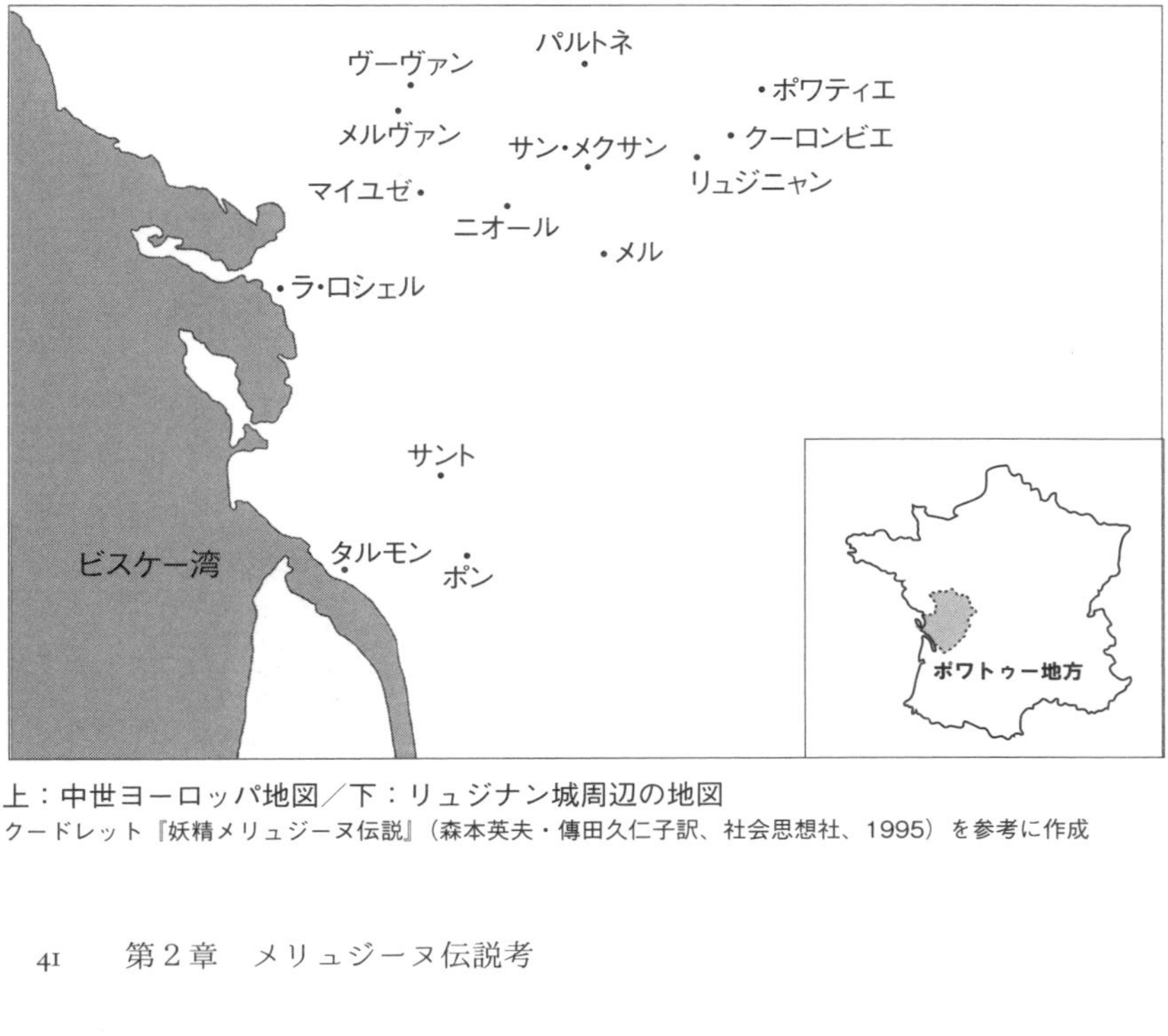

上：中世ヨーロッパ地図／下：リュジナン城周辺の地図
クードレット『妖精メリュジーヌ伝説』（森本英夫・傳田久仁子訳、社会思想社、1995）を参考に作成

文メリュジーヌ物語』（*La Noble Histoire de Lusignan ou le Roman de Mélusine en prose*）を、一三九三年の夏に上梓した。

あとの一人は、パルトネの領主ギヨーム・ド・ラルシュヴェック（ギヨーム七世）の礼拝堂付き司祭・書籍商のクードレット（一三??～一四??年）である。彼は主人の依頼で、一四〇一年から一四〇五年にかけて、『リュジニャンあるいはパルトネの物語』（*Le Roman de Lusignan ou de Parthenay*）、あるいは単に『メリュジーヌ』（*Mélusine*）を書きあげた。

二つの物語は、前者は散文で後者は韻文でそれぞれ書かれているが、内容の本質に関わるような大きな違いはない。ただ、ジャン・ダラスが冒頭でメリュジーヌ出生以前のことを詳しく述べているのに対して、クードレットはそれには関心を示していない。また前者は妖精の息子たちの冒険を多く語っているのだが、後者はむしろ彼女の姉妹たちのエピソードを詳述している。二人の作品を適宜引用しながら物語全体を俯瞰したい。

あらすじ

その昔、アルバニアと呼ばれていたスコットランドに、エリナスという寡夫の王がいた。ある日、「森」に狩りに出掛けたところ、「泉」の近くで美しい「乙女」プレジーヌ（あるいはプレシーヌ）と出会った。王はすぐに心惹かれ結婚を申し込んだ。乙女は承諾したが一つ条件があった。それは王が出産の場に立ち会うことはもちろん、それを望むことさえしないということだった。二人の間には同時に「三人」の娘が生まれた。ところが王は、結局約束を忘れてしまい、産褥の妻の姿を覗いてしまった。それは二人の仲を永遠に引き裂くことを意味していた。妻は故郷の失われた島アヴァロン（ケルト神話の常世）に娘たちを連れ去った。

娘たちが十五歳になったとき、母親はこれまでのいきさつを話して聞かせた。父親の裏切り行為に怒った三人は、父親をノーサンバーランドの山中に永遠に閉じ込めてしまった。ところが未だに夫を深く愛していた母親は娘たちの行為に激怒し、それぞれに罰を与えた。とりわけ首謀者の長女（クードレットでは三女）のメリュジーヌは、毎週土曜日、下半身は「蛇」に変わるというもっとも重い罰を受けた。しかしその日に彼女の姿を見ることなく、彼女の正体を詮索することなく、彼女について他人にあれこれ話すこともしない男に出会ったら、メリュジーヌは普通の人間と同じ一生を送り、死後は神の御もとに行けるのだ。だがその約束が破られたとき、彼女は再び苦しみの日々に戻り、それは最後の審判の日まで続くのである。また、次女のメリオールはハイタカとともにアルメニアの城に閉じ込められ、三女のパレスティーヌはアラゴンのカニグー山中の洞窟で父親の財宝を守ることを命じられた。

（ここから物語は次の段階へと展開し、場所もスコットランドからフランスへと移る。）

かつてバス＝ブルターニュ地方で、若い騎士が身に覚えがない嫌疑をかけられ、それがもとで王の甥を殺してしまった。「森」の奥深くに逃げ込んだ彼は、「泉」のそばで美しい「乙女」と出会った。二人は結ばれ、妻は夫を助けて荒れ果てた土地を切り拓き、いくつもの城を建て、人で溢れる町を作った。町はかつて「森《フォレ》」で覆われていたので夫はフォレ伯と呼ばれた。

その後、原因は不明だが、二人は仲違いをして別れてしまった。そしてフォレ伯はポワティエ伯の妹と再婚した。二人の間に生まれた三番目の息子が、メリュジーヌ伝説のもう一人の主人公レモンダンである。

成長したレモンダンは、ある日、伯父のポワティエ伯と「猪狩り」に出掛けたが、そこで誤って伯父を殺してしまった。絶望したレモンダンが「森」の中をさ迷っていたところ、「泉」のそばで「三人」の美しい「乙女」と出会った。そのうちの一人がメリュジーヌだった。彼女はレモンダンに起こったすべての不幸を知っていた。そして、自分と結婚してくれるのならば彼を助け、そのうえ強大な領主にもしてくれると言う。ただし、土曜日には彼女を探したり、彼女がしていることを詮索したりはしないことが条件だった。

結婚後の二人には繁栄がもたらされた。メリュジーヌは先頭に立って森を開墾し、あちこちに城を建て、修道院を造り、いくつもの町を開いた。[1] そして彼らの住む城は彼女の名前からリュジニャン城と名づけられ、一族はリュジニャン家と呼ばれるようになった。妻はまた、夫の父親が理不尽にも失ったブルターニュの領土の回復を夫に勧め、それも成功する。

二人の間には息子が十人生まれた。ただ奇妙なことに、彼らのうち八人の顔には常人とは異なる特徴――動物のような大きな歯や耳、一つ目あるいは三つ目など――が認められた。とはいえ、その他は並外れて優れていたので、彼らはそれぞれ東欧やオリエントの国王あるいはフランス各地の領主になり、リュジニャン家は大いに栄えた。

だが、土曜日毎に部屋にこもる弟の妻に不信の念を抱いたレモンダンの兄フォレ伯の助言により、レモンダンは約束を破り、メリュジーヌのいる部屋を覗いてしまった。そこで目にしたのは、上半身はいつものように美しいが、下半身はおぞましい蛇の尾をもつ妻の姿だった。巨大な蛇の尾は激しく水を叩いていた。しかしレモンダンは約束を破ったことを深く後悔し、見たことを誰にも言わなかったので、メリュジーヌも不問に付した。

ところが、息子の一人が修道院に入り修道士となったことが、一族の繁栄に暗い影を落とすことになった。騎士となるべき弟を憎として受け入れた修道院に対して憤った兄「大歯のジョフロワ」がそこに火を放ち、弟を含む修道士たち全員を焼き殺してしまったのである。レモンダンの悲しみは妻への憎しみに変わった。そして責任のすべては妻にあると考え、「ああ、邪悪な雌蛇め、神に誓って、おまえもおまえの仕事もすべて幻でしかないのだ！」と、ついに人前で妻を激しく罵ってしまった。二人の約束は完全に破られ、正体を暴露されたメリュジーヌはこれ以上そこに留まることはできなくなった。そしてリュジニャン家の将来についての予言を残したのち、紺青と銀色に輝く巨大な蛇の姿に変わり、翼を広げてそのまま窓から空高く飛んでいった。その後メリュジーヌは、しばらくの間二人の幼い息子たちの世話をしに夜ごと戻ってきたが、その姿を目にできるのは乳母だけだった。レモンダンはスペインのモンセラートの山中に隠遁し、そこで亡くなった。ジョフロワは、犯した罪の赦しを得るためにローマ教皇のもとに赴いた。

1　メリュジーヌ物語の誕生

前述したように、二人の著者ジャン・ダラスとクードレットは、それぞれ高位の貴族からの依頼を受けて物語を執筆している。だが、ほんの十年足らずの間に似たような二つの作品が上梓されたのには、フランス王フィリップ六世とイングランド王エドワード三世の間で始まったいわゆる「英仏百年戦争」が大きく影響している。この戦いで軍事上重要な拠点としてその支配権が争われていたのがポワトゥー地方であり、またその中心都市のポワティエやリュジニャン城だったのである。

長きにわたる戦いは、一三五六年の「ポワティエの戦い」においてフランス王ジャン二世（シャルル五世やベリー公の父親）が捕虜となる事態もあり、イギリス優位のうちに展開されていった。そしてこの大敗によって、王の三番目の息子で当時すでにポワトゥー伯だったベリー公は、名前だけの領主となってしまった。そのうえ、一三六〇年の「ブレティニー仮条約」と「カレー条約」により、ポワトゥーを含むアキテーヌ地方はイギリスの支配下に置かれることになった。フランスの領土の三分の一がイギリスのものとなったのである（ただ、この地方における争いは、実のところ、それよりも二〇〇年近く前の十二世紀半ばに、フランス王ルイ七世の妻でアキテーヌ公領の相続人兼ポワトゥーの女領主アリエノール・ダキテーヌが夫と離婚し、すぐに将来のイギリス王ヘンリー二世と再婚して以来くすぶってきたものだった）。

一三六九年の追加交渉の結果、新国王の兄シャルル五世からベリー公は改めてポワトゥーの親族封を得たが、未だ実質的な支配権は近在に多くの城を所有するイギリス側にあり、相変わらず名

【図２】妻の入浴姿を覗くレモンダン。
15 世紀の木版画。

目上の統治にすぎなかった。それゆえベリー公はすみやかにこの不安定な政治状況を打開し、ポワトゥーにおける完全な実権を握ることを目指した。そのためには重要な軍事拠点であるリュジニャンの町と城を手に入れられるかどうかが重要な鍵だった。そこで彼は、十字軍の英雄として知られていた忠臣デュ・ゲクランの助けを求めた。その結果、一三七二年にはポワトゥーを、七三年から翌七四年にかけては、念願のリュジニャンの町と城を手に入れることができた。とはいえイギリスは、その後も再三ポワトゥーの返却を求めた。いかにこの地方が両国にとって重要だったのかが窺える。

町と城を手に入れたものの、二〇〇年以上にわたり英仏間の争いのもとになっていたこの地は人心も二つに分かれており、ベリー公が領主となって二十年余りが過ぎても、統治は相変わらず容易ではなかった。彼が今後も絶対的な領主として君臨するためには、やはり決定的な何かが必要だった。そこで彼と彼の妹のマリは一計を講じた。その策とは、古くからリュジニャン城にまつわる妖精伝説を利用して、人心を収攬《しゅうらん》することだった。この城が二度とイギリス側に渡ることなく、ベリー公こそがこの城の家系に連なる（つまり、妖精の血筋の）正統な城主であることを証明するため、新たに伝説を作り出そうとしたのである。白羽の矢が立ったのはジャン・ダラスだった。彼はそのための資料をベリー公とソールズベリー伯から借り受け、一三九二年の冬から執筆に着手し翌九三年の夏には完成したと、その著の最後には記されている。

一方、韻文メリュジーヌ物語の作者クードレットの依頼主でパルトネの領主ギヨーム・ド・ラルシュヴェックは、もとはイギリス側にいた人物である。ところがベリー公がデュ・ゲクランの助けを得てポワトゥーを再征服した一三七二年以降はフランス側につき、その後はベリー公の忠臣となっていた。英仏が入り乱れていた当時、一人の人間が時期を違えて敵対する二つの国に奉仕することは珍しくはなかったのである。彼の目的もベリー公と同じくこの作品を通して自らをリュジニャン家の後継者と認めさせることだったと思われるが、完成を待たずして亡くなり、クードレットの作品は一四〇五年頃に息子のジャン・ド・マトフロン（ジャン二世）に献呈された。

依頼主の元の立場を考慮したものか、クードレットの作品には確かにイギリス側に加担するような記述も見られる。それゆえ二つの作品を英仏間の争いの象徴の一つにしようとする説も見られるが、しかしそれよりもこれらの作品を介して、ベリー公とラルシュヴェック双方が、それぞれリュジニャン家の正統な後継者だと主張していることの方が重要である。ただ、ベリー公とリュジニャン家との家系的なつながりは、たとえ母親のボンヌ・ド・リュクサンブール家との関係を考慮しても、ラルシュヴェックのそれに比べるときわめて弱い。何よりも十三世紀に、リュジニャン家のジョフロワ二世の姪がユーグ・ド・ラルシュヴェックに嫁いできたことから、両家のつながりはこの地方ではよく知られていたのである。

だが、ラルシュヴェック側は、主人のベリー公に代わり自らがリュジニャン城の主になるという野望はもってはいなかったようだ。それよりもこの一族は、大貴族たる自らの家系の基盤をより強固なものにしたかっただけのように見える。つまり、ベリー公はポワトゥーからイギリス色を一掃することで政治的安定をはかるために、かたやラルシュヴェックは一族の安泰のために、神秘的な妖精に始まる家系縁起譚の執筆を依頼したのだろう。

【図3】左の絵はメリュジーヌが窓から飛び去る場面。
右の絵の奥はかつての幸せな日々。
その後もメリュジーヌは、夜毎幼な子に授乳しにきた。

　二つの作品以降、妖精メリュジーヌの名は広く知られるようになったが、リュジニャン城にまつわる人間と妖精の伝説は、実際のところこのポワトゥー地方では、以前からよく知られていた。マイユゼの大修道院長ピエール（・ド）・ブレシュイール（一二八五・九〇頃〜一三六二年）は、故郷リュジニャンとその城の伝説について以下のような証言を残している。

「私の故郷ポワトゥーにあるリュジニャンの堅固な要塞は一人の騎士と彼の妖精の妻の手によって建てられた、と古くから伝えられている。妖精は多くの高貴な人の先祖であり、エルサレムやキプロスの王、またラ・マルシュやパルトネの伯爵たちは彼女の子孫である。［中略］だが妖精は、裸の姿を夫に見られると蛇に姿を変えた。今日でもなお城主が代わるとき、蛇は城に姿を現すと言われる」（『倫理的解釈集』第十四巻（Reductorium《Reductiorum》morale, c.1330）Eygun, François, *Ce qu'on peut savoir de Mélusine et de son iconographie*, p.19）。妖精の名前こそ見られないが、ここからはすでにメリュジーヌ物語のテーマが充分に窺える（妖精がメリュジーヌと名づけられたのは、この証言から推察すると恐らく一三〇〇年以降のことと思われる。またその名前はかつてLeusignemと綴られていたリュジニャン城の置き換え、つまりアナグラムであることは明白である）。二人の作者は口承で伝えられてきたこの物語を心得ていた。そのうえで、知識人たちがラテン語で書き残していた文献をも充分に参考にしている。古典的教養に民間伝承の詩的《ポエジー》想像力が加えられたことが、二人の作品を他の妖精譚には見られない魅力あるものとしたのであろう。

2　メリュジーヌ以前の妖精たち

十二・三世紀には、騎士や彼の妖精の恋人が登場するいわゆる「宮廷風恋愛」の物語が、英仏で盛んに書かれるようになった。それは南仏吟唱詩人《トルバドゥール》や北仏吟唱詩人《トルヴェール》たちの詩と宮廷作法の上に主に成り立っていたが、物語の多くが、イギリスのヘンリー二世の宮廷で誕生したのは注目すべきことである。

たとえば、後世マリ・ド・フランス（生没年不詳）と呼ばれるようになる女性は、それまで口承で伝えられてきたケルト系の妖精譚を『短詩《レー》』（*Lais*）として文字に書き留めている。その一つ「ランヴァル」という作品では、物語は「森」の中の「泉」の近くで「騎士」と「妖精」の出会いから始まるが、「狩り」「禁忌《タブー》」「アヴァロン島」など、そこにはメリュジーヌ物語と同じケルト系神話には不可欠な要素が多々見られる。口承文化と筆記文化の融合はこのようにしてケルト系妖精譚を中心に行なわれ、そこにメリュジーヌ物語誕生の前兆らしきものが確認できる。

その他、この時代に見られた「前メリュジーヌ物語」とでも呼べる物語の数々は、これまたイギリスの宮廷に関わりある修道士たちによって書かれている。

シトー会修道士だったジョフロワ・ドーセル（一一二〇頃〜一二〇〇年以降）は、その『黙示録についての説教』（*Commentaire sur l'Apocalypse*）（一一八七・一一八八・一一九四年に改訂）の二十のエピソード中の十五番目に、人間と妖精の結婚について三つの物語を書いている。その三番目が領主の妻が蛇の姿で入浴している物語で、骨子はメリュジーヌ物語と同じである。

ゴーティエ・マップ（ウォルター・マップ）（一一四〇？〜一二一〇？年）は、『宮廷閑話集』（*De Nugis curialium*, 1181-1193）第四章九節で、ノルマンディー地方の領主「大歯のヘンノ」と、これも竜に変わった妖精妻の物語を書いている。ジェルヴェ・ド・ティルビュリ《ティルベリのゲルウァシウス》（一一五二・五？〜一二三四？年）は、『皇帝の閑暇』（*Otia Imperialia*, c. 1209-14）中の第一部十五章に、プロヴァンス地方の「ルーセ城の物語」を書いている。これは領主が入浴中の妻の姿を覗いたところ、妻は蛇となって消え去ったという物語であるが、主人公の名前がレモンである他様々な類似点から、まさにメリュジーヌ物語の元型といえるものである。そのことはジャン・ダラス自身もプロローグに書いている（ただし、主人公の名前をロジェと誤って記載している）。

さらに当時、プランタジネット家の先祖であるアンジュー伯爵夫人が恐ろしい妖精だったという話も、まことしやかに広まっていた（ミサの最中に必ず教会を後にする伯爵夫人を、ある日侍臣たちが無理矢理引き留めた。すると彼女は悪魔的な姿に変わり窓から飛び去ったという）。

プランタジネット家のように祖先に動物や超自然の存在を求めることはJ・G・フレイザー（一八五四〜一九四一年）がそれを「トーテミズム的神話」と呼ぶように、かつて世界的に見られた現象であるが、中世初期のヨーロッパにおいてもそれは決して珍しくはなかった（たとえばメロヴィング朝の開祖メロヴィクスは、人間と水中から現れた雄牛との間に生まれたといわれた。北欧の創世神話を彷彿させる）。しかし、人間を神の排他的な似姿と考えたキリスト教＝教会にとってそれは神が動物婚をすることとなり、容認できるものではなかった。とはいえ、結ばれる相手がたとえ異界の恐ろしい存在であってもその神秘的な力は家の家格を上げ、さらには優れた血筋と能力を証明することとなり、ひいては支配権をも左右するとの考えは、中世も終わりを迎える頃になっても消えることはなかった。ベリー公やラルシュヴェック家が妖精との縁戚関係にこだわった理由もそこにある。

3　騎士制度とリュジニャン家

実在のリュジニャン家の起源は九世紀末から十世紀初頭に遡る。始祖のユーグ一世はポワトゥー伯からリュジニャン一帯の支配を託され、跡を継いだユーグ二世が建てたリュジニャン城は地域の重要な軍事拠点となった。その後、英仏間の戦いの中にあっても、リュジニャン本家は最後の当主ギーが亡くなる一三〇八年まで四〇〇年にわたって、ポワトゥー伯に忠誠を誓った。ギーの死後、その領地はラ・マルシュ伯領とともにフランス王国に併合され、これがのちにベリー公の領地となるが、その支配はイギリスとの争いが続く中、容易なことではなかったことは前述した。

ところで、リュジニャン家が歴史に現れるこの十世紀前後というのは、ヨーロッパで「騎士制度」が形成され、古典的「封建制度」が誕生した時期でもある。騎士制度はゲルマン民族の古い元服の儀式とキリスト教の出会いから生まれ、武と信仰の均衡を目指したものといわれる。つまり、キリスト教の教えが荒々しい「戦士」を神に仕える「騎士」に作り替えたと考えて良いのであろう。代々、騎士の家系のリュジニャン家とは、このように中世の封建時代の中で生まれ、繁栄し、消えていった一族なのである。そしてまたこの時代を特徴づける一つが、リュジニャン城をはじめとする「城」である。城は戦いや政治に直接関係するものであり、それゆえ築城はとりわけ封建制度の発達が著しい地方で多く見られた。

現在、我々が思い浮かべる西欧の城とは石造りの堅固なものであるが、しかし中世の初期に見られたものは、濠で囲まれてはいるが木材や土で造られた、いわゆる砦でしかなかった。ところが十一世紀以降は城の概念が大きく変わり、本格的な石造りの城が農村の風景を一変させてしまった。これは十字軍遠征でオリエントの城塞と城壁都市を目の当たりにし、その進んだ建築技術を取り入れたことによるものであろう。レモンダンと結婚したメリュジーヌが最初に取り組んだのも、保護と権力の象徴であり、また居住と行政機能をもつ「城塞」を建てることだった。

城造りに励むメリュジーヌは、その場所を確保するためにまず森を切り拓く（それまで国王の特権だった築城が領主の手に移ったことが封建時代の一つの特徴でもある）。実際、十一から十二世紀初頭にかけての西欧は未だ人口密度が低く、土地の大部分も森で覆われていた。ところが十二世紀の後半から十三世紀にかけて森林や湿地の多くは次々と開墾され耕作地となり、城や教会などが各地に建てられていった。メリュジーヌは開拓し、築城し、町を造り、領土を広げていったが、それはジャック・ル・ゴフが指摘するように、繁栄を続けていたその時代の社会状況を映すものだった（Le Roy, Ladurie Emmanuel / Le Goff, Jacques, *Annales: Economies, sociétés, civilisations*, p.598-99）。

【図4】リュジニャン家のジョフロワ２世の肖像画。アンドレ・テヴェ作、1584 年。

メリュジーヌを通して窺われる当時の建築熱は驚嘆に値するが、この時代の西欧の人々にとっては、土地を開墾するのも、教会を造るのも、そしてイスラム教徒と戦うのも、それらすべてが神の御心にかなう行為と思われたのであろう。

農業と手工業の発展は大幅な人口増に繋がった（十一～十四世紀半ばにかけてヨーロッパの総人口は倍増している。だがその後、ペストにより激減している）。しかし急激な人口増加に対して農地は充分ではなく、次第に深刻な土地不足となっていった。それが十字軍や国土回復運動《レコンキスタ》やノルマン人の南イタリア植民などの、動機の一因ともなっていったのである。

人口増と所領不足は騎士社会においてはとくに深刻な問題だった。この時代、家系は男性家系のみを軸とするものに変わり（一〇五〇年以降、騎士階級はすでに世襲制）、貴族や騎士階級における相続も「長子相続」となった。騎士家系の長男以外の息子たちは、極端にいえば、財産としては馬と鎧しかもたなかったのである。修道院に入り、修道士となって生活を保証されるのは、裕福な大貴族や勢力のある騎士の子弟だけだった。自らの才能を頼んで吟唱詩人となり、城を渡り歩いて生活の糧を得る者たちもいたが、結婚という僥倖《ぎょうこう》により僅かでも所領を手にできたのは、ごく少数の者たちだけだった。メリュジーヌの献身のおかげで大領主となったレモンダンは、まさに中小の貴族や騎士階級の次男以下の願いを実現した憧れつまり英雄であり（彼もベリー公も三男）、それを可能にしてくれた妖精の妻は、またル・ゴフの言を借りるなら、「社会的野心の象徴的そして魔法的な具象化」、つまりは騎士たちの夢や野心を可能にしてくれる存在だったのであり、人を「条件」という軛《くびき》から解放してくれる頼もしい存在だったのである（Le Roy Ladurie / Le Goff, p.601）。それはまた、プランタジネット朝で精力的に活動した王妃アリエノール・ダキテーヌ（一一二二～一二〇四年）を想起させる。

　妖精メリュジーヌと実在の王妃アリエノール・ダキテーヌの間には、開拓や築城や多産や夫を凌ぐほどの指導力などいくつもの類似点があるが、それは両者が直接・間接に関係したイスラム教徒との戦いにおいてもまた見られる。前者は息子たちがオリエントに遠征するにあたって「騎士道」の心得や、具体的な戦術や、条約の締結方法や、神に全幅の信頼を置くことまでも説いて聞かせ、潤沢な資金や食料を与えて送り出している。また後者は、実際自らも十字軍の遠征に参加している。逞しい妻たちの近くでは夫たちの影は薄くなる。[2]

　メリュジーヌの勇敢な息子たちは母親の教えを守って彼の地でも目を見張る働きをし、長男のユリアンはキプロス王とエルサレム王に、三番目の息子のギヨン（クードレットではギー）はアルメニア王になっている。これは実在のリュジニャン家のギー・ド・リュジニャンが、エルサレムのアモーリー一世の娘シビーユと結婚してエルサレム九代目の王となり（一一八六年。ただし翌年にはイスラム教徒の指導者サラディンに奪われる）、のちには初代キプロス王となった史実（一一九二年）と重なっていると思われる。リュジニャン家の子孫によるキプロスでの支配は実質的には一四七三年には終わり、翌年のアルメニア王ジャック三世の死で完全に終わりを迎えた（リュジニャン家のキプロス支配は約三〇〇年間続いたということである)。

リュジニャン家の人間をモデルにした思われる人物が他にもいる。それは猪の牙をもつ「大歯のジョフロワ」である。物語中の彼は、弟のフロモンが騎士ではなく修道士になったことに腹を立て修道院を焼き払ってしまう乱暴者だが、実在のモデルは、第三回十字軍の英雄の一人ジョフロワ一世(一二一六あるいは一二三四年没)と、これまた実際にマイユゼの修道院を焼き払い、数人の修道士たちを殺したジョフロワ二世(一二四八年以前に没)と見られる。それゆえ後者がローマ教皇に破門されるのも(のちに赦される)、メリュジーヌの息子の大歯のジョフロワがローマ教皇のもとで贖罪をしたことと重なる。

4 古代宗教からキリスト教へ

ポワトゥー地方の大貴族の始祖伝説・家系譚は、二人の作家が文献を参照し、それに民間伝承を加え、さらにこの一族の人々やイギリス王妃をモデルとしたことで大きく膨らんだ。そしてこの妖精譚がそれまでの人間と妖精の愛の物語を超えたものとなり、今日まで多くの読者を得てきたのは、メリュジーヌの息子やその子孫たちの冒険譚——イスラム教徒との戦いや巨人との決闘や騎士の試練など——に負うところが大きいのは確かである。

しかし、我々の心を捉え強く感動させるのは、このような華々しい戦闘の場面だけではないだろう。真に物語の中心となるのは、メリュジーヌとレモンダンの幸福な日々が、夫の裏切りである日「突然」終わりを迎え、二人に永遠の別れが訪れるそのときであろう。人間の男と異界の女が結ばれてしばらく幸福に暮らしたあと、第三者の介入により妻の真の姿が暴露され、その結果二人の関係は終わりを告げる。それまで二人は互いの秘密を守ることで結ばれていたのであり、取り交わされていたその「約束」は、何よりも二人の幸福な日々を守るための保証でもあった。そしてこのような物語では、残された二人の間の子どもの多くは英雄的家系の祖となっている。(3)

ジョルジュ・デュメジルは、このテーマのもっとも古い起源を、インドの古代神話「ヴェーダ」（“Veda”）中の精霊アプサラスの一人ウルヴァシーに求めている。この天女も、夫が自ら意図したことではないが約束に反したので、天上に去ることになってしまった（Coudrette, *Le Roman de Mélusine*, Texte présenté, traduit et commenté par Laurence Harf-Lancner, p.10）。また、神である相手の真の姿を見てしまったことで別離を迎えるギリシア神話のエロースとプシューケーの物語も広く知られている（アプレイウスの『黄金の驢馬』の一挿話）。

このような例を見ると、メリュジーヌの起源も、実は中世を遥かに遡るのではないかと思われてくる。たとえばローマ神話でメリュジーヌ三姉妹に相当するのが、三人一組の女神「パルカ（パルク）」である。運命を司るといわれる彼女たちは、中世に入ると、自然の恵みを与えてくれる豊饒の女神と見なされるようになり、人間の恋人ともなる（Harf-Lancner Laurence, *Les Fées au Moyen Âge Morgane et Mélusine, La naissance des Fées*, p.42）。

この女神たちは常に三人で現れるという特徴があるが、それは一にして三、三にして一ということを意味しているのであり、三つ子の姉妹メリュジーヌの場合もそれは同じことであろう（これはまた、ケルトの戦いの女神たちであり姉妹のモリガン、バズヴ、マッハをも想起させる。なおこのような「三相女神」は、キリスト教の布教とともに、南フランスの海岸では「海の聖女マリアたち《サント=マリ・ド・ラ・メール》」となった）。

メリュジーヌ三姉妹は、それぞれ役割をもっている。メリュジーヌは開拓・建築・町造りに務め家系の祖となる。メリオールはハイタカと山中の要塞に暮らし、騎士たちを試練にかけ、成功した者には報酬を与える。しかし、そのエピソードはリュジニャン一族衰退の予言となっている。洞窟で父親の財宝を守っているパレスティーヌは、家系の誰かがそれを受け継ぎ、聖地回復のために使うのを待っている。

ところでデュメジルは、インド=ヨーロッパ語族の社会は三つの階層に分かれており、それぞれ「第一機能」（主権・王・聖職者）と「第二機能」（戦闘性・戦士）と「第三機能」（生産性・庶民）を担っているが、それらは神話大系にも直接反映していると指摘している。それを受けてクロード・ルクトゥーは三姉妹のもつ特性と役割を以下のように分類している。

メリュジーヌ：知性・王侯にふさわしい結婚・真の君主権・貴族の家系
メリオール　：要塞・ハイタカ・戦いの儀式
パレスティーヌ：財宝・地下に暮らしている・蛇・熊（地下の動物たち）

しかしルクトゥーやフィリップ・ヴァルテールは、メリュジーヌが開拓や築城を積極的に進め、繁栄をもたらし、さらには多産であることから、彼女が第三機能に当てはまることは認めつつも、姉妹の役割つまり三つの機能は決して別々なものではなくそれぞれは緊密に結びついているのであり、いうならば三つの機能はすべてメリュジーヌの内に収斂しているとの見解を述べている（Lecouteux, Claude, 'Mélusine Bilan et Perspective', *Mélusine continentales et insulaires*, pp.18-20. Walter, Philippe, *La Fée Mélusine le serpent et l'oiseau*, pp.159-160, 180）。

つまりメリュジーヌは、リュジニャン家に宗主権を与えたという点では第一機能と考えられ、夫に失われたブルターニュの領土の回復を強く勧め、さらに息子たちに騎士の心得を教えてイスラム教徒との戦いに送り出していることで、メリオールが象徴する第二機能の戦闘の役割をも果たしている。またパレスティーヌが守っている財宝は生産・豊饒を象徴し第三機能に相当するが、それは第二機能の騎士たちが聖地を奪回するのに使われるというものであり、その彼らはメリュジーヌの子孫でなければならないということで、第一機能とも結びつくということであろうか。まさに、一にして三、三にして一ということだろう。

ところで、インドの女神サラスヴァティーすなわちイランのアナーヒターもメリュジーヌと同じようにこれら三種類の機能を一身に担う総合的な女神と考えられたが（デュメジル説）、何よりも「水」を司る女神だった。これら古代の女神たちの流れを汲む妖精メリュジーヌ姉妹の力の源泉も「水」である。彼女たちは森の中の泉のそばでレモンダンに出会ったが、「前メリュジーヌ」の妖精たちが現れたのも、メリュジーヌたちの両親も、またレモンダンの父親と彼の前妻となる女性が出会ったのも、すべて海や川や泉の近くである。メリュジーヌ自身も週に一度は水浴しているが、それは人間から大地や豊饒を象徴する蛇の尾をもつ古代の女神の姿に戻るときである。つまり水から「再生」の力を得るということであろう。しかしその水もキリスト教の聖職者が手にすると「聖水」に変わり、メリュジーヌ以前の妖精つまり女神たちを、人間の世界から容赦なく追放するのである。

メリュジーヌの願いはその本当の姿を夫に知られることなく、人間として一キリスト教徒としての一生をまっとうし、神の御もとに行くことだった。洗礼を受けていない妖精に天国の門は閉ざされているのであり、それが唯一の救われる道だったからである（ルネサンス期のスイスの錬金術師パラケルススは、妖精は魂をもっていないと主張している）。古代においては人が頼みとしていた神々は、キリスト教の時代が始まるとともに教会に追放され、逆に人間に救いを求めるようになったのである。キリスト教という真の宗教と信仰以外に救済はないということだろう。

ギリシアやローマやケルトの女神たちは、キリスト教社会になってからは姿を消すか聖人たちと習合していった。しかし農村部において彼女たちは依然として森の中に住まう森の精であり、恵みの慈母であり、人々に親しい存在であったこともまた忘れてはならない。

5　メリュジーヌ・マグダラのマリア・黒い聖母

これまで見てきたように、ヨーロッパ中世の円熟期十二・三世紀は、古代の女神の系譜に連なる数々の妖精譚が書かれた時代であるが、同時に四・五世紀頃に始まった聖母マリアやマグダラのマリアへの信仰が大きく広まった時代でもある。つまり男神のキリスト教支配の中で、初めて女性たちが自らの存在感を公に示した時代であるといえるかも知れない。その影響下、吟唱詩人たちの詩文やケルト系の物語においても女性崇拝の傾向は顕著で、そこでは女性が中心的な役割を果たすようになる（ケルト世界では、女性こそが至上の聖性を顕現し、力の源となると考えられていた）。東方の聖女たちと土着の地母神・豊饒神が、人びとの心の中で無理なく融けあった結果であろう（中世の聖母信仰とマグダラのマリア信仰は「女性の超越的な英知」や「女性の愛の力による救済的機能」という点で共通している。とくに後者はイエスの死と復活の目撃者であり、後述する古代神話における「死と再生」を司る大女神の面影を宿している）。

男性原理を根本とするキリスト教社会の中で慰めを見出せない人々は、女性的なるもの母なるものに救いを求めた。そして古代の恵みの女神たちと慈しみの聖女たちに、実在のアリエノール・ダキテーヌの強さが加わり生まれたのがメリュジーヌだったのではなかろうか。

本当の姿を知られた彼女は人間界を追われたが、しかし毎晩夜が更けてから二人の乳飲み子の世話をしにやってきた。その姿が見えるのは乳母たちだけだった。子を思う母親の深い愛情を示す心打つ場面であり、この時代の西欧の妖精譚としてはきわめて珍しい。しかしメリュジーヌは、その蛇の尾が何よりも物語るように、結局中世の人々にとっては女性夢魔であり堕天使以上のものではなかった。「ああ、邪悪な雌蛇め、神に誓って、おまえもおまえの仕事もすべて幻でしかないのだ！」とレモンダンは叫ぶが、それは妖精とは神による救いのない存在であり、そのような悪霊の創り上げたものはすべてまやかしであると信じ（こまされ）ていた中世の人々の声だったのかも知れない（「毎土曜日」に蛇の姿に戻ったというのはやはり暗示的である。この日はキリスト教が迫害していたユダヤ教の伝統的な安息日「サバト」であり、またこの言葉は魔女たちの夜会を想起させる）。

最愛の妻を失ったレモンダンは、スペインのモンセラート山中に隠遁する。彼がこの地を終の棲家として選んだ理由、それはここが「黒い聖母（黒マリア）」が祀られている聖地だったからではなかろうか。

フランス中部から南部にかけて多く見られる黒い聖母の像は、我々が見慣れている聖母マリアのそれとは大きく異なる。顔は意図的に黒く塗られ、その表情は厳しく、見る者を畏怖せしめ、膝に抱いている同じく黒く塗られたイエスの像は副次的なものでしかないようだ。キリスト教の他の像とはまったく異なる雰囲気を漂わせているのである。

「黒」は、たとえばエフェソス（トルコ語で「黒い石」の意）のアルテミス像に見られるように、古代宗教においては聖性を意味する色だった。そこから推察すると、この像は表向きキリスト教の聖母子像だが、実のところ古代の大地母神の聖性を内に秘めたものであり、膝に抱いているのも本来はイエスではなく、女神のそばにあって死と再生を繰り返す若き植物神であるとは考えられないだろうか。この組み合わせはアフロディテとアドニスをはじめとする、古代の豊饒の大女神と侍神（＝植物神）の組み合わせを何よりも想起させるからである。すべては生と死を司る女神のイニシアチブのもとにあるこの関係は、そのままメリュジーヌとレモンダンのそれに置き換えられる（メリュジーヌは息子の一人オリブルの邪心を見抜いたので、彼を殺すことを命じている）。レモンダンがこの地を選んだのは、そこが自分のすべてを──死でさえも──包み込んでくれる大女神メリュジーヌに近い場所であることを知っていたからであろう。(4)

このように、レモンダンはメリュジーヌの住む山の奥深くに隠遁するが、夫婦離別の一因を作った息子のジョフロワは告解のためにローマに赴く。これは消えゆく古代宗教と力強い新しい宗教との対比を示しているのであり、その橋渡しをしたのが妖精メリュジーヌだったのであろう。彼女自身の姿、つまり人間の上半身（新しい宗教＝キリスト教）と蛇の下半身（古代宗教）が、何よりもそれを象徴しているのではなかろうか。

さらにこのジョフロワに関していうならば、異類婚から生まれた子どもは生きていくために自らの出自を否定し、この社会を肯定するために身の証を立てなくてはならない。そうすることで初めて社会から受け入れられるからである。母親のメリュジーヌは人々のために多くの教会を建て、進んでミサに出席し、敬虔なキリスト教徒であろうとしたが、結局は人間社会から追われた。しかし息子のジョフロワは巨人と戦い、そして勝った。つまり彼にとっては、キリスト教社会の中で認められるためには同じような出自をもつ異界からの存在を完全に打ち破ることが必要であり、英雄になるための最後の仕上げがローマ教皇への告解だったのである。(5)

メリュジーヌ物語とは、作者あるいは依頼主たちの意図はどうあれ、結局のところ人間と妖精の異類婚を題材としつつ、封建時代に特徴的な事柄──家系・相続・領地・建築・開墾・十字軍など──と、その変遷──自然・農村・古代宗教から文明・都市・キリスト教へ──を描いた物語ということになろうか。

人々の前から姿を消したメリュジーヌの物語はその後フランスはもとよりヨーロッパ各地で知られていったが、しかし慈しみ溢れる母親の面影は次第に消えていき、民間伝承では人を襲ったりさらったりする恐ろしい魔女の代名詞となっていく。それは中世も終わりを迎える頃からますます激しさを増す、実際の「魔女裁判」と関係しているのかも知れない。

しかし慈母神としての性格を失いはしたが、メリュジーヌの名はルネサンス期に入っても、未だ人々の記憶には残っていた。たとえばフランソワ・ラブレー(一四八三?～一五五三年)の『第四の書　パンタグリュエル物語』(*Le Quart Livre des faicts et dicts héroïques du bon Pantagruel*, 1532?)の三八章は、簡単にではあるがこの妖精について触れている。またこの書を書くにあたってラブレーが関与し参考にしたとも思われる民衆本の『ガルガンチュア大年代記』(*Les Grandes et inestimables Cronicques: du grant et enorme geant Gargantua*, 1532)には、命尽きた巨人のガルガンチュアは、アーサー王の異父姉のモルガーヌやメリュジーヌたちによってアヴァロン島に運ばれたとある。

リュジニャン城は宗教戦争のさなかの一五七五年、アンリ三世の命によって取り壊された。一六二二年には、「メリュジーヌの塔」も無くなった。これ以降の古典主義時代には、メリュジーヌは行商の民衆本(『青本』または『青色文庫』と呼ばれた)の中にだけ、恐ろしい怪物的な姿を見せる。慈しみの妖精メリュジーヌの復活は、中世の再評価が始まる十八世紀半ば以降のロマン主義の時代を待たなくてはならない。

* * *

註

(1)レモンダンは、メリュジーヌの父親であるスコットランドのエリナス王や彼の父親の体験をほとんど追体験しているが、これはケルト系神話では珍しくないことだといわれる。そこにはケルト人の宗教であるドルイド教の霊魂不滅・輪廻転生の考えが反映されているのであろうし、すべては永遠に循環するというその永劫回帰の宇宙観は、八世紀末から九世紀初頭にかけて制作されたと思われるアイルランドの装飾写本『ケルズの書』(*The Book of Kells*)に見られるケルト紋様からも窺える。つまり、レモンダンの父親の前妻がメリュジーヌ自身であったとしても不思議ではないのである。

（2）十九世紀の歴史家ミシュレは、「本当のメリュジーヌとはエレオノール・ド・ギュイエンヌである」、と断言している（エレオノールは北仏のオイル語＝フランス語風の、アリエノールは南仏のオック語風の呼び方。ギュイエンヌはアキテーヌ地方の古称）。ミシュレ『フランス史Ⅰ　中世』上、大野一道・立川孝一監修、藤原書店、二〇一〇年、三一九頁。

（3）松前健は、他界の妻が婚家を去るのは、神はその業を終えると一旦姿を消して元の世界に戻り、のちにそこから託宣や象徴的啓示を送るようになるからだという。これはメリュジーヌが夫のもとを去ってからも、リュジニャンの城主が交代する前には城の上空にその蛇の姿を現わし、叫び声をあげて予告したことと重なる。つまり松前が指摘するように、他界妻は最初からタブーの侵犯がなくても、子どもを生むという仕事を終えれば元の国へ帰らなくてはならないということであろう。『松前健著作集　第9巻日本神話論Ⅰ』おうふう、一九九八年、一五四頁。

（4）地中海沿岸では、紀元前の昔から、ある種の黒い石が聖石として信仰される風習があった。「女性」と「聖性」と「黒色」は不可分のものだったが（黒は豊饒の大地の色であり、エロス性でもある）、時代とともに「悪」「暗闇」に価値が逆転していった。しかし十二世紀には、聖ベルナルドゥス（ベルナール）が長い間無意識下にあった「聖なる黒色」の伝統を『旧約聖書』内の「雅歌」の一節を用いて復活させ、黒い聖母子像の製作を積極的に推奨した。また、マグダラのマリア信仰と黒い聖母信仰の地の多くは重なっており、黒い聖母はその初期においてマグダラのマリアであった可能性もあると考えられている。なお、黒色は錬金術ではすべてのものに先立つ根源的な色でもある。

（5）これは小松和彦の考えに基づくが、彼はさらに「文化」から「自然」に身を移動させる者と、「自然」から「文化」へと身を移動させる者との出会いが「異類婚姻譚」であるとも指摘している。『神々の精神史』講談社、一九九七年、一一一頁～一二〇頁。

引用・参考文献

Bril, Jacques, *La Mère Obscure*, L'Esprit du temps, 1998

Coudrette, *Le Roman de Mélusine*, Texte présenté, traduit et commenté par Laurence Harf-Lancner, GF-Flammarion, Paris, 1993

Clier-Colombani, Françoise, *La Fée Mélusine au Moyen Âge Imges, Mythes et Symboles*, Le Léopard d'or, Paris,1991

d'Arras, Jean, *Le Roman de Mélusine ou l 'Histoire des Lusignan,* mis en français moderne par Michel Perret, Edition Stock, Paris, 1979/1991
Dontenville, Henri, *Histoire et Géographie mythique de la France,* Maisonneuve et Larose, 1973
Eygun, François, *Ce qu'on peut savoir de Mélusine et de son iconographie,* Pardes, Puiseaux, 1987
Guyénot, Laurent, *La mort féerique Anthropologie du merveilleux* XIIe-XVe siècle, Gallimard, Paris, 2011
Harf-Lancner, Laurence, *Le Monde des Fées dans l'Occident médiéval,* Hachette, Paris, 2003
——, *Les Fées au Moyen Âge Morgane et Mélusine La naissance des fées,* Honoré Champion, Paris, 1984
Helix, Laurence, *Tout comprendre Mélusine,* Gest Editions, La Crèche, 2016
Lecouteux, Claude, *Mélusine et le Chevalier au cygne,* Payot, Paris, 1982
——, "Mélusine Bilan et Perspective," *Mélusine continentales et insulaires,* Honoré Champion, 1999
Le Goff, Jacques, *Héros et merveilles du Moyen Âge,* Edition du Seuil, Bordeaux-Le-Bouscat, 2005
Le Goff, Myriam White, *ENVOÛTANTE MELUSINE,* Klincksieck, Bonchamps-lès-Laval, 2008
Le Roy Laduire, Emmanuel, Le Goff, Jacques, "Mélusine maternelle et défricheuse," *Annales: Economies, sociétés, civilisations,* 26e année, N.3-4, 1971
Martin-Civaf, Pierre, *La Mélusine ses origines et son nom,* Impr. Oudin, 1969
Pillard, Guy-Edouard, *La Déesse Mélusine: mythologie d'une fée,* Hérault-Editions, Maulévrier, 1989
Walter, Philippe, *La Fée Mélusine le serpent et l'oiseau,* Imago, Paris, 2008
ヴァルテール、フィリップ『中世の「キリスト教神話」を求めて——神話・神秘・信仰』渡邉浩司訳、中央大学人文科学研究所、二〇〇八年
河合隼雄『昔話と日本人の心』岩波書店、二〇〇二年
ギース、ジョゼフ／フランシス・ギース『中世ヨーロッパの城の生活』栗原泉訳、講談社学術文庫、二〇〇五年
ギース、フランシス『中世ヨーロッパの騎士』椎野淳訳、講談社学術文庫、二〇一七年

クードレット『メリュジーヌ物語』松村剛訳、青土社、一九九六年
クードレット『妖精メリュジーヌ伝説』森本英夫・傳田久仁子訳、社会思想社、一九九五年
クランシャン、フィリップ・デュ・ピュイ・ド『騎士道』川村克己・新倉俊一訳、白水社、一九六三年
小松和彦『神々の精神史』講談社、一九九七年
コンタミーヌ、フィリップ『百年戦争』坂巻昭二訳、白水社、二〇〇三年
佐藤彰一・池上俊一『世界の歴史〈10〉西ヨーロッパ世界の形成』中公文庫、二〇〇八年
アニェス、ジェラール／ル＝ゴフ、J・『ヨーロッパ中世社会史事典』池田健二訳、藤原書店、一九九一年
篠田知和基「フランスの蛇女神メリュジーヌ」『ユリイカ』、青土社、一九九八年十二月号
ティルビュリのゲルヴァシウス『西洋中世奇譚集成、皇帝の閑暇』池上俊一訳、講談社、二〇〇八年
橋口倫介『十字軍──その非神話化』岩波新書、一九九七年
松前健『松前健著作集　第9巻日本神話論Ⅰ』おうふう、一九九八年
マップ、ウォルター『宮廷人の閑話──中世ラテン綺譚集』瀬谷幸男訳、論創社、二〇一四年
マルカル、ジャン『メリュジーヌ──蛇女＝両性具有の神話』中村栄子・末永京子訳、大修館書店、一九九七年
ミシュレ『フランス史Ⅰ　中世』上、大野一道・立川孝一監修、藤原書店、二〇一〇年
モリソン、セシル『十字軍の研究』、橋口倫介、白水社、一九七九年
山内淳「黒い聖母と大地母神」（『日本大学芸術学部紀要』二九号、一九九九年）。「黒い太陽と聖母の物語」（同書、三〇号、一九九九年）。
「マグダラのマリア伝説の秘密」（同書、三二号、二〇〇〇年）。「煉獄の女神マグダラのマリア」（同書、三四号、二〇〇一年）
ラブレー、フランソワ『第四之書　パンタグリュエル物語』渡辺一夫訳、岩波文庫、一九九一年、一九二頁
──「ガルガンチュア大年代記」『パンタグリュエル──ガルガンチュアとパンタグリュエル』宮下志朗訳、ちくま文庫、
二〇〇六年
ル・ゴフ、ジャック『絵解き　ヨーロッパ中世の夢』日本語訳監修樺山紘一、橋明美訳、原書房　二〇〇七年
渡邉浩司「メリュジーヌとモルガーヌ──ケルトの大女神の化身たち」（『流域』六九号）青山社、二〇一一年

◉図版出典

【図3】一四〇一年。クードレットの物語の中のミニアチュール。パリ国立図書館蔵。

コラムⅡ

小泉八雲の異界幻想

山内　淳

日本にも『記・紀』神話中の豊玉姫や三輪山の大物主神のエピソード、それに浦島伝承や鶴女房の民話など、メリュジーヌ型の物語はいくつも存在する。それらに共通しているのは、世界を異にする夫婦の一方が約束を破ったことによりそれまでの幸せな生活が終わり、永遠の別れが訪れることである。それをテーマに作品を書いた一人がラフカディオ・ハーンこと小泉八雲（一八五〇～一九〇四年）である。彼は、国を挙げて欧化政策に狂奔する明治時代半ば、日本に上陸した。アイルランド人の父親とギリシア人の母親をもつハーンはギリシアで生まれたが、その後父親の国を経てアメリカに渡り、四十歳のとき日本にやってきた。そして近代化の波の中で消えていく日本の伝統を惜しみ、とくに古の物語を再話として現代に甦らせることに情熱を傾けた。落語的な面白さをもつ「むじな」、平家の落人伝説の「耳なし芳一」、樹霊を妻とした「青柳のはなし」などはよく知られているが、とりわけ禁忌を物語の核とする「雪女」は、自然の美しさと恐ろしさ、そして別離の哀しみという日本的美意識に貫かれた名作である。ただ、これが日本の伝承を下敷きにして書かれたものかどうかは疑わしい。というのも、他の作品の典拠はほぼ明らかになっているのに、この作品のものだけは未だに不明だからである。彼は以前よりメリュジーヌ物語を知っていた。そのうえ、アメリカ滞在中にはこれと同じような作品を発表している（たとえば「泉の乙女」「鳥妻」）。そこに見られるような、子と別れて異界へと戻る母親の悲哀には、幼い彼を置いて帰国した母親の姿が重なってもいるのだろう。またハーンが異類婚に特別な関心を示したのは、生者と死者、動物と植物、可視と不可視の間には境界はなく、すべては連続していると考えていたからである。キリスト教を嫌悪し、霊魂不滅・輪廻転生を信じていた彼にとって、鮫や鶴や柳の精や雪女との異類婚は何ら不思議なことではなかった。前世においては我々が彼らだったかもしれないのだから。

第3章　婚礼に足

——騎士シュタウフェンベルク伝説とその周辺

須藤　温子

はじめに――水の精

だれもが知る『人魚姫』（*Den lille havfrue*, 1837）。アンデルセンがこの童話を創作するさいに影響を受けたのは、ドイツ・ロマン派の作家フリードリヒ・ド・ラ・モット・フケー（一七七七～一八四三年）の小説『ウンディーネ』（*Undine*, 1811）で、それは水の精ウンディーネと騎士フルトブラントの美しくも悲しい異類婚姻譚であった。ウンディーネは人魚姫と違い、半人半魚でもなく、声と引きかえに魔法で足を手に入れるでもなく、純粋無垢でまばゆいばかりの乙女の姿をしている【図1】。

フケーは、ルネサンス期の医学者パラケルスス（一四九三～一五四一年）による『水の精、風の精、土の精、火の精、その他の妖精の書』（*Lieber de nymphis, sylphis, pygmaeis et salamandris et de caeteris spiritibus*, 1566〈遺作、以下『妖精の書』〉）に基づいて『ウンディーネ』を創作したと、はっきり述べている（Frank R. Max, *Undienenzauber*, S. 103.）。彼は『妖精の書』に記された、人間と水の精の関係や婚姻を創作に用立てたこと、パラケルススが異類婚の典拠としてあげた騎士シュタウフェンベルクと水の精の結婚の顛末――騎士と水の精が交わした契り、騎士は他の女と結婚してはならないという禁忌、騎士による禁忌違反、報いとしての騎士の死――について述べたうえで、「そのほかのことはすべて、わたしの創作です」（Max, S. 422.）と断言している。

では、『妖精の書』には、人間と水の精が結ばれる条件や、騎士シュタウフェンベルク伝説がどのように記されているのだろう

【図１】 ジョン・ウィリアム・ウォーターハウス《ウンディーネ》（1872）

か。『人魚姫』やその翻案であるウォルト・ディズニー製作の映画『リトル・マーメイド』（*The Little Mermaid*, 1989）やスタジオジブリ作品の映画『崖の上のポニョ』（二〇〇八年）は、こんにちに語り継がれる現代版の水の精と人間の異類婚姻譚である。これらの作品のもとをたどれば、十九世紀初めの『ウンディーネ』、さらに『妖精の書』、そして「騎士シュタウフェンベルク伝説」に行きつく。

あらすじ

高潔な騎士シュタウフェンベルクは聖霊降臨祭の日にヌスバッハでミサに与るため、供を連れて出立する。途中石の上に座る美しい乙女と出会い[1]、そのたぐいまれな美貌に心を奪われる。乙女は騎士を待っていたと伝え、騎士も乙女に一目惚れしたことを伝えると、乙女は他の誰とも結婚をしないことが愛の条件だとする。すなわち騎士が求めれば乙女は現れるが、約束を破れば三日後に死ぬことになる、と。その後、騎士が居城に帰って祈ると乙女が現れ、二人は愛を交わす。乙女は騎士に指輪と財宝を授ける。騎士は諸国を漫遊し、その声望は高まり、女性たちの垂涎の的となる。そんな中、一族のものは騎士が独身のままであることを不名誉だとし、騎士に妻を娶らせようとする。すると乙女が現れて他の女性と結婚すれば身の破滅を招くと改めて忠告する。騎士は自由な生活を楽しみたいと一族に言い訳して結婚を固辞する。その後、フランクフルトで王の戴冠式に呼ばれた騎士は、王から直々に、自分の十八才になる従妹を妻とするよう命じられる。彼は乙女との約束を理由に固辞するが、司教に説得され、結婚を承諾する。その夜、乙女が現れ彼の不実をなじり、死を予告する。婚礼は盛大に執り行なわれるが、祝宴のさなかに天井から水の精の美しい片足が現れる。それは騎士の死を宣告するしるしであり、騎士は三日後に息を引き取る。

1　人間と水の精が異類婚に至る条件――『妖精の書』

パラケルススは『妖精の書』で、水の精をニンフ（乙女の姿をした妖精）、メルジーナ、セイレンと呼ぶほかに、ラテン語の「波（unda）」にちなんでウンディーナ（undina）と呼んだ。ウンディーナはドイツ語ではウンディーネ（Undine）という。したがってフケーの『ウンディーネ』という小説のタイトルは、主人公の固有名詞であると同時に水の精をさす普通名詞でもある。『妖精の書』によれば、水・風・土・火の四元素をすみかとする物質存在である四元素の精霊は、人間と同じく神の手になる被造物で、人間と同じような姿で同じような生活をする。人間よりも長寿を全うするが魂をもたないため、魂をもつ人間のように最後の審判で復活することはなく、救済もされずに元の元素に戻る。

ただし水の精は、「アダムの子孫」で魂をもつ人間の男と結婚すると魂を授かり、人間の女性のように神の御《み》前で神によって救済され、人間との間にもうけた子どもにも魂が宿る（Max, S. 101.）。

魂の獲得のモチーフは『人魚姫』にも登場する。人魚姫の献身ぶりや報われない恋心に読者の心は打たれるが、実は、人魚姫は王子の愛を獲得するよりも王子との結婚による魂の獲得に躍起になっている。異類婚が成立しなければ、人魚姫は魂を獲得できないばかりか、海の泡となって消滅してしまうからだ[2]。

水の精の魂の獲得と救済が、魂をもつ人間との結婚と結びつくのは、実は『妖精の書』においてであり、それ以前には見られない特徴である。異類婚には禁忌が伴い、人間の男には二重の禁忌が課せられる。夫は水の近くで水の精を罵ってはならない。この禁忌が破られると、水の精は夫と子どもを残して水中へ身を投げ、二度と姿を現さない。だが、水の精が消えたからといって再婚してはならない。これが二つ目の禁忌である。水の精は生きており、結婚は解消されていないからである。それにもかかわらずほかの女を娶れば、それは水の精に対する不実、姦通と重婚を意味する。この禁忌が破られると、夫は自分の命を差し出さねばならない（Max, S. 104.）。

2　騎士シュタウフェンベルク伝説

この伝説は、ライン川右岸、ドイツ西南部に位置するバーデン＝ヴュルテンベルク地方のオルテナウ郡に古くから伝わるもので、シュタウフェンベルク城とその周辺地域が舞台である。フランスのメリュジーヌ伝説と同様に、この伝説は始祖伝説も兼ねた人間と超自然的な存在との異類婚姻譚で、その結婚には姦通と重婚の禁忌がともない、禁忌違反には死をもって購う。人間の夫が禁忌を破って結婚生活が破綻する、いわゆる「破綻する異類婚」（Mahrtenehe）である。

騎士の子孫にあたるエッケノルフ（一二七三～一三二四年）は、この伝説を一一九二詩行からなる中高ドイツ語の韻文短話（Versnovelle）――中世末期に散文が物語形式として広く受け入れられる以前の語りの形式――で書き残した。一三一〇年頃のことである。シュタウフェンベルク家の始祖伝説としての側面をもち（Hanns Fischer, *Studien zur deutschen Dichtung*, S. 185f; Brednich, *Enzyklopädie des Märchens*, S. 1167f.）、また、「そのとき騎士は美しい乙女が一人でいるのを見つけた／彼の心臓は愛《ミンネ》の炎を燃え上がらせた／彼はすっかり心から嬉しくなり／うんと上品に話しかけた」（Eckhard Grunewald, *Der Ritter von Staufenberg*, S. 15.）といった、宮廷恋愛の表現も見られる。「人間の男性と妖精である女性との結びつきには騎士道恋愛との共通点が多い」、というメリュジーヌ伝説の研究者ジャン・マルカルの指摘はこの伝説にも当てはまる（マルカル『メリュジーヌ』一二八～一二九頁）。

エッケノルフの韻文短話は十四世紀の写本の断片、十五世紀の写本を経て、十五世紀から十六世紀にかけてシュトラースブルクで刊行された、いくつかの揺籃期本《インキュナブラ》によって伝えられている（Grunewald, S. VII.）。

十六世紀中葉には、シュヴァーベン地方領主ツィンマー伯の『ツィンマー家年代記』（*Die Zimmerische Chronik*, 1540/1558-1566）や『妖精の書』にこの伝説が詳細に記された。この頃になると、乙女は水の精と見なされる（Christian Moriz Engelhardt, *Der Ritter Von Stauffenberg*, S. 5）。パラケルススは『妖精の書』で、水の精が魂をもたないことや水の近くで姿を消すこと、そして婚姻関係にある騎士の姦通に死をもって罰することを理由に、高邁な神学者たちが水の精を悪魔視するのは浅薄であると批判している。パラケルススによれば、姦通に対して神の定めたしかるべき罰を、水の精自らが審判者となって下すのを神に許されているからである（Max, S.101ff.）。

十七世紀には、ハインリヒ・コルンマン（一五七九～一六二八年）がこのパラケルススの主張を『ヴェーヌスベルク』[3]（*Mons Veneris, Fraw Veneris Berg*, 1614）の「騎士ペーター・フォン・シュタウフェンベルクの花嫁について」（"Von der Braut deß Freiherrns Peters von Stauffenberg"）にほぼそのまま書き写している。『ヴェーヌスベルク』は異教の女神ヴィーナスや、四元素の精霊に関する不可思議な物語を集めたものである。

その後、これらの書に加えて、グリム兄弟の『ドイツ伝説集』（*Deutsche Sagen*, 1816-1818）を引きながら、ハインリヒ・ハイネ（一七九七～一八五六年）は『精霊物語』（*Elementargeister*, 1837）で、古代ゲルマン民族の民間信仰について論じ、「不吉な婚礼物語」の例にシュタウフェンベルク伝説を挙げている（ハイネ『精霊物語』二五頁）。

ドイツ、フランス、イギリス語圏では十八世紀後半から十九世紀初めにかけて民間伝承への関心がめばえ、蒐集が始まる。シュタウフェンベルク伝説もその対象であった。一八一一年刊行のフケーによる『ウンディーネ』と前後して、十五世紀の写本の復刻版や、この伝説を収録した伝説集が刊行された。以下、概観しておこう。

一八〇五年にはアヒム・フォン・アルニム（一七八一～一八三一年）とクレメンス・ブレンターノ（一七七八～一八四二年）が編集した民謡集『少年の魔法の角笛』（*Des Knaben Wunderhorn*, 1805-1808）の第一巻が刊行される。その中に『ウンディーネ』に影響を与えた二七〇詩句からなる物語詩（Romanze）「騎士ペーター・フォン・シュタウフェンベルクと水の精」（"Ritter von Stauffenberg und die Meerfeie"）が収録された（Max, S. 257.）。この物語詩の出典は、十四世紀のエッケノルフの韻文短話にヨハン・フィッシャルト（一五四六～九〇年）が序言に教訓的な詩句を大幅に追加した「P. von St. 殿の本当の物語」（Wahrhafte Geschichte Herrn P. von St., 1595）である（Max, S. 257.）。一八一一年に『ウンディーネ』が発表された後、グリム兄弟の『ドイツ伝説集』には「シュタウフェンベルクの殿ペーター・ディムリンガー」[528]（"Herr Peter Dimringer von Staufenberg"）が散文形式で収録された。出典にエッケンボルトによる十四世紀の古ドイツ語詩とあるのは、エッケノルフの韻文短話のことである。一八二三年にはクリスティアン・モーリッツ・エンゲルハルトが十五世紀の写本を復刻するが、写本自体は一八七〇年に焼失している。

以上で見てきたエッケノルフの韻文短話を典拠にしたもののほかに、それとは「別の稿」（Andere Version）と明記されるオルテナウ郡の民間伝承がある。アロイス・シュライバー（一七六一～一八四一年）の『バーデン地方の旅行案内書』（*Handbuch für Reisende nach Baden*, 1818）と、そこから転載した『ライン地方とシュヴァルツヴァルト地方の怪奇伝説選集』（*Auswahl der interessantesten Sagen aus den Gegenden des Rheins und des Schwarzwalds*, 1819）所収の散文物語「ペーター・フォン・シュタウフェンベルク」（"Peter von Staufenberg"）、カール・ガイプ（一七七七～一八五二年）の『ラインラントの民間伝承集』（*Die Volkssagen des Rheinlandes*, 1828）所収の二九六詩句からなる物語詩「騎士シュタウフェンベルク」（"Ritter Staufenberg"）である。

十九世紀後半になると、エッケルト教授（生没年不明）による『ペーター・テムリンガーもしくはドゥルバッハ渓谷にあるシュタウフェンベルク城の伝説』（*Peter Temringer oder: Die Sage vom Schloß Staufenberg im Durbachthale*, 1863）が発表された。この書では、エッケノルフの韻文短話と、『少年の魔法の角笛』収録の物語詩、そして民間伝承に依拠する散文の三種類が収録された。最後の散文には、大幅な加筆と脚色がなされている。

エッケノルフの韻文短話を典拠にしたものと民間伝承として残されたものでは、大筋は同じだがそれぞれ内容に特徴がある。次ページに表にした。

騎士の子孫エッケノルフが記した伝説群Aは、民間伝承よりもオルテナウの地域に密着している。また、騎士は禁忌を犯した報いを受けて死ぬことを自覚している。一方民間伝承群Bは、怪奇譚の色合いが濃い。騎士が泉で出会う水の精は異教的で蠱惑的な魅力がある。司祭は、水の精を悪魔と見なし、騎士を呪縛していると考える。呪縛はキリスト教信者と結婚すれば解けると言って、騎士にフランケン公の娘との結婚を決心させる。また、騎士は意思をもった川に飲み込まれて姿を消す。

	A　エッケノルフ稿を典拠にした伝説	B　オルテナウ郡の民間伝承
1	騎士が契りを交わすのは神秘的な力をもった美しい乙女であり、水の精に限定されていない。時代が下るにつれ水の精と同定されていく。	騎士が契りを交わす乙女は、騎士に自分の出自が水の精であることを告げる。フロリーネやエアリーナといった名前を名乗る場合もある。
2	騎士が乙女と出会い求婚するのは、聖霊降臨祭の祝日にヌスバッハ村にある教会のミサに行く途上でのこと。	騎士が水の精と出会い求婚するのは、ヌスバッハ村近くの樫の木の下にある泉でのこと。
3	騎士はヨーロッパ中の武芸競技で名を馳せる。	―
4	乙女は指輪、財宝を与える。	水の精は指輪、金・銀・宝石で満たされた婚礼用の三つの箱を携え、数名の乙女を伴い騎士の元に来る。
5	乙女の神秘性は強調されない。	水の精の神秘的な力は魔力や呪縛として表現される。
6	騎士と乙女の間に子どもはない。	騎士と水の精の間に男の子が生まれる。水の精は幼子を抱いている。
7	フランクフルトで神聖ローマ皇帝が選挙されるため、騎士も赴く。武芸競技で皇帝の目にとまり、従妹のケルンテン公爵が騎士の妻に差し出される。	フランク王国で戦争が起こる。騎士は武勲をたてようと戦地へ赴き、フランケン公の命を救う。フランケン公の娘が騎士の妻に差し出される。
8	―	奥方と子どもの姿が消えたという知らせが騎士のもとに届く。
9	婚礼の宴は騎士の希望で、オルテナウで行なわれる。騎士の死を宣告する水の精の足が天井から現れる。（【図2】）	婚礼の宴はフランケン公の館の園亭で行なわれる。騎士の死を宣告する水の精の足が壁から現れる。（【図3】）
10	騎士は禁忌を破った罰を自覚し、死を迎える準備をして三日後に息をひきとる。ケルンテン公爵は故郷の修道院に入る。	園亭から館へ向かう途中、騎士は川に飲み込まれる。死体は見つからない。

【図2】
天井から現れた水の精の足

【図3】
壁から現れた水の精の足

3　不吉な婚礼と妖精の足

ハイネは『精霊物語』の中で、「もっともおそろしい破局が、ふつう結婚の祝宴のときにおとずれるというのは、民間伝説に独特なことである。おそろしいものが突然乱入してくると、それだけいっそう、ほがらかなその場の雰囲気や、たのしいことの準備や、心はずませる音楽にたいして戦慄的なけわしい対照をなす」（ハイネ 二五～二六頁）、と述べている。そして、「不吉な婚礼物語」の例に、騎士シュタウフェンベルクの婚礼をあげている。

騎士のペーター・フォン・シュタウフェンベルクが婚礼の祝宴をはっているとき、ふと目をあげると小さな白い足が広間の天井からあらわれたのが目に入った。彼はその足が、自分がそのむかし甘い恋のきずなで結ばれていたあのニクセ——ゲルマン民族の信仰によれば、水中にすむ精霊——のものであることがわかり、この前徴をみて、自分の不実のゆえにみずからの人生をふいにしてしまうことがよくわかった。彼は聴罪師をよびにやり、聖餐式をしてもらって死の準備をする（ハイネ 二六頁）。

婚礼の祝宴に、騎士の姦通のしるしとして水の精の足が現れる。膝から下の足だけが天井や壁から現れるのはきわめて不気味である一方、足は象牙のように白く、非常に美しい[4]。『ゲーテ辞典』で足（Fuß）の項目を引くと、足には「たまに（冥府の、地下）世界との接点という（神話的あるいは魔術的な）意味」や「美しい女性の足がもつ性的魅力から、愛撫の対象という官能的な意味」がある（*Goethe Wörterbuch*, S. 1047.）。水の精の足は騎士の死を予示すると同時に官能的な意味をもつものとして、婚礼の祝宴に場違いなのである。

4 『ウンディーネ』における「不吉な婚礼物語」

『ウンディーネ』はシュタウフェンベルク伝説の「不吉な婚礼物語」を継承しているが、祝宴に水の精の足は出現しない。祝宴の場面は次のとおりである。

私がリングシュテッテンの城で行なわれた婚礼の有様を物語ったとすれば、輝くばかりの、めでたい品々がうずたかく積まれているその上に、黒の紗が拡げられて、その陰気な覆いの中から見える豪奢な品々は、楽しみに似つかわしいというよりはむしろ、この世の喜びのすべてのはかなさを嘲笑っているかと思われる有様を、あなた方はまのあたり見るような気がするかも知れない。それは幽霊めいた怪物が出て祝宴を妨げたというのではない。現にこの城はもはや水の精が出て脅かすような場所ではないことは、私たちも知っている。実は騎士も漁師も客たちも、この祝宴の主人公が姿を見せていないような気がし、その主人公とはみんなに好かれていたあの優しいウンディーネでなければならないような気がしてならないのである。（強調は引用者による）（フケー『水妖記（ウンディーネ）』一四一～四二頁）

水の精のウンディーネは常に可憐で愛らしく、魂を授かった敬虔なキリスト教信者として描かれている。従来の伝説では、水の精は超自然的な力をもち、騎士を呪縛する悪魔的な存在であると司祭に見なされていた。騎士シュタウフェンベルクも、司祭に説き伏せられると、軽々と人間の娘と結婚する。これに対し作者のフケーは、祝宴の場面で「幽霊めいた怪物が出て祝宴を妨げたというのではない」、と言って典拠としたシュタウフェンベルク伝説を皮肉り、パラケルススと同様に、水の精を悪魔視する見解を退けている。ウンディーネは、足を天井や壁から現す不気味な現象で騎士に死を予告する代わりに、祝宴後、部屋の中に一人でいる騎士の前に泣きぬれながら姿を現す。彼女は出会った頃の美しい姿のまま、騎士に死の接吻をする。

フケー自身は、禁忌違反によって騎士を襲った死を、水の精によるしかるべき復讐と見なしている（Max, S. 422.）。作品に登場するハイルマン神父はウンディーネを悪魔視せず、「信心ぶかい、誠のある方」として接し、騎士の重婚に反対する。神父が非難するのは、彼女の誠実と愛を裏切り、心変わりをして別の女ベルタルダと結婚する騎士のほうである。重婚は騎士の「心移り」という感情の変化によって引き起こされる。

ハイルマン神父はウンディーネと騎士の結婚式を執り行なった司婚者でもあり、彼女が姿を見せなくても生きていると確信する。それゆえ騎士の二度目の結婚に反対し、司婚者の依頼を断り、先のハイネの言葉——「もっともおそろしい破局が、ふつう結婚の祝宴のときにおとずれる」——を裏づけるように、不吉な予言をする。

「婚礼の祭壇でする祝福だけが祝福じゃない。私が婚礼のために来たのでないとすれば、もちろん他の儀式のために来たことになるだろう。もっとも何にしろ、待ってみないことにはわからない。それに婚礼《トラウエン》（Trauen）と葬式《トラウエルン》（Trauern）とはそう縁のないものでもない。わがままで目の眩んでいない者なら、これぐらいのことは悟るはずだ。」（フケー一四〇〜四一頁）

ハイルマン神父は、不実な騎士の婚儀はたやすく葬儀に転じ、騎士は死をもって報いを受けると予言するのである。

5　シュタウフェンベルク周辺の伝説

グリム兄弟の『ドイツ伝説集』に収録された「シュタウフェンベルクの殿ペーター・ディムリンガー」の最後には、ヨハン・フィッシャルトの次の報告が付記されている。

十六世紀にはこの地方の人びとはまだ、シュタウフェンベルクの殿ペーターと「美しい水の精《メーアファイ》」（当時乙女はそう呼ばれていた）の物語を知っていた。こんにちでも乙女が最初に姿を現したツヴェルフシュタインの岩は、シュタウフェンベルクとヌスバッハとヴァイラースホーフェンのあいだに見ることができる。また城では水の精が時折滞在したという部屋を見せてもらえる。（グリム『ドイツ伝説集（下）』二三二頁）

古くから城とその周辺の土地が結びついた伝説は、一族の始祖譚になるだけではなく（Heinrich Laube, *Meistersänger, Volksbuch und Lieder*, S. 163; Bredrich, S. 1168.）、紋章の由来にもなった。オルテナウの一帯を支配した貴族たちの紋章には甲冑の装身具が用いられ、紋章上部のクレスト（冑飾り）は乙女の上半身からなる。この乙女が、シュタウフェンベルク家の始祖の妖精と同一視される場合がある。紋章は伝説を記した十五世紀の揺籃期本にも印刷された[5]（【図4】、【図5】、【図6】）。

妖精伝説が息づくオルテナウ郡は、黒い森と呼ばれるシュヴァルツヴァルトが広がるライン上流右岸に位置し、土地に根づいた言い伝えが数多く残っている。オッフェンブルクの北、ドゥルバッハの丘陵はシュタウフェンベルク（山）と呼ばれ、そこに十一世紀に建造された騎士の居城がある。その周辺には悪魔のかぎ爪が残る、フィッシャルトの証言にも出てきたツヴェルフシュタインの岩がある。この岩のそばには根元で二つに枝分かれした樅《もみ》の木が立っており、「メルジーネの木」（Melusinenbaum）と呼ばれている。ここでメルジーネが一七七九年にドゥルバッハの羊飼いの少女に救済してもらおうとしたことに由来する。城の手前には、かつてのシュトレンブルクに通じる急斜面の小道が走っている。その小道は「妖精の道」（Feenweg）と呼ばれている。男爵がその小道を一時間で普請した者に娘を与えるという難題を課したところ、若い騎士を親切なメルジーネが手伝ったという伝説に、小道の名は由来する（Josef Werner, *Auf den Spuren und Seelentiefen*; Mone, *Badische Volkssagen*, S. 87-102; Baader, *Feenweg*, S. 41.）。シュトレンブルクは、ドゥルバッハ渓谷とレンヒ渓谷に囲まれたシュトレンベルク（山）に建てられたが、一三二八年に破壊され、いまは城壁の残骸だけが残る。その地中深くにメルジーネの財宝が眠っており、輪転花火のような眼をした大きな黒い犬が見張っているという伝説が残されている。

　このように、シュタウフェンベルク周辺の伝説では、水の精に限らず山や森の妖精も、ドイツ風にメルジーネと呼ばれている（Ludwig Bechstein, *Melusine*, S. 580.）。オルテナウ郡がライン川をはさんで南フランスのメリュジーヌ伝説発祥の地に接しているからであろう。シュトレンブルクにまつわる「シュトレンヴァルト（森）のメルジーネ」伝説の主人公も、呪われて半人半蛇の姿になった蛇娘である。興味深いことに、この伝説の後半部分がシュタウフェンベルク伝説と重なっているのである。

【図４】シュタウフェンベルク家の紋章

【図５】シャウエンベルク家の紋章（右）
上部に Schenk von Stauffenberg, Schauenberg とある。

【図６】ノイエンシュタイン家の紋章

6　もう一つの伝説――シュトレンヴァルトのメルジーネ

アウグスト・シュネツラー（一八〇九～五三年）編『バーデン地方の伝説』（*Badisches Sagen-Buch*, 1846）には、オルテナウ郡の伝説として、以下の三つが連続して再録されている。アルニムとブレンターノの『少年の魔法の角笛』に収録された「騎士ペーター・フォン・シュタウフェンベルクと水の妖精」、ガイプの『ラインラントの民間伝承集』所収でエッケノルフ稿とは「別の版」と記された「騎士シュタウフェンベルク」、そしてドイツの民間伝承蒐集家ベルンハルト・バーダー（一七九〇～一八五九年）により発表された「シュトレンヴァルトのメルジーネ」（"Melusine im Stollenwald", 1834）である(Mone, S. 88f.)。最後の伝説は、バーデン地方の伝説を蒐集したハインリヒ・メディクス（一七四三～一八二八年）によって、すでに一八〇〇年以前に書き残されたものである（Max, S. 257.）。このほかに、ルートヴィヒ・ベヒシュタイン（一八〇一～六〇年）編『ドイツの伝説』（*Deutsches Sagenbuch*, 1853）に、「メルジーネ」（"Melusine" [894]）という題名で、この伝説が収録されている（Bechstein, S. 579f.）。

「シュトレンヴァルトのメルジーネ」のあらすじは次のとおりである。シュタウフェンベルクの代官の息子ゼーバルトは、鳥の捕獲のために秋のシュトレンヴァルトのすそでトウモロコシを打っていると、山から聞こえてくる歌声に引き寄せられる。山頂の茂みの中の美女は、ヒンメルシュトレンの娘メルジーネと名乗る。金髪碧眼の美しい乙女の手に指はなく、じょうごか角笛のようにくぼんでおり、胴から下は蛇の姿であった。彼女は呪いを解いてくれるあなたをずっと待っていたと言って、三日続けて朝九時に両頬と唇の三ヵ所に接吻するよう頼む。そうすれば呪いが解け、財宝と花嫁の自分があなたのものになると言う。ゼーバルトが接吻すると、メルジーネは喜びながら茂みに入り地中に消える。二日目、彼女には翼が生え、竜の尾をはやしていたが、ゼーバルトは恐れずに接吻をする。三日目はしかし、カエルの頭、竜の尾をはやした毒々しい姿の娘を前に、彼は逃げ出す。それから二年が経過する。ときおりメルジーネを裏切ったという考えがゼーバルトの頭をよぎるが何も起こらない。父親は代官の娘を息子の嫁にあてがい、婚礼はシュタウフェンベルク城で執り行なわれる。祝宴の広間の天井が突然裂け、新郎ゼーバルトの皿にしずくが一滴落ちる。本人はそれに気づかないまま皿の料理を口にしたとたんこと切れる。それと同時に、小さな蛇の尾が天井裏に消える。

「シュトレンヴァルトのメルジーネ」の類話に、グリム兄弟編『ドイツ伝説集』の「蛇乙女」("Die Schlangenjungfrau" [13])、アロイス・シュライバーが蒐集した『ライン地方とシュヴァルツヴァルト地方の伝説』(*Sagen aus den Gegenden des Rheins und des Schwarzwaldes*, 1829) の「蛇乙女」("Die Schlangenjungfrau" [39])、先にあげたベヒシュタインの『ドイツの伝説』にも「アウグスト近郊にある異教徒の洞窟の蛇乙女」("Die Schlangenjungfrau im Heidenloch bei Augst" [27]) が収録されている。類話の中では、ベヒシュタインが収録した伝説がもっとも詳しい。

類話では、仕立屋の息子レオンハルトが主人公で、一五二〇年、スイスのバーゼルとラインフェルデンの間に位置する古い村落アウグストにある洞窟《ハイデンロッホ》が舞台である。悪魔祓い用の聖別された蝋燭を手にレオンハルトが洞窟を奥に進むと宮殿がある。そこにいる魅惑的な美しい乙女は、呪いを受けて下半身が蛇であった。二匹の黒い犬が財宝の入った箱を守っている。純粋で童貞の若者が乙女に三回接吻すれば呪いが解け、財宝は若者のものになる。接吻されたあまりの嬉しさに乙女が激しく身をくねらせると、彼は恐ろしくなり、三回目の接吻をせずに逃げ出す。洞窟の外でほかの女と関係をもったために、若者は二度と入り口を見つけられなかった。

「シュトレンヴァルトのメルジーネ」とその類話「蛇乙女」では、乙女は呪われた姿で下半身が蛇で、竜の翼や尻尾をもつ。純粋でけがれのない若者が三回接吻をすれば呪いが解けて人間に戻る。その接吻は「恐ろしい接吻」あるいは「勇敢な接吻」と呼ばれる(篠田知和基「メリュジーヌ伝承から異類婚説話へ」十四、十六頁 註(24))。しかし若者は最後の口づけの前に逃げだし、ほかの女と関係を結んだために、乙女の呪いは解けないままである。類話の「蛇乙女」では、乙女は王族の生まれと告げるが名乗らないし、物語の後半部分がシュタウフェンベルク伝説と重ならない。

シュタウフェンベルクの乙女が愛する騎士をずっと待ち焦がれていたのと同様に、シュトレンヴァルトのメルジーネも純粋でけがれのない若者をずっと待っていた。しかし、それは呪いを解いてもらい、人間に戻って嫁入りの財宝を持参して、その男性と結婚するためで、妖精婚ではない。一方、シュタウフェンベルク伝説や『ウンディーネ』の乙女は、呪われた人間ではなく、人間とおなじ姿をした妖精である。彼女たちの婚姻は、騎士を愛するがゆえに類を超えて結婚する、妖精婚である。異類との婚姻には禁忌が課され、やがて人間の夫が禁忌を犯し、結婚は破綻する。

メルジーネは「あなたの花嫁の呪いを解いて」(Max, S. 270.) と言って、口づけをしたゼーバルトが自分の結婚相手になったことを告げる。ところが彼は彼女に二度口づけしたのちに逃げ出し、「裏切った気持ち」(Max, S. 271.) のまま、二年後にはいわくつきのシュタウフェンベルク城で、代官の娘との婚礼の祝宴を開く。ハイネのいう「不吉な婚礼物語」が再現され、ゼーバルトは騎士シュタウフェンベルクと同じ運命をたどる。水の精の足のかわりに天井から出現するのは、呪われたままのメルジーネの蛇の尻尾であった。

＊　＊　＊

註

(1) この場面では、騎士が乙女に挨拶する。グリム『ドイツ伝説集』所収「シュタウフェンベルクの殿ペーター・ディムリンガー」[528] は唯一の例外で、乙女から騎士に挨拶する。

(2)『リトルマーメイド』や『崖の上のポニョ』では、原作の『人魚姫』の深刻な結末が一転してめでたいハッピー・エンドに書きかえられている。人魚姫のアリエルやブリュンヒルデの足どりは軽快だ。彼女たちは人間の男――エリック王子や宗介――と愛で強く結ばれて、海王の父親トリトンあるいは海なる母グランマンマーレの魔力でいとも簡単に人間になる。

(3) ヴェーヌスベルクはドイツ各地、とくにシュヴァーベンやチューリンゲンにあるいくつかの山や丘を指す。一般にはタンホイザー伝説と結びついて愛と美の女神ヴィーナスが住むと伝えられる。アイゼナハ近郊のヘルゼルベルクを指すことが多い。

(4) ドイツ語で足を表す Fuß は英語の foot にあたり、人間や動物の足を意味する。人間や長脚動物では通例くるぶしから下をいう。南部ドイツ、オーストリア、スイス、また短脚動物では脚を表す Bein と同じく胴体から下全体を指すことがある。ドイツ西南部に伝わるシュタウフェンベルク伝説では、水の精の足は「膝から下」が現れ、Fußが用いられる。【図3】において、ガイプの『ラインラントの民間伝承集』の銅版画には妖精のくるぶしから下しか現れていないのは、北部・中部ドイツで用いられるFußの概念に基づいて挿絵が描かれたからであろう。同様のFußの概念のゆれは、ハインリヒ・ハイネにも見られる。

（5）中央オルテナウに居を構える古貴族のシュタウフェンベルク、シャウエンベルク、ノイエンシュタインは、共通して紋章上部のクレスト（冑飾り）が乙女の上半身であることから、氏族共同体であると推察される。シュタウフェンベルク家の紋章は、紋章上部がクレスト、花冠、鉄冑は馬上槍試合用の覆面冑で構成されている。クレストは乙女の上半身で、その胸には紋章盾と同じ図柄が確認できる。腕のかわりに牛角が上に向かってのびている。花冠からは葉形装飾が広がる。紋章下部に紋章盾が位置する。紋章盾には二枚重ねの蓋つきゴブレット（Stauf）、その下には三つの山（Berg）が描かれ、シュタウフェンベルク（Staufenberg）を表している。

シャウエンベルク家の紋章上部はクレストと覆面冑で構成される。クレストは銀色の乙女の上半身で、その胸は赤い斜め十字で覆われている。腕のかわりに三つの鈴のついた牛角が上に向かってのびている。右の牛角が赤、左の牛角が青である。紋章下部に位置する紋章盾は、中間盾が銀、その周りは青と金の雲形で縁どられ、赤い斜め十字で覆われている。

ノイエンシュタイン家の紋章上部はクレストと覆面冑で構成されている。クレストは黒、または黒と銀に分かれた衣装をまとった乙女の上半身で、乙女は冠をかぶり銀のヘアネットをしている。その胸には紋章盾と同じ図柄、黒地に金の車輪が確認できる。腕のかわりに一方が黒、一方が銀の角が上に向かってのびている。Vgl. Badischen Historischen Kommission（Hrsg.）: *Oberbädisches Geschlechterbuch*. Dritter Band M-R. Heidelberg 1919, S. 206f; https://www.schauenburg.de/schauenburg/ansichten/historisches/wappen/（最終閲覧日二〇二〇年七月二九日）

引用・参考文献

Baader, Bernhard: *Feenweg*［68］. In: *Neugesammelte Volkssagen aus dem Lande Baden und den angrenzenden Gegenden*. Berlin 2016, S. 41.

——: “Melusine im Stollenwald”. In: *Anzeige für Kunde des deutschen Mittelalters*.（Hrsg.）Mone. Dritter Jahrgang. Nürnberg 1834, S. 88-90.

Bechstein, Ludwig, “Melusine”［894］. In: *Deutsches Sagenbuch*. Meersburg und Leipzig, 1930, S. 579-580.

Berlin-Brandenburgischen Akademie der Wissenschaften, Akademie der Wissenschaften in Göttingen, Heidelberger Akademie der Wissenschaften（Hrsg.）: *Goethe Wörterbuch*. Bd. 3, Stuttgart（Kohlhammer）1978, “Fuß”, S. 1047-1052.

Brednich, Rolf Wilhelm（Hrsg.）: *Enzyklopädie des Märchens*. Handwörterbuch zur historischen und vergleichenden Erzählforschung. Bd. 13, Suchen-Verführung. Berlin, New York（De Gruyter）2010, “Undine„ S. 1167f.

Engelhardt, Christian Moriz: *Der Ritter von Stauffenberg, ein altdeutsches Gedicht*. Straßburg 1823.

Fischer, Hanns: *Studien zur deutshen Märendichtung*. 2. durchges. u. erw. Aufl. Tübingen（Niemeyer）1983.

Fouqué, F. de la Motte: *Undine. Eine Erzählung*. Stuttgart（Reclam）2011. フリードリヒ・バローン・ド・ラ・モット・フーケー『水妖記（ウンディーネ）』柴田治三郎訳、岩波書店、一九三八年、一九七八年第十四刷改訳

Grimm, Jacob und Wilhelm（Hrsg.）: *Deutsche Sagen*. Zwei Bände in einem Band. Vollständige Ausgabe nach dem Text der 3. Aufl. von 1891 mit der Vorrede der Brüder Grimm und mit einer Vorbemerkung von Hermann Grimm. München 1965. グリム『ドイツ伝説集　上巻』桜沢正勝・鍛冶哲郎訳、人文書院、一九八七年、グリム『ドイツ伝説集　下巻』桜沢正勝・鍛冶哲郎訳、人文書院、一九九〇年

Grunewald, Eckhard（Hrsg.）: *Der Ritter von Staufenberg*. Tübingen（Max Niemezer）1979.

Heine, Heinrich: *Werke und Briefe in zehn Bänden*. Bd. 5, Berlin und Weimar（Aufbau Verlag）1972. ハインリヒ・ハイネ『流刑の神々・精霊物語』小沢俊夫訳、岩波文庫、一九八〇年

Laube, Heinrich: *Meistersänger, Volksbuch und Lieder*. In: *Geschichte der deutschen Literatur*. Erster Band. Stuttgart 1839, S. 156-178.

Mone（Hrsg.）: *Badische Volkssagen*. In: *Anzeige für Kunde des deutschen Mittelalters*. Dritter Jahrgang. Nürnberg 1834, S. 87-102.

Paracelsus: Lieber de nymphis, sylphis, pygmaeis et salamandris et de caeteris spiritibus. Auszüge. In: *Undinenzauber. Geschichten und Gedichte von Nixen, Nymphen und anderen Wasserfrauen*.（Hrsg.）Frank R. Max, Stuttgart（Reclam）2009.

Max, Frank R.（Hrsg.）: *Undinenzauber. Geschichten und Gedichte von Nixen Nymphen und anderen Wasserfrauen*. Stuttgart（Reclam）2009.

Schmitz-Emans, Monika: *Seetiefen und Seelentiefen. Literarische Spiegelungen innerer und äußerer Fremde*. Würzburg 2003.

Stephan, Inge: Weiblichkeit, Wasser und Tod. In: *Weiblichkeit und Tod in der Literatur*.（Hrsg.）R. Berger und I. Stephan. Köln und Wien 1987, S. 117-139.

Werner, Josef: *Auf den Spuren von Geistern und Melusine.* In: www. museum-durbach.de/heiteres-und-geschichtliches/s-a-g-e-n/auf-den-spuren-der-melusine.html.（最終閲覧日二〇二〇年七月二九日）

大野寿子編『超域する異界』勉誠出版、二〇一三年
大林太良・伊藤清司・吉田敦彦・松村一男編『世界神話事典』角川選書、二〇〇五年
小黒康正『水の女——トポスへの航路』九州大学出版会、二〇一二年
篠田知和基「メリュジーヌ伝承から異類婚説話へ——罪とあやまち」『比較日本学教育研究センター研究年報』第十三号、お茶の水女子大学比較日本学教育研究センター、二〇一七年、八～十七頁
高橋吉文『グリム童話　冥府への旅』白水社、一九九六年
マルカル、ジャン『メリュジーヌ　蛇女＝両性具有の神話』中村栄子・末永京子訳、大修館書店、一九九七年

◉図版出典

【図１】John William Waterhouse, *Undine*. 油彩、個人蔵
【図２】Egenolf von Staufenberg: *Peter von Staufenberg*. Straßburg ca. 1489/90. 木版印刷、バイエルン州立図書館蔵
【図３】Karl Geib: *Die Volkssagen des Rheinlandes in Romanzen und Balladen. Erster Bändchen mit XXI Kupfern*. Heidelberg, 1828. 騎士シュタウフェンベルク伝説の挿絵、銅版画
【図４】Egenolf von Staufenberg: *Peter von Staufenberg*. Straßburg ca. 1489/90. 木版印刷、バイエルン州立図書館蔵
【図５】*Wernigeroder（Schaffhausensches）Wappenbuch*. Süddeutschland ca. 1475-1500. バイエルン州立図書館蔵
【図６】Die badische historische Kommision（Hrsg.）: Von Neuenstein. In: *Oberbadisches Geschlechterbuch*. Dritter Band, M-R. Heidelberg, 1919, S. 207.

コラムⅢ

浦島子とタンホイザー

須藤　温子

神や精霊の地を訪れる異郷訪問譚は、世界各地の伝承に見られる。その中には異郷の女と夫婦となり、しばらくの間そこで幸福に暮らす異類婚物語がある。日本の浦島伝説はその一つである。古代の『丹後国風土記』逸文（八世紀）には浦島子の伝説が次のように書かれている。浦島子は舟に亀を引きあげると、その亀はいつの間にか麗しい女性に変わった。女性は仙境に住む神女で名を亀比売《かめひめ》といい、島子と永遠に夫婦の契りを結びたいと言って蓬莱山《とこよ(のくに)》に誘う。彼は海の中の大きな島で三年の間夢のような時を過ごすが、郷愁にかられて暇《いとま》を告げる。亀比売は、私を忘れることなく仙境に戻りたいと思うのなら決して開けないように、と言って玉匣《たまくしげ》を渡す。村に戻ると人間界では三〇〇年以上も経っていることを悟った島子。亀比売を思い出してつい玉匣を開くと、またたく間に若さは風雲とともに天空に消え去り、島子はたちまち老人となった。

浦島子の伝承は、古代中国の神仙思想に影響を受けた、神女と人界の浦島子との神婚を伝えるものだった。浦島太郎が助けた亀に乗せられて竜宮に行き、乙姫に歓待されて玉手箱を得るといった、報恩譚として語られる浦島伝説は、室町時代以降に書かれた『御伽草子』に見られる。

ヨーロッパに目を向けると、中世ドイツには気高き騎士タンホイザーの伝説がある。亀比売に相当するのは異教の愛の女神ヴィーナスだ。タンホイザーはそれとは知らずにヴェーヌスベルク（ヴィーナス山）の洞穴にたどり着き、女神に誘惑され、そこに留まり快楽の日々を過ごす。島子同様、しばらくして人界に戻りたいと暇を告げるタンホイザー。ヴィーナスも彼を引きとめられず、私を忘れることなくまた戻ってきてほしい、と言って人界に帰す。タンホイザーの場合は、人界に戻ったのちローマ教皇ウルバヌスに懺悔を申し出るが、結局、永劫の罰を下されてしまう。悲嘆にくれた彼は、ふたたびヴェーヌスベルクの女神のもとに戻っていく。

第4章　ヘンデルの『エイシスとガラテア』
——牧歌世界の悲劇

島森　尚子

はじめに

十八世紀の英文学と聞いても、どのような作品があるかすぐに思いつく読者は少ないのではなかろうか。エリザベス朝とロマン主義の時代に挟まれたこの頃の英国には、確かに、今日でも広く読まれるような名作はあまり生まれていない。しかし、一方でこの時代は全ヨーロッパにおける文明の転換期にあたっており、英国においても、ニュートン（一六四三〜一七二七年）を中心とする新たな学問の体系化が英国学士院の設立によって推進され、近代科学から生じた技術は生活のあり方を変化させた。たとえば、印刷術の普及と定期刊行物の刊行は近代的ジャーナリズムの基盤を作り、政治、経済から日常生活に至るまでが報道と論評の対象になった。

経済面に目をやれば、スペイン継承戦争の終結によって得た奴隷の貿易権のおかげで英国経済は飛躍的に発展したが、このとき形成された植民地経済システムは大英帝国の基盤を形成し、市民生活に新奇な品々や生き物をもたらした。中でも市民生活に多大な影響を与えたのはコーヒーと紅茶であろう。この二種の異国の飲料は、相次いで英国人の生活に取り入れられ、都市にはコーヒーを提供する「コーヒーハウス」が開店し、議論好きな紳士が集う場所となった（コーヒーハウスはヨーロッパのカフェに相当し、英国文化や民主主義の醸成に大きな影響を与えたといわれている。詳細は、小林章夫『コーヒー・ハウス――18世紀ロンドン、都市の生活史』を参照のこと）。彼らは、政策、噂話、流行の芝居や服装などについて、新聞を読みながら、ときに議論し、ときには持論を披露しあったのである。

こうした社会状況は文学作品にも影響を与えており、新たな風俗や価値観を諷刺する作品が盛んに書かれ一世を風靡した。当時流行した航海記の形を借りた『ガリヴァー旅行記』（*Gulliver's Travels*, 1726）や、二流の学者や三文文士を諷刺した『ダンシアッド』（*The Dunciad*, 1728）が代表的だが、それらの作品の多くは、現代ではあまり読まれていない。諷刺文学は、時代や人物についての背景知識がないと、面白さが半減するからだろう。

しかし、舞台芸術となれば話は別で、王侯貴族が楽しむための洗練された作品が多く作られるようになり、その中には現代でも人気のある作品は少なくない。本章で扱う『エイシスとガラテア』(*Acis and Galatea*, 1718) もその一つで、現代ではオペラ風に演じられることが多いが、元々はオラトリオとして書かれた。オペラと異なり、オラトリオでは、歌手は舞台上で演技をせず、大がかりな舞台装置もない。その代わり、舞台上には合唱隊が控えており、主要登場人物たちの歌の合間に合唱によって観客の理解を助ける。本作の作曲者ヘンデル (一六八五~一七五九年) はこの形式を得意としていた。

加えて、この作品の台本作者の中心人物ジョン・ゲイ (一六八五~一七三二年) は、ヘンデル同様当時人気のあった詩人で、ウィットの効いた娯楽的な作品を得意としており、代表作の『乞食オペラ』(*Beggar's Opera*, 1728) は、のちにドイツの劇作家ブレヒトの『三文オペラ』(*Die Dreigroschenoper*, 1928) の原作となった。その他、あまり知られてはいないが、本作の台本制作に関わったとされるのは、実は英文学史上重要とされる詩人たちである。本章は、『エイシスとガラテア』の文学的側面に焦点を当て、異類婚姻譚として読む試みである。

あらすじ

神々や人間が地上で楽しく暮らしていた黄金時代、海神ネレウスの娘、美しいネレイドたちの中でもっとも美しいガラテアは、川のニンフと牧神との息子である羊飼いの美少年エイシスとの恋愛に夢中になっていた。エイシスの友人ダモンとコリドンはこの恋をいさめ、エイシスがガラテアを追い求めるのを止めようとするが、エイシスはその忠告も聞かず、女神との恋にのめり込む。二人は美しい牧場や野山で愛を交わしあうが、かねてガラテアに横恋慕していた者がいた。一つ目の巨人ポリフィマスである。愛しあう二人を見つけて怒り狂うポリフィマスに対し、エイシスは無謀にも立ち向かおうとするが、ポリフィマスの投げつけた大きな岩につぶされて息絶える。ガラテアは嘆くが、合唱隊《コーラス》の勧めに従って嘆くのをやめ、エイシスに永遠の命を与えることにし、遺体から流れる血を川に変える。

1　牧歌劇『エイシスとガラテア』

『エイシスとガラテア』は、オウィディウス（前四三～前十七年頃）の『変身物語』(*Metamorphoses*, 8) 第十三巻に出てくる「アーキスとガラテイアの物語」を下敷にしている。ヘンデルの作品中、今も『メサイア』(*Messiah*, 1741) に次ぐ人気を誇り、しばしば上演されファンも多い。

本作は「牧歌劇」というジャンルに分類されている。牧歌とは、読んで字のごとく牧場で山羊や羊を追う牧童の暮らしと恋を描く詩なのだが、西洋文学においては独特な成り立ちがある。その起源は古く、文学史的には紀元前四世紀生まれのギリシア詩人テオクリトス（前三一〇頃～前二七〇年頃）にまで遡るとされるが[1]（Terry Gifford, *Pastoral*, p. 15）、やがて、ローマ時代の詩人ウェルギリウス（前七十～前十九年）が、牧歌の舞台を現実の地中海世界から非現実の理想郷「アルカディア」へと移し、実際の牧童の生活を題材にした素朴な詩から、都会の読者にも受け入れられる洗練された田園詩へと発展させた。

そのおよそ一五〇〇年の後、ヨーロッパの文芸復興期に他の様々な文芸と同じく牧歌が再評価されたとき、理論上大きな影響を与えた一人がフランスのラパン（一六二一～八七年）だった。ラパンは、「牧歌とは黄金時代の生活を描く詩である」と論じ、十八世紀の英国詩人、とくにアレグザンダー・ポウプ（一六八八～一七四四年）に強い影響を与えた（海老澤豊「十八世紀初頭の英国における牧歌論」一〇九～一三三頁）。

黄金時代とは、ギリシア神話に語られた、五つまたは四つの時代区分（ヘシオドスによれば、黄金の時代、銀の時代、青銅の時代、英雄たちの時代、鉄の時代の五時代であり、オウィディウスによれば黄金、銀、青銅、鉄の四時代とされる）の最初の時代にあたり、ウラノス（天）とガイア（大地）の息子、タイタン族の長であるクロノスが世界を支配していた時代のことである。黄金時代には、人間は神々とともに暮らし、争いも不和もなく、作物は自然に生じ、耕作の必要はなかった。人間は山羊や羊を追って暮らし、詩を読み、歌で競いあい、仲間の羊飼いやニンフ（下位の女神）たちと戯れて暮らしていた（ヘシオドス『仕事と日』（Ἔργα καὶ Ἡμέραι, B.C.700）、オウィディウス『変身物語』）。現代の文学や芸術作品にも、無垢な世界としての自然への憧憬が見られることがあるが、たとえば山村での素朴な暮らしを描く現代の作品と古代の牧歌世界との最大の違いは、後者には人間の女性が登場しないことであろう。ギリシア人の想像した黄金時代には、女性はまだ生まれていなかったのである。

黄金時代の羊飼いはすべて男性であり、人間の女性はいないのだから、彼らの恋の相手は女神やニンフとなる（さもなければ羊飼い同士の同性愛が描かれることになる）。つまり、牧歌とは、自ずと異類婚の要素が内包されている文学形式なのである。十八世紀の英国詩人たちは、作品を書くにあたって英国国教会の道徳律を無視することはできなかったが、このジャンルなら、キリスト教の倫理観では許容しがたい異類同士の恋愛をのびのびと表現できた。詩や物語の舞台がイエス・キリスト生誕以前に設定されていれば、そしてエデンの園における人間の堕罪以前であることが示唆されていれば、物語はキリスト教倫理観に縛られなくてよいという理屈に基づき、彼らは人間とニンフや女神との恋愛を描いたのである。スミスによればヘンデルも例外ではなく、ヘンデルの作品はすべて道徳的な行儀良さ《モラル・デコーラム》と因果応報《ポエティック・ジャスティス》の法則とにおおむね支配されているが、『エイシスとガラテア』のみ異質なのだという（Ruth Smith, *Handel's Oratorios and Eighteenth-century Thought*, p. 60）。

牧歌の歴史に話を戻そう。牧歌は、英国ではエリザベス朝の詩人たち、中でもエドマンド・スペンサー（一五五二頃〜一五九九年）、フィリップ・シドニー（一五五四〜八六年）、ジョン・ミルトン（一六〇八〜七四年）によって発展を遂げた。彼らは宮廷人だったので複雑な政治に関わっていたが、ときにはそうした生活からより単純な世界への逃避を願ったと推察するのは難しいことではないだろう。ギフォードの言うように、牧歌が伝統的に「逃避と回帰」（Gifford, p. 1）の文学形式だとすれば、彼らが無垢で単純な黄金時代を舞台とする詩を書いたのは必然といえる。

ヘンデルの『エイシスとガラテア』もまた伝統的な牧歌の枠組みの中で書かれており、黄金時代を舞台としている。しかし、ヘンデルも台本を書いた詩人たちも宮廷人ではない。ヘンデルや詩人たちが貴族に交際を求めたのは後援が必要だったからで、宮廷での権力が欲しかったからではなかった。彼らの生活は権力の中枢につきものの血なまぐさい権力闘争や権謀術数とはほぼ無縁だったから、複雑な宮廷生活からの逃避の願望を抱くこともなかったろう。したがって、単純な時代への回帰願望が本作の制作動機だと考える必要は必ずしもない。むしろ、作者たちは、同時代の聴衆が好むものを提供したのである。エリザベス朝の詩人が最大の後援者エリザベス一世のために作品を書いたように、彼らは聴衆の好むものを作ろうとした。本作にキリスト教会がタブーとした異類婚の要素が盛り込まれているのも、当時の聴衆がそれを受け入れ、好むと知っていたからに他ならない。

2　作品の背景

『エイシスとガラテア』には幾つか異なる版が知られているが、本章ではもっとも入手しやすい音源であろう、ウィリアム・クリスティーとレザール・フロリッサンの演奏によるエラート版（George Frideric Handel, *Acis and Galatea*, William Christie and Les Arts florissants, 1998）の詩を読むこととする。この版は二幕に分かれた計十七の楽曲から構成され、五名の人物（人と呼べるのは二人だが、便宜上この呼称を用いる）、および合唱隊が登場する。

オリジナルの台本を書いたのは、当時新進気鋭の詩人だったジョン・ゲイ、アレグザンダー・ポウプ、加えて早世したジョン・ヒューズ（一六六七〜一七二〇年）の三名とされるが（クリストファー・ホグウッド『ヘンデル』一二七頁）、ポウプの友人でアン女王の御典医だったジョン・アーバスナット（一六六七〜一七三五年）を加える説もある（Smith, p. 353）。

ヘンデルと台本作者たちは皆知りあい同士で互いに影響を与えあっていたと考えられるが、幾つかの詩を除き、どの詩を誰が書いたか、誰がどのように校訂しているのかなどの詳細は不明である。実際、ポウプの詩全集（*The Twickenham Edition of the Poems of Alexander Pope*, 1961-69）の第六巻で、オールトは、『エイシスとガラテア』の作者がゲイだということを示す同時代の文献は見つかっていないと言い、ポウプ、ゲイ、アーバスノットとヘンデルが、大貴族で芸術全般の後援者だったバーリントン伯爵リチャード・ボイル（一六九四～一七五三年）の屋敷でしばしば会っていたこと、ポウプとゲイはそれ以前にも合作を行なっていることを指摘して、本作も合作だったと論じている（Norman Ault, Note, "Lines from Acis and Galatea," p. 216.）。オールトの説に従って、本章ではあくまでこの台本を合作として取り扱い、どの歌を誰が書いたかにはこだわらないでおこう。

本作は、元々は一七一八年にとある貴族の依頼で作られ、その屋敷で非公開で上演されたのだが（Winton Dean, "Acis and Galatea," p. 6）、一七三一年になって、当時有力なプロデューサーだったジョン・リッチ（一六九二～一七六一年）の制作でオラトリオとして公開上演され、評判となった（ホグウッド 一七五頁）。初演の場所はリンカーンズ・イン・フィールズ王立劇場で、台本には何曲か覚えやすい曲が書き加えられていた。リッチとゲイのコンビは、一七二八年に同劇場で上演された『乞食オペラ』で記録的な大成功を収めていたから、ロンドンの聴衆の好みを熟知しており、新しい歌が必要だと考えたのに相違ない。

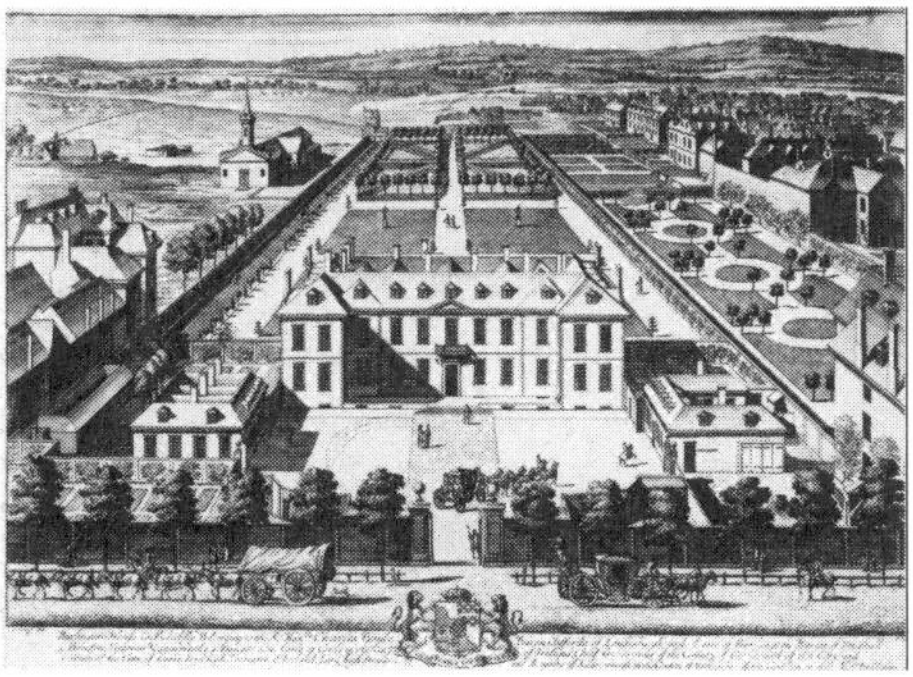
【図１】南側から臨んだバーリントン・ハウス（1698-99 年頃）

3　ヘンデルと詩人たち

ヘンデルと詩人たちが出会った状況に触れておこう。彼らが出会ったバーリントン伯爵の屋敷はロンドンのピカデリーにあった（【図１】）。伯は文化・芸術全般に対する後援者にして、自身も芸術、とくに建築に造詣が深かったことで知られる。ヘンデルも、一七一二年に渡英してしばらくの後、三年間にわたって伯爵の屋敷に滞在し庇護を受けていた（ホグウッド一一三～一一五頁）。その後もこのドイツ人作曲家は伯の後援を受けていたが、他の大勢の芸術家に混じってバーリントン屋敷に招かれていた詩人たち、つまりゲイ、ポウプ、ヒューズ、アーバスノットと知りあった。そのうち、ヘンデルがかつてイタリアで上演した『アチスとガラテアとポリフェーモ』（*Aci, Galatea e Polifemo*, 1708）を英語の仮面劇として新たに創作しようという話になり、その台本を当時新進気鋭の詩人・台本作者だったゲイとポウプが中心になって執筆する計画が立てられたと、ゲイ（詩人とは別人だが）はその創作的著作で推察している（一六一頁。また、本作の制作の経緯については以下に詳しい。Thomas McGeary, "Handel in the Dunciad: Pope, Handel, Frederick, Prince of Wales, and Cultural Politics" *The Musical Quarterly* 97: 4, pp. 542-74）。

創作の経緯がどのようなものだったにせよ、ゲイがこの共作の要となっていただろうことは推察できる。音楽が好きだったたし、何より、舞台のための作品を得意としていたからである。一七一六年に発表した戯詩『トリヴィア――またはロンドンの通りを歩く技術』（*Trivia: Or the Art of Walking the Streets of London*）の第二部で、ゲイは伯爵の屋敷とそこに住まうヘンデルとをこう賞賛している。「バーリントン・ハウスはまだそこにあって／内部は美が、外観は均衡が支配している／［中略］／ヘンデルが弦をかき鳴らせば、緊張はほぐれて／心は躍り、わくわく浮き立つのさ／僕はそこによく行くんだ（ただし、汚れていない靴を履いてね）／だって、バーリントンはあらゆる詩神に愛されているからさ」（Book III）。伯爵はゲイやポウプより十歳ほど若く、その屋敷は活気に溢れ、若い才能ある芸術家が集まっていたことが読み取れる。『エイシスとガラテア』は、こうした自由な雰囲気の中で作られたのである。

4 登場人物

『エイシスとガラテア』の主要登場人物は五人で、彼らは大きく二種類に分けられる。死すべき者と不死の者である。

【図２】François Perrier: *Acis et Galathée* (avant 1649)

前者はエイシス、ダモン、コリドンの三名の羊飼いで、羊飼いのうちダモンとコリドンは人間だが、エイシスは実は人間ではない。彼は牧神と川のニンフとの息子なのだ。けれども、人間の友人たちと羊を追って暮らしており、不死の存在ではなく死すべき者の仲間である。

後者はガラテアとポリフィマスである。ガラテアは海神ネレウスとオケアノスの娘ドリスから生まれた女神ネレイドたちの一人とされ、ヘシオドスの『神統記』（*Θεογονία*, B.C.730）にも「見目よきガラテイア」（ヘシオドス「神統記」二五〇行）として登場する。つまりガラテアは、もっとも古い神々の血脈を引く海の女神であり、クリスティー版CDのジャケット写真でも、様々な海の生き物やニンフたちに囲まれかしずかれつつ海から陸に向かう様子が描かれている。

この絵はフランソワ・ペリエ（一五九四〜一六四九年）の絵の一部で、ジャケットで省かれた部分には、岩の上からガラテアを見つめる一つ目巨人のポリフィマスが描かれている（【図2】）。彼はホメロスの『オデュッセイア』でオデュッセイアの部下を食べてしまった怪物で、野蛮で、醜く、愚かではあるが、力はすこぶる強い。その醜い巨人が、この物語では美しい女神への恋に身を焦がすのである。

登場人物のうち主要な三名、つまり、エイシスとガラテアとポリフィマスが、すべて海や水に関係があるのは興味深い。ガラテアが海の女神だということは先述したが、ポリフィマスの父がポセイドンだという説もある（オウィディウス『変身物語（下）』二三九頁）。さらに、エイシスの母は川のニンフで、身分からいっても、川の行き着く先が海であることからいっても、三者のうちもっとも低い立場にいる、という構図になっている。物語の最後で死んだエイシスから流れ出す血をガラテアが川に変えるのも、息子を母の元に返すという予定調和的な結末であり、それが十八世紀の聴衆が好む幕切れだったとも考えられる。

5 エイシスの恋とダモンの忠告

オラトリオは、舞台が黄金時代だということを宣言する合唱隊の歌から始まる。緑の野、そよ風、鳥のさえずり、花の香り、これらはすべて牧歌の舞台装置である。聴衆の誰もが期待する黄金時代の自然が、この物語の舞台なのである。

おお、草原の楽しさよ／楽しいニンフと楽しい羊飼いが／あどけなく、楽しく、自由で陽気に／踊って戯れて時を過ごす／そよ風は私たちのために吹き／露は私たちのために結ばれ／薔薇は私たちのためにつぼみを開き／花々は色とりどりに咲き誇る（一幕二歌一～八行）

ニンフと羊飼いは美しい自然に囲まれた生活を謳歌しているが、『エイシスとガラテア』の牧歌世界は、我々が郷愁を以て思い描く故郷の春の野でも、幼い頃に訪れた空気の澄んだ美しい高原でもない。本作の舞台は、ポウプの言う「世界の創造に続く時代」（Alexander Pope, “A Discourse on Pastoral Poetry,” p. 297）としての「黄金時代」、つまり現実には存在しない想像上の時代なのである。この世界では、常春の山野で神々と人間とが共存し、人間は素朴な牧畜を生業とし、神々の力で実を結ぶブドウやイチゴ、あるいは耕す必要のない肥沃な大地から自然に生じる穀物を味わいながら、歌を歌い、恋愛遊戯を繰り返しつつ暮らしている。つまり、この作品で作者たちは、どこにも存在しない世界、イエスが生誕する遥か以前の、罪を知らず道徳律もない異世界での物語を描こうとしているのである。この作品が、ギフォードの言う「逃避と回帰」(Gifford, p. 1)の牧歌とは一線を画している所以である。

ここで、舞台にガラテアが登場する。彼女は浮かない様子である。「私の恋心を冷やすには森の木陰は明るすぎ/強風でさえ弱すぎる」(一幕三歌 五、六行)と女神は言い、続けてこう歌う。

お黙り、そなたたち、きれいな小鳥の合唱隊よ/その心を揺さぶる調べが/我が心の痛みを目覚めさせ/激しい欲望を燃え立たせる/歌をやめて飛んでおゆき/そしてエイシスを連れておいで!(一幕四歌 一~六行)

鳥のさえずる求愛の歌が、ガラテアのエイシスへの恋心を増幅させるという表現は牧歌詩の慣用《コンベンション》ではあるが、ガラテアが野の鳥と同じ世界に属し、かつ彼らを支配しているという設定もまた、牧歌世界のものだ。この世界が、人間と自然との間に障壁のできてしまった現代とはまったく異質であることが、物語の冒頭で示されているのである。

その頃、エイシスもガラテアの姿を求めてさまよい出そうとしていた。羊の群を放り出して、木霊にガラテアの行き先を訪ねる友人の有様を見て、羊飼いダモンはこういさめる。

羊飼いよ、何を追い求めているのか/君は無鉄砲にも破滅に向かっているんだぞ/僕らと喜び、楽しもう/情熱は明日まで取っておけ/今日は悲しまず、/恋も悩みも忘れよう(一幕七歌 一~六行)

ダモンは人間であり、人間としての常識があるから、無謀な恋に我を失っている少年エイシス（オウィディウスによれば彼は十六歳である）を引き留め、黄金時代の喜びを一緒に満喫しようと説いている。不死の女神への恋は不幸な結末を迎えると、作者はダモンの声を通じてエイシスに忠告するのである。

ところで、ダモンという人物はオウィディウスの物語には出てこない。オウィディウス版ではガラテアが過去を振り返って語る形式になっており、ガラテアの視点のみから語られるのだ。しかし本作では、作者はオラトリオという形式で、エイシス、ガラテア、ポリフィマスという恋の当事者それぞれの声を聴かせるのみならず、聴衆が抱くであろう常識的な意見を代弁させるためにダモンとコリドンを登場させる。本作で、ダモンとコリドンは童話に登場する親切な妖精や伯母さんや乳母のように、親身になって大人の常識を若い向こう見ずな主人公に説いて破滅を免れさせようとするのだが、その試みは無駄に終わり、主人公は恋にのめり込んでゆく。エイシスにはダモンの言葉など全く耳に入らないのだ。この言葉を聴いているのは、エイシスの運命を知っている聴衆だけである。ダモンの道徳的な声は、不道徳な異教の女神と若い羊飼いとの恋愛を肯定しているわけではないという、一種の免罪符を作者たちに与えているといえよう。

6　ポリフィマスの恋情

やがて恋人たちは出会い、本作でもっともよく知られたデュエットを歌う。「幸せな私たち！／なんてうれしいこと！」（一幕十二歌 一、二行）。ここで二人の喜びは頂点に達し第一幕は閉じるが、二人のあまりに幸せそうなデュエットは、エイシスの悲惨な運命とのコントラストを成している。

続く二幕は、この恋の不幸な運命を予言する重々しいコーラスから始まる。

哀れな恋人たちよ、運命の女神は定めた／歓喜は続かせないと。／哀れな恋人たちよ、夢から覚めよ／見よ、怪

物ポリフィマスを！（二幕一歌 一～四行）

そして、ポリフィマスが登場する。醜い一つ目巨人は美しい女神に恋して、すっかり虜になっている。「俺は狂乱し、溶け、燃えさかる！／あの手弱女《たおやめ》のような神が俺の心臓を刺し貫いた」（二幕二歌 一、二行）。そして、二幕一歌の重々しさから一転し、野蛮な性質には似つかわしくないことだが、自分で笛を拵《こしら》えて奏でながら、ガラテアへのラブソングを歌う。

おお、さくらんぼより赤く／おお、野いちごより甘い／おお、まぶしいニンフ／夜の月の光よりも。／子山羊のように明るく陽気で／とろけるぶどうの房のように熟れきって／百合だってこれほど輝やきはしない（二幕三歌 一～七行）

ポリフィマスの歌う、このなんとも無邪気なラブソングは今でも人気の曲目だが、この歌と彼が後に見せる凶暴な怒りとの落差は、彼が人間の尺度では測れない存在であることの証でもある。しかし、これを聞いたガラテアは、ポリフィマスを「怪物」と呼び、「子供の足を私に食べさせ／人間の血をがぶ飲みする」者の誘いには応じないと、冷淡に答えるのである（二幕四歌 十二～十五行）。

ポリフィマスにしてもガラテアにしても、黄金時代の神々は、苦悩もせず深い愛情も抱かない。ポリフィマスは、ガラテアが自分の求愛を受け入れてくれないせいで余計に恋情を募らせるが、読者はそこに深い精神性や悩みを見てとることはできない。ガラテアもポリフィマスも道徳的葛藤とは無縁であり、行動は単純で、彼らの恋愛とは相手を自分のものにするか否かにすぎないからだ。キリスト教は結婚を聖なる結合としたが、黄金時代にあるのは肉体的な結合だけなのである。

とはいえ、それはキリスト教の言う「罪」にはあたらない。ポウプは、牧歌世界の道徳観を「無垢の表象として形成されたもの」と定義している(3)(Alexander Pope, "On Pastorals," p. 96)。つまり、牧歌世界の道徳観は、十八世紀の、ポウプやゲイやヘンデルの生きていた時代の道徳観とは異なり、婚姻関係にない男女の肉体関係を罪とはしないのである。牧歌世界を想像上の時代と空間に置いたことにより、エイシスとガラテアの恋は「不道徳」のそしりを免れ、聴衆は安心して異教世界に浸れるというわけだ。

無論、黄金時代においても、ダモンやコリドンをはじめとする人間の命は永遠ではないので、神々とは異なる道徳観をもつ。命に限りがあるのなら、せめてよりよく、より楽しく生きようと人間は願うからだ。だからこそ、この恋愛はエイシスにとって破滅的となるのである。

7 ポリフィマスの憤怒とエイシスの破滅

ポリフィマスとガラテアのやりとりを見たダモンは、再び友人に忠告しようとする。そして、女神には「心がない」から、その恋人には苦痛があるだけだと歌う。「恋人の役は苦しみだぞ／美女に束縛され捕まって／君の受ける恵みは半分だけだ／心のない、命のない魅力の半分だけ」(二幕六歌 三〜六行)。人間はその心をすべて恋人に捧げるが女神はそうではない、そもそも女神には捧げるべき心がない、とダモンは言うのだが、もちろんエイシスは聞き入れない。それどころか、ポリフィマスに言い寄られているガラテアを見て、自分が彼女を守らなければと奮い立ってしまうのである。

美女を賭けた争いに／やがては死ぬ身、死など恐るるに足りはしない／僕の宝物を守るためなら／体中の血が流れてもかまわない(二幕八歌 三〜六行)

勇ましさから生じた言葉が自らの運命を予言していることにエイシスは気がついていない。彼は、あくまで犠牲的精神を見せ、それによってガラテアを喜ばせようとしているのである。これを聞いたもう一人の羊飼い仲間、コリドンは歌う。「考えてくれ、愚かな羊飼いよ／美しい女神を追い求め／希望をかき立てた歓喜はあっという間に逃げ去るのだぞ」（二幕九歌 一～四行）。

ガラテアも勇むエイシスを止め、ポリフィマスがいくら言い寄っても自分の愛情はエイシスのもの、気持ちは変わらないと言う。ガラテアにしてみれば、ポリフィマスのしつこい恋情はうっとうしくはあるが、エイシスとの逢瀬さえ見つからなければ実害はないのである。こうしてお互いの恋情を確かめあった二人は、ともに歌う。「小鳥の群は山を離れ／キジバトは森を去り／ニンフは泉を見捨てるでしょう／もし私が恋人を捨てたなら」（二幕十一歌 一～四行）。

【図3】ポリフィマスが投げたという伝説のある岩が並ぶシチリアの浜辺。（写真は倉重克明氏撮影）

ところが、ポリフィマスはこの歌を聞いていた。彼は怒って叫ぶ。「拷問！　憤怒！　憤慨！　絶望！　俺は、俺は、耐えられない！」（同 五、六行）それでも甘い言葉を交わし続ける恋人たちに、ポリフィマスは巨大な岩を掲げてこう叫ぶ。「飛んで行け、素早く、滅びの岩よ／死ね、思い上がったエイシスめ、死ね！」（同 十一、十二行）。ポリフィマスの投げた巨大な岩はエイシスに命中し、彼はその下敷きになってしまう。エイシスは血を流しながら、岩の下から悲痛な歌を歌う（【図3】）。

助けて、ガラテア、助けて、父母なる神さま、／あなたの地下の住処に死にゆく僕を連れていって下さい。（二幕十二歌 一、二行）

しかし、このときガラテアはそこにはいない。本作では言及されないが、オウィディウスによれば、ポリフィマスの怒り狂う様子を見て、エイシスを置き去りにして海中に身を隠したのだ。エイシスの祈りはむなしく、自ら不吉にも予言したように、「体中の血」を流して彼は死ぬ。友人のダモンが危惧したことが現実となったのである。

8 ガラテアの嘆きとエイシスの変身

エイシスが死に、合唱隊が嘆きの歌を歌うと、ガラテアもエイシスを失った悲しみを歌う。「あのきれいで魅力的な若者が／私への一途な心のせいで死ななければならないなんて」(二幕十四歌 五、六行)。しかし、ガラテアの嘆きはたった四詩行で歌われるのみで、その詩行が表すのは深い嘆きというよりも、美少年を失って残念だ、惜しいという気持ちだけである。ガラテアにとって、エイシスとの恋は、彼女の永遠の生の一瞬を飾ったエピソードにすぎない。ガラテアの恋情には精神的深みがないから、合唱隊もガラテアの悲嘆を慰めるのではなく、悲しむ必要などありはしないとすぐさま歌うのである。

やめて、ガラテア、悲しまないで／助けられない人のことを嘆くのはやめて／力を呼び寄せ技を使えば／女神があなたの傷をすぐに癒やしてくれるわ［中略］若者をその血縁の神々に返すのよ／緑の草原に泉から水を流して(二幕十四歌 七〜十、十三、十四行)

エイシスは川のニンフの息子だから、「血縁の神々」に返して遺体を川に変えてもらえばよいのではないか、というこの提案(4)をガラテアは受け入れ、悲しむのをあっさりとやめる。そして、女神の力を以てエイシスに永遠の命を与えるのである。

そなたの血はもはや深紅ではなく／流れ出すさまは水晶のよう／岩よ、そなたの空《から》の子宮をひらけ！／見よ、流れ出る泡立つ泉を／草原を抜けて、あの人は喜び走り回る／つねに優しい愛をささやきながら（二幕十六歌 三～八行）

ガラテアには死んだ青年を川に変える力があるが、その力をもつがゆえに、深く悲しむことがない。恋人を守ろうとして若い盛りに殺されたエイシスを川に変えてしまえば、ガラテアの心は再び黄金時代の歓喜に戻るのである。合唱隊もガラテアに同調し、エイシスが永遠の命を得たことを喜んで歌う。

ガラテア、涙を乾かして／エイシスは今や神になった／見てごらん、自分のベッドから起き上がるのを／その頭を花輪が飾っているのを／ほら、優しくつぶやきながら流れる小川に／羊飼いは喜び、ミューズは歌う！／草原を抜け、いつも楽しく流れる／あなたの優しい愛をいつもつぶやきながら（二幕十七歌 一～八行）

ここで、この物語は振り出しに戻る。黄金時代の喜びは、若い不幸な羊飼いが死んでしまっても変わらない。永遠の春は、小さな川が生まれたこと以外何も変わりなく続いてゆくのである。

9　啓蒙の時代の異類婚姻譚

エイシスの死は、不死の女神ガラテアという異質の存在への恋心が原因だったが、十八世紀英国でこの物語が人気を博した理由は何だろう。確かに、身分の高い女性と若い美青年との遊戯的恋愛というテーマには人気があった。しかし、それはあくまで「身分違いの恋」に内包されたエロティシズムあってのことである。シェイクスピア（一五六四～

一六一六年）の長詩『ヴィーナスとアドニス』（*Venus and Adonis*, c. 1595）は、『エイシスとガラテア』と同じく女神と美青年の恋と青年の死による破滅をテーマにしながらも、ヴィーナスからアドニスへの積極的な求愛が作品の特徴を成している。この詩には、あたかも身分の高い成熟した女性が若い騎士に言うことを聞かせようとするような、生々しいエロティシズムがある。

一方、『エイシスとガラテア』は官能的な物語とはいいがたい。これは十八世紀的な行儀良さ《デコーラム》の現れではあるが、ポウプの牧歌論に基づいて、黄金時代の神々をこの世の倫理を投影せずに描こうとした結果でもある。死も善悪もない永遠の春に住む神々の世界は、我々の世界とはあまりにも異質である。本作では、その違いを神々の側から描くことで、黄金時代を完全な異世界として描いている。その異世界と、そこに関わってしまった少年の運命に、当時の聴衆は惹かれたのではないだろうか。

異世界と接触すると何が起きるのかを想像する力が、この時代には求められていた。というのも、当時の英国は、未知の国々との交易の増加によって、従来とは比較にならない密度で「異世界」との接触を余儀なくされており、その邂逅をどのように捉えればよいのかを考えざるを得なかったからである。かかる状況は、当時出版された、想像と事実が混在したおびただしい数の旅行記に示されている。(5) この時代に英国は、大国への第一歩を踏み出した。一七〇七年にはスコットランドを併合し、グレートブリテンが成立している。アメリカやアジアにおける植民地は拡大し、経済的にも大国と呼ばれるにふさわしくなってゆく。と同時に、この島国は、異なる種族、異なる文化との急速かつ濃厚な接触を余儀なくされるようになる。『エイシスとガラテア』を異類婚姻譚として読むとき、死すべき者と不死の者とのもっとも大きな違いが道徳観の有無であることが明確になるが、そこには、道徳観の異なる異文化との接触が内包されているように思える。それは、十八世紀という時代を理解するうえで一つのヒントとなろう。

＊＊＊

註

（1）テオクリトスは宮廷の腐敗と退廃の生活を目の辺りにし、生まれ故郷であるシシリーの羊飼いの単純な生活を、ノスタルジーを以て詩にした。テオクリトスについては『牧歌』（古澤ゆう子訳、京都大学学術出版会、二〇〇四年）の、ウェルギリウスについては『牧歌／農耕詩』（小川正廣訳、京都大学学術出版会、二〇〇四年）の、それぞれの「解説」を参考にした。

（2）ただし、この牧歌論は、一七一三年に『ガーディアン』誌に掲載されたもので、文芸論ではなく、当時人気のあったアンブローズ・フィリップスの作品をアイロニカルに賞賛することで批判するという文芸論のパロディー、つまり諷刺作品である。しかし、引用箇所は、ポウプの他の牧歌論と共通する内容なので、ここで引用しても問題なかろう。

（3）ポリフィマスが投げたとされる岩がシチリア島の海岸付近には多数あるという。これらはエトナ山火口から飛んできた岩石である。【図3】の写真はその一例で、写真は本書の執筆者の一人倉重氏の撮影・提供による。氏には、この場を借りてお礼を申し上げる。

（4）オウィディウスの『変身物語』に書かれたエピソードの中でも、「アチスとガラテイア」は起源神話と呼ばれるカテゴリーに属し、エトナ山の麓を流れるアチ川の起源を表すとされる。今でも、シチリアには「アチ」で始まる地名、たとえばアチ・レアーレ、アチ・カステロなどが現存する。

（5）ダンピア、ブーガンヴィル、クック等による実際の旅行記もあれば、デフォーの『ロビンソン・クルーソー』や先述したスウィフトの『ガリヴァー旅行記』といった架空旅行記も、この時代の作である。

引用・参考文献

〈作品〉

Handel, George Frideric. *Acis and Galatea.* William Christie and Les Arts Florissants. Erato, 1998.

〈二次資料〉

Ault, Norman. Note, "Lines from *Acis and Galatea*". *The Twickenham Edition of the Poems of Alexander Pope*. Ault and Butt eds., Vol. IV. London: Methuen & Co. Ltd., 1964. pp. 215-6.

Burrows, Donald. "George Frederic Handel". Jacqueline Riding ed.. *Handel House Companion*. Handel House Trust Ltd., 2001.

Dean, Winton. "Acis and Galatea". *Acis and Galatea.* William Christie and Les Arts Florissantes. Erato, 1998.

Gay, John. *The Begger's Opera*. London: Penguin Books. 1986.

——. *Trivia: Or the Art of Walking the Street of London*. Penguin Classics, 2016. Kindle.

Gaye, Phoebe Fenwick. *John Gay*. London: Collins, 1938.

Gifford, Terry. *Pastoral*. London: Routledge, 1999.

Mack, Maynard. *Alexander Pope: A Life.* London: Norton & Company, 1985.

McGeary, Thomas, "Handel in the Dunciad: Pope, Handel, Frederick, Prince of Wales, and Cultural Politics," *The Musical Quarterly*, Volume 97, Issue 4, Winter 2014, Pages 542–574, https://doi.org/10.1093/musqtl/gdv004

Shakespeare, William. 'Venus and Adonis'. Duncan-Jones et al. eds.. *Shakespeare's Poems: Venus and Adonis, the Rape of Lucrece and the Shorter Poems.* The Arden Shakespeare. Bloomsbury Arden, 2007.

Smith, Ruth. *Handel's Oratorios and Eighteenth-century Thought.* Cambridge: Cambridge University Press, 1995.

Pope, Alexander. "A Discourse on Pastoral Poetry". Norman Ault ed. *The Prose Works of Alexander Pope.* Vol. I. Oxford: Basil Blackwell, 1936. pp. 297-302.

——. " On Pastorals". Ault ed. pp. 97-106.

Rogers, Pat. *The Alexander Pope Encyclopaedia*. London: Greenwood Press, 2004.

ウェルギリウス『牧歌／農耕詩』小川正廣訳、京都大学学術出版協会、二〇〇四年

海老澤豊「十八世紀初頭の英国における牧歌論」『駿河台大学論叢』第四二号、二〇一一年、一〇九〜一三二頁
オウィディウス『変身物語（上下）』中村善也訳、岩波文庫、一九八四年
小林章夫『コーヒー・ハウス――18世紀ロンドン、都市の生活史』講談社学術文庫、二〇〇〇年
テオクリトス『牧歌』古澤ゆう子訳、京都大学学術出版協会、二〇〇四年
ヘシオドス「神統記」『全作品』中務哲郎訳、京都大学学術出版協会、二〇一三年、九一〜一五六頁
――「仕事と日」同書、一五七〜二〇八頁
ホグウッド、クリストファー『ヘンデル』三澤寿喜訳、東京書籍、一九九一年（Christopher Hogwood, *Handel*, Thamas and Hadson, 1984）
ホメロス『オデュッセイア（上下）』松平千秋訳、岩波文庫、一九九四年

コラムⅣ

† 類を隔てる垣根

島森 尚子

異類に恋するのは人間の世界のことだけではない。実は、ある種の動物の中には、野生でもハイブリッド、つまり分類学上異なる種類同士の子孫が生じているケースがあるという。そうした動物には、ほ乳類に並ぶ高等動物である鳥類が含まれる。驚くべきことに、種が違うケースだけでなく、属が異なるケースも見られるようで、しかも、繁殖力をもつ子孫が生まれることもある。専門家は、こうした現象を進化の過程とみている。つまり、鳥類は、今でも進化を続けているというわけだ。

それに対して、人類の種としての劇的進化は止まってしまった。我々人類の遺伝子には、人類以外の遺伝子が婚姻によって混入する可能性はないからだ。しかし、生物として安定した存在となったとはいえ、概念における境界線はそう簡単には安定しない。一旦は異類として斥けたものたちとの境界線が、実は可変的で脆弱なものなのではないかという不安に、人類は時として襲われるのである。原初の時代、人間は自らを動物とは異なる存在としたが、もしかしたら未来において再び境界線が崩れ、人類のアイデンティティを問い直さなければならないときが来るのではないか。こうした不安が、異類婚姻譚を語る原動力になっているように思える。

そう考えると、イギリス文学で異類婚姻譚が正面切って扱われた時代が、文芸復興期とロマン主義の時代だったというのも合点がゆく。前者はカトリック教会の基盤が揺らいだ宗教改革の時代でもあり、国王ヘンリー八世が自らを首長として設立した国教会が、カトリック、および急進的新教諸派との三つどもえの紛争を繰り返し、ついにはピューリタン革命に至る。後者は科学の発達によるキリスト教信仰の弱体化と古来の自然宗教の復権が始まった時期であり、ともに人々の道徳観が大いに揺れ動いた時代だった。文明の転換点にこそ、いにしえの異類婚姻譚は息を吹き返すのである。

第5章　二つの『美女と野獣』

——妖精物語とその驚異《メルヴェイユ》

白川　理恵

はじめに

童話や映画など様々なジャンルで作品とされてきた『美女と野獣』は、もはや知らない人はいないほど世界中で人気のある物語である[1]（【図1】）。しかし、いまや世界的な名作となったこの物語がどのようにして生まれたのか、物語の作られた時代やその背景を知る人はそう多くはないだろう。

【図1】ジャン・コクトー『美女と野獣』（1946年上映）

小説の『美女と野獣』（*La Belle et la Bête*, 1740 ; 1756）は、十八世紀のフランスで、ヴィルヌーヴ夫人（一六八五～一七五五年）とボーモン夫人（一七一一～八〇年）という二人の女性作家によって、十五年ほどの時を隔てて書きあげられた。現在、絵本や映画の中で語られているのは、ほとんどが後者のボーモン夫人による物語であるが、前者のヴィルヌーヴ夫人による原作がなければ、ボーモン夫人の物語も成り立たなかった。いまから二五〇年以上も前に書かれ、もはや古びた物語だとも思える『美女と野獣』だが、なぜ現代の私たちをこれほどまでに惹きつけるのだろうか。本章ではこの問いに対して、ヴィルヌーヴ夫人の『美女と野獣』と、ボーモン夫人の『美女と野獣』、二つの作品を具体的に読み進めることで、その答えの一端を探してみたい。

そこではじめにギリシア・ローマ神話の時代に遡る「異類婚姻譚」としての基本的な構造を概観し、ついで十七世紀後半のフランスで流行した「妖精譚」あるいは「妖精物語」について考察する。そしてさいごに、十七世紀後半から十八世紀にかけてのフランスで、妖精物語と宮廷オペラをつなぐ場に現れた幻想概念ともいえる「驚異《メルヴェイユ》」（merveilleux）について検討したい。そこで、物語に見られる様々なモチーフや技法が、十八世紀のフランス宮廷オペラで「驚くべきもの《メルヴェイユ》」として機能していたことを確認し、翻ってそれらのモチーフや技法は二一世紀の様々なジャンルにも通じるあらたな「幻想《イリュージョン》」（illusion）を喚起しているのではないか、という仮説を立ててみたい。

あらすじ

三人の娘をもつ裕福な商人が不幸にも船の沈没で全財産を失った。しかし、遭難したはずの船が荷を積んで戻ったとの知らせを受け、商人は財産を取り戻しに出発する。父親に二人の姉娘たちは高価なみやげをねだるが、愛らしく気立てのよい末娘ベルが望むのはたった一輪のバラの花。結局、商人の旅は徒労に終わり、帰途についたものの嵐で道に迷い、魔法の城にたどり着く。末娘との約束を思い出した商人は、城の庭園でバラを一輪摘む。しかしその行為が城の主である恐ろしい野獣の怒りを招き、野獣は商人に、自分の命か自分の娘を差し出すよう二者択一を迫る。姉たちは拒むが、末娘のベルは進んで犠牲になろうと城に赴く。城に入ったベルは賓客として手厚くもてなされ、やがて野獣に対して敬意を抱くようになる。日増しに野獣に親しみを抱くようになるベルだが、父親が病気になったことを知り、しばらく家に帰りたいと乞う。ところが、家に帰ったベルは二人の姉のせいで、城に戻らねばならないことを忘れてしまう。しかし、取り返しがつかなくなる寸前にベルは城に戻った。そこで目にしたのは、悲しみのあまり瀕死の状態となっていた野獣の姿だった。彼に愛情を抱いていたことにようやく気づいたベルがその気持ちを告白すると、野獣はたちまちもとの王子の姿に戻り、二人はめでたく結ばれる。

1　『美女と野獣』の起源

『美女と野獣』の物語は十八世紀のフランスで誕生したが、物語を構成する一つ一つのモチーフを見ると、この物語が神話と民話の二つの起源をもっていることがわかる。また、ほかにも同時代の文学作品との類似や共有するテーマを指摘することもできるが、ここでは典型的な祖型としてのこの二つの起源について確認しておこう。

『美女と野獣』の祖型「プシュケー物語」

『美女と野獣』の祖型は「アモールとプシュケー」（「キューピッドとプシュケー」）または「クピードーとプシューケー」）の物語であると見なされている。紀元二世紀頃に古代ローマの著述家アプレイウス（一二四頃〜一七〇年頃）によってラテン語で書かれたプシュケーの物語は、もともとアプレイウスの残した『黄金の驢馬』（*Asinus aureus*, 2century）の中の一つの挿話として有名な物語である。アモールは愛、プシュケーは魂や心の意味で、「愛と魂」の名で呼ばれることもある。物語のあらすじを簡単に見ておこう。

「クピードーとプシューケー」（「アモールとプシュケー」）

ある国に三人の美しい王女がいた。とくに末娘の王女プシューケーの美しさは美の女神ウェヌスを凌ぐほどだった。しかし人間の分際で神を凌ぐことに怒りを露わにしたウェヌスは、息子である愛の神クピードーに愛の弓矢を使ってプシューケーが卑しい男と結ばれるよう命じる。ところがクピードーは誤って自分に矢を刺してしまい、プシューケーを深く愛するようになってしまう。プシューケーに求婚者が現れないことを心配した王と王妃はアポロン神に伺いを立てるが、その神託は、「山の頂上に娘を置き、神々でさえ恐れる蝮のような悪人と結婚させよ」、という恐ろしいものだった。

神託に従うプシューケーを西風の神ゼピュロスが山の頂きから美しい宮殿へと運ぶ。その宮殿でプシューケーは歓待を受けるが、夫を名乗る宮殿の主人は毎晩寝所をともにしても、どうしても姿を見ることができない。宮殿に招かれてやってきた姉たちは、妹の豪華な生活に嫉妬し、夫が姿を見せないのは大蛇だからであり、寝ている間に殺してしまうほうがよいとプシューケーに提案する。姉たちの言葉を信じ、剃刀を手にしたプシューケーが寝所に近づき夫に蝋燭をかざすと、そこには神々しい寝姿のクピードーが照らし出された。しかしクピードーは妻の背信に怒り、その場を飛び去ってしまう。

その後、プシューケーがクピードーを探す長い試練の冒険譚が続く。最後にはウェヌスも納得し、女神となったプシューケーとクピードーは結ばれて、一人の娘（喜悦《よろこび》の女神）に恵まれる。

（アープレーイユス『黄金の驢馬』一六五〜二四二頁）

訳者である呉茂一氏の言葉を借りてこの物語をまとめるならば、「『少女と魔物との結婚』の説話、あるいは卑俗な肉の愛が次第に浄化されて天上の愛に至る、あるいは人間の魂が試練によって聖化される比喩の寓話」（アープレーイユス五〇八頁）となるだろう。世俗の愛を天上の愛に至らしめるという普遍的なテーマを比喩的な寓話に凝縮したプシュケー物語は、ルネサンスやバロック期に至るまで、その物語とともに、絵画や彫刻などのジャンルに格好のモチーフとなってヨーロッパ中に広まった。さらに十七世紀以降は、演劇、オペラ、音楽へと領域を広げ、後世の芸術や文学に大きな影響を与えることになる。とくに古典文学が称揚された十七〜十八世紀のヨーロッパにおいて、ギリシア・ローマ神話からの再話は重要な手法であり、『美女と野獣』はその一つのバリエーションであったと考えられる。

民間説話との照応

神話のプシュケー物語の影響が見られるその一方で、『美女と野獣』の物語においてもう一つ着目したいのは、民間説話との照応関係である。というのも、プシュケーの物語はアプレイウスが当時知られていた民間説話から想を得たものであると推察されるうえに（アープレーイユス 五〇八頁）、『美女と野獣』の中に見られるバラの花のモチーフや家族構成などの諸要素は、フランス独自の民間説話と結びついたものだと考えられるからである。

個々のモチーフについての詳細は省くが、内容に関わる大きな問題を一点だけ述べておきたい。それは、イタリアの「豚王子」や、ドイツのグリム童話「カエルの王さま」、フランスのロレーヌ地方で十九世紀に採集された物語「ばら」などのように、魔法にかけられて動物になった人間が救済によって呪いが解けてもとの人間に戻りめでたく結婚できる、という民話が当時すでに数多く存在していたことである。これに似たモチーフ〈魔法からの救済と結婚〉（小澤俊夫『昔話と動物』一四〇頁）は、ヨーロッパ各地で見られる。

こうしたことから、民話研究で用いられる指標の一つであるアールネ＝トンプソンの物語インデックスでは、プシュケー物語はＡＴＵ４２５Ｂ、『美女と野獣』はＡＴＵ４２５Ｃという隣りあうタイプに分類されており、また「豚王子」はＡＴＵ４３３Ｂという近しいタイプに分類されている。(2)

このように『美女と野獣』における〈魔法からの救済と結婚〉という本質的なテーマは、アプレイウスによって寓話化された「アモールとプシュケー」、さらにはその系統にある数多くの民間説話を受け継いでいると考えられるのである。それでは、十八世紀に生まれた二つの『美女と野獣』は、古典神話においてアプレイウスが物語化して提示した〈愛の試練と心の浄化〉（アープレーイユス 五〇八頁）の問題、あるいは民間説話における多くの異類婚姻譚が課す〈魔法からの救済と結婚〉の問題を、具体的にはどのように受容していくのだろうか。

2　十八世紀に生まれた二つの『美女と野獣』

十七世紀から十八世紀にかけて絶対王政の絶頂期にあったフランスでは、王権を中心にした宮廷文化が隆盛を極めていた。王の威信を讃え、絢爛豪華な生活を内外に知らしめるにはギリシア・ローマ神話がふさわしく、宮廷では古典的で雄壮な神話が好まれていた。宮廷におけるこうした古代ギリシア・ローマの作品を規範とする古典主義の文化は、大貴族のパトロンや女主人が催す貴族や文人たちの集まりであるサロンを中心とする文化活動にも影響を与え、知識や才能に溢れた人々や愛好家たちによって古典神話の再話が盛んに作られたのである。『美女と野獣』の表象の変遷に詳しいベッツィ・ハーンもまた、前節で確認したように『美女と野獣』をプシュケー物語を祖型とした異類婚姻譚と見なしているが、「アモールとプシュケー」の話は十七世紀の半ばには文字文学としてすでに出版されており、フランスの作家たちの手にも入る状態にあったことを指摘している（ベッツィ・ハーン『美女と野獣――テクストとイメージの変遷』十六〜十七頁）。

じっさい十七世紀のフランスでは、詩人のバンスラード（一六一二?〜九一年）が宮廷バレエの主題としてプシュケー物語を取りあげ『プシシェのバレエ』（*Ballet de Psyché*, 1656）を作ると、作家ラ・フォンテーヌ（一六二一〜九五年）が詩と散文で『プシュケとクピドの恋』（*Les Amours de Psyché et de Cupidon*, 1669）を発表し、プシュケー物語はさらなる翻案を擁することになる。その一つに、劇作家モリエール（一六二二〜七三年）による有名な演し物《スペクタクル》『プシシェ［プシュケー］』（*Psyché*, 1671）を挙げることができるが、この作品については本章の終盤でもう一度取りあげることにしよう。

ひとまずは、ヴィルヌーヴ夫人とボーモン夫人の『美女と野獣』がプシュケー物語の流行とともに書かれたことを確認したところで、次にそれぞれの作品の構成と特徴を見てみたい。

ヴィルヌーヴ夫人『美女と野獣』の構成と特徴

ヴィルヌーヴ夫人の『美女と野獣』は一七四〇年に発表した長編小説『若いアメリカ娘と海の物語』（*La Jeune Américaine et les contes marins*）と題する「枠物語」の一部として刊行された。枠物語とは、物語全体を語る外枠とその中で語られるいくつかの物語が内枠の入れ子状になった物語形式のことで、「枠小説」とも呼ばれる。この枠物語という形式については改めて触れるが、ヴィルヌーヴ夫人のこの小説では、新天地を求めて渡米したフランス貴族ロベールクールの娘「アメリカ娘」が教育を受けるために滞在していたフランスからアメリカへ帰る途上にあるというのが外枠の物語で、娘たち一行の退屈しのぎになるように、この娘の女中が船上の乗船者全員に向かって内枠となるおとぎ話を一つ一つ語り聞かせるという設定になっている。

全体的な構成としては、巻頭に献辞「警視総督夫人フェドー・ド・マルヴィル夫人へ」と序文、次に小説『アメリカ娘』が外枠となってその中に内枠の一つである「美女と野獣」が含まれ、さらにこの物語中に「野獣の話」と「妖精の話」が内包されている。(3)

物語の特徴については、あらすじは本章の冒頭に記したものとほぼ同じであるが、ヴィルヌーヴ夫人のものは細部の描写が冗長である。こうした描写についてはのちほど詳細を見てみるが、先にいくつかボーモン夫人のものとは異なる点を挙げておこう。ヴィルヌーヴ夫人の物語の家族構成は、父のほかに息子が六人、娘が六人と娘だけでも倍の人数がいる。また、野獣の城でベルが会うのは醜い野獣と美しい貴公子の二人で、ベルは二人の間で葛藤する。野獣の城にはほかにも、鳥、オウム、猿など様々な動物がいてベルの世話をし、あれこれと退屈しのぎのもてなしをしてくれる。もっとも異なる点は何人もの妖精が登場し、その妖精たちの魔法によって物語が大きく動くことである。すでに述べたように、「美女と野獣」の物語の中で「妖精の話」が開陳され、話が結末を迎える前に、妖精側の仕掛けが明らかになる。「妖精の話」と、その直前に置かれた野獣側から見た「野獣の話」は対になり、読者が物語のからくり全体を見渡せるようになっているのである。

このように、ヴィルヌーヴ夫人の『美女と野獣』はその構成と特徴から、当時流行していた「妖精物語」というジャンルに属した物語であることがわかる。そして微に入り細を穿って語ることで古典神話や民間伝承の要素に厚みをもたせて創作の度合いを高め、妖精譚や民話にありがちな荒唐無稽な要素を排除しようとしていることがわかるだろう。こうしたことから、「ヴィルヌーヴ夫人は妖精物語特有の超自然的要素を多用しながら、同時に物事を合理的に説明しようとする。説明の懇切さは冗長な印象を与えるが、非・理性と理性の混在が独特の物語空間を作っているともいえる、また、物語全体としては多様な話法を用いて人物の心理や背景を具体的に生き生きと描いており、その意味ではボーモン版以上に興味深い作品になっている」、とヴィルヌーヴ夫人の『美女と野獣』に小説としての魅力と価値を積極的に見出す研究もある（藤原真実「怪物と阿呆」『人文学報』五二〜五三頁）。

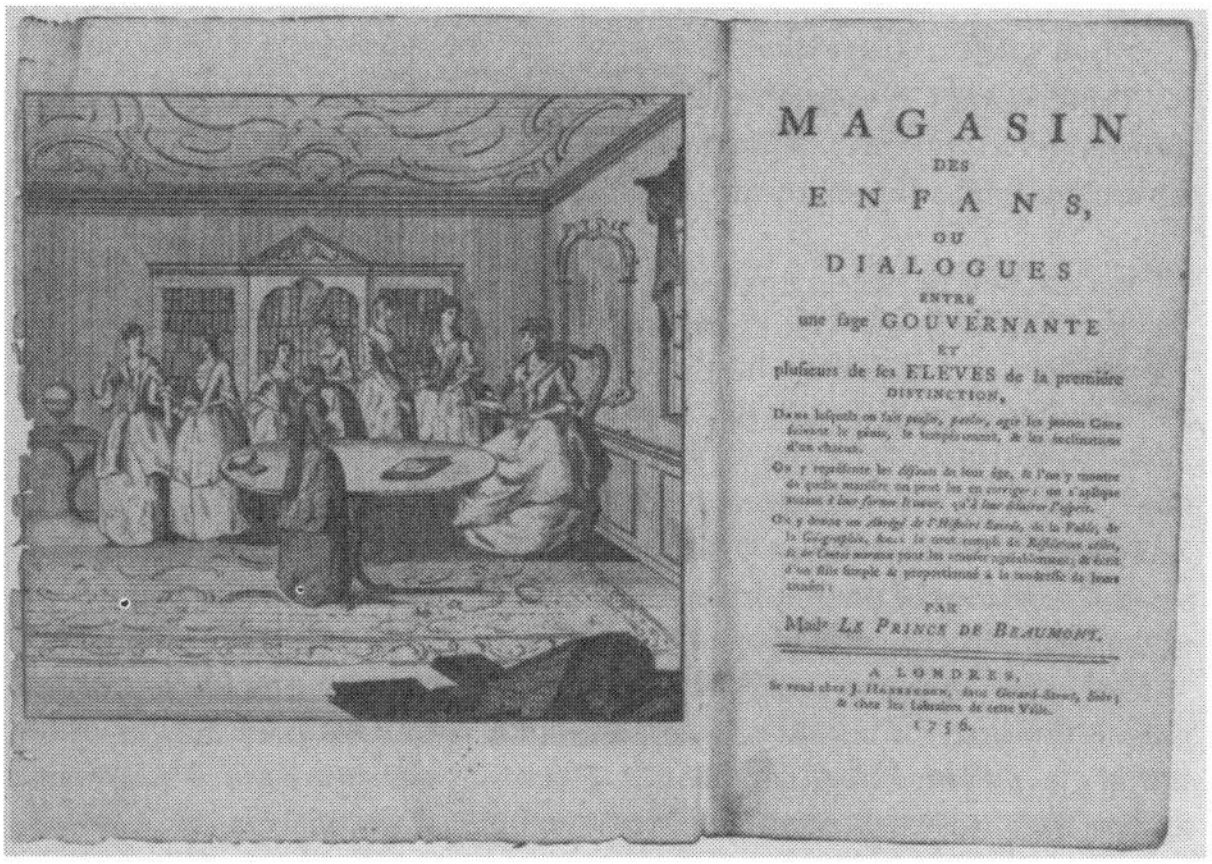

【図2】ボーモン夫人『子どもの雑誌』
（ロンドンで出版された1756年版の表紙と口絵）

ボーモン夫人『美女と野獣』の構成と特徴

ボーモン夫人の『美女と野獣』は一七五六年に刊行が始まった『子どもの雑誌、あるいは分別ある家庭教師ともっとも優れた生徒たちとの会話』（*Magasin des enfants, ou Dialogues d'une sage gouvernante avec ses élèves de la première distinction*）に含まれた十三篇の昔話の一つである。ボーモン夫人が物語の出典を記すことはなかったが、前書きにおいて他人の著作物から利用できそうなものはすべて拝借して自分流に書き直したと記していることからも、ヴィルヌーヴ夫人の『美女と野獣』を換骨奪胎して物語を再構成したことはほぼまちがいないだろう（ボーモン夫人『美女と野獣』松村潔訳一二九頁）。全体的な構成を見ると、ボーモン夫人の『美女と野獣』の物語もまた『子どもの雑誌』における教師と生徒の教育的なやりとりという、一種の枠物語の中に埋めこまれた挿話の一つであることがわかる（**【図2】**）。

なお、この雑誌は数年後に英語に翻訳された。前述のベッツィ・ハーンは「フランスの下級貴族の妻だったボーモン夫人は一七四五年にロンドンに移住し、家庭教師として、また教育読本、道徳教育の著者として名声を確立した。夫人が没するまでに著した著書は約七十冊に達している」、と指摘している（ハーン 十七〜十八頁）。英語による『子どもの雑誌』以降、英語以外にも数ヵ国語に翻訳され、ボーモン夫人と彼女の『美女と野獣』は国際的な名声を博すことになった。

そしてこの作品の最大の特徴は、ヴィルヌーヴ夫人の小説では説明的で冗長ともいえるいかにも十八世紀的な大人向け近代小説のまどろっこしさが一切排除され、子ども向けの教育的な読み物に徹底して書き直されているという点にある。それはこの本の書き出し部分にもよく表れている。

昔あるところに、とても裕福な商人がおりました。子どもは六人、男の子が三人と女の子が三人でした。（ボーモン夫人『美女と野獣』三二頁）

「昔あるところに」（Il y avait une fois）というフランス語は、民話やおとぎ話の定番の書き出しであり、ボーモン夫人はあえてその素朴な語り口を選んで子ども向けの読本に仕立てたのであろう。

以上のような特徴から、ボーモン夫人の『美女と野獣』が世界的に人気を広げていった理由は、その彼女の狙いどおり、英語で書かれた雑誌の挿話として教育的でわかりやすい童話という形式をとったことにあるといえる。こうして教育書として子ども向けに再構成された『美女と野獣』は、十八世紀後半に勃発する革命によって絶対王政が崩れ去るという大きな社会変革の中から、貴族に代わって台頭する新興富裕層の子女教育の必要性を背景に、十九世紀にはさらなる人気を獲得していくのである。

3 『美女と野獣』の物語形式とそのジャンル

これら二つの『美女と野獣』の共通点は、民間伝承をもとにした「コント」と呼ばれる民話（conte folklorique あるいは conte populaire）とその中に含まれる「妖精物語」（conte de fées）の特徴をもっていることであり、またそのどちらも「枠物語」と呼ばれる形式をもっていることである。前述したように、そこには当時の宮廷生活から生まれたサロン文化で愛好された読書習慣や書き方の特徴が反映されている。

枠物語の伝統的形式と『美女と野獣』

枠物語という形式は、ルネサンス期のボッカチオ（一三一三〜七五年）の『デカメロン』（*Decameron*, 1348-53）（『十日物語』）がその典型として知られているが、その後、同じくルネサンス期にストラパローラ（一四八〇？〜一五五八年？）の『愉しき夜［楽しき夜毎］』（*Le piacevoli notti*, 1550-55?）、十七世紀にはバジーレ（一五七五？〜一六三二年）の『ペンタメローネ』（*Pentamerone*, 1634-36）（『五日物語』）など、民話の語りに格好の技法として引き継がれてきた。つまり、枠の内側は非現実の世界の物語で構成されるが、枠の外側の部分は現実に即した実際の状況の中で聞き手あるいは読み手に物語るというのがこの形式である。それは民話や物語の語りを楽しみに夜ごとに集う読者の眼前に、よりリアルな物語世界を繰り広げることのできる技法なのである。

たとえば『千夜一夜物語』（*Les Mille et Une Nuits*, 1704-17（フランス語翻訳））は、語り手である女奴隷シェヘラザードが毎夜命懸けで物語を紡ぐという枠物語の形式をとるイスラム世界の説話集だが、その中に現在よく知られている『アラジンあるいは魔法のランプ』（*Aladin ou la Lampe merveilleuse*）の物語がある。しかし、この物語は中世アラビア語の写本には存在せず、十八世紀初頭にアントワーヌ・ガラン（一六四六〜一七一五年）によってアラビア語からフランス語訳で紹介された際に、口承で聞きとったエピソードがつけ加えられたということが知られている。このように枠物語は、口承文芸から文字文芸への移行や、俗語の散文による小説の成立を示唆するものとしても、注目に値する。

そして、『美女と野獣』が枠物語という形式をとったのは、中世以降民話や妖精物語や英雄譚などを簡素化した行商本としてヨーロッパ中で流行し「青本叢書」(bibliothèque bleue)と呼ばれるようになった、民衆向けの廉価本の影響とも考えられる。

それまで口承で民衆の間に伝えられてきた物語が活字化され再話として行商本の中に取り込まれる。貴族や良家の乳母はその中の物語を子どもたちに語って聞かせることもあったろう。一六九七年に発表されたシャルル・ペロー(一六二八～一七〇三年)の『過ぎし昔の物語ならびに教訓あるいはがちょうおばさんの物語』(*Histoires ou contes du temps passé, avec des moralités, ou Contes de ma mère l'Oye*, 1697)は、その後イギリスに渡り「マザーグース」という名で人気を得るジャンルとなった。行商本を通じて聞き及んだ物語は、ときには宮廷人や貴族たちのサロンで披露する物語の源泉となり、あらたな小説やコントとして生まれ変わっていった。ペローの童話やラ・フォンテーヌの『寓話《ファーブル》』(*Fables choisies, mises en vers*, 1668-94)、そして『美女と野獣』もまた、それまで口承で民衆の間で語られてきた物語を、文字に書かれた書物として再話化するという流行の中で紡ぎ出されたものなのである。

枠物語はこうして、口承文芸から文字文芸へと移行していく。だが、ヴィルヌーヴ夫人の『美女と野獣』の読者が魅力を感じたのは、むしろこの物語が「妖精物語」と呼ばれる当時流行していたジャンルに当てはまったからではないだろうか。

妖精物語としての『美女と野獣』

民衆本についての研究を行なってきたロベール・マンドルーは、青本の目録に収められているコントが多種多様ではあるが同時にワンパターンであることに触れ、それらが口承からだけではなく、書物の形ですでに知られていたあらゆる種類の選集から借りてきたものであることを指摘している。『アラジンあるいは魔法のランプ』と『アリババと四十人の盗賊』は『千夜一夜物語』から、『赤ずきん』『眠れる森の美女』『シンデレラ』『青ひげ公』『長靴をはいた猫』などはシャルル・ペローから、『金髪姫』『青い鳥』などはドーノワ夫人(一六五一～一七〇五年)から、といったように現代にも伝わる物語を具体的な資料とともに例示している(ロベール・マンドルー『民衆本の世界』六七頁)。ヨーロッパで現代にまで語り継がれている物語の多くは、行商人の運んだ青本と呼ばれる物語集によって伝えられてきたものなのである。

ここであらためて注目したいのは、こうしたコントの多くが「妖精が語ったもの」とされていることである。マンドルーは続ける。「魔力を具えた棒、花、果実など、手段が何であれ、『呪い』をきっかけとして物語が展開するのである。[中略]コントがいう『妖精の術』はこのように、『呪い』をかけることにのみ存している。善玉と悪玉の妖精の気紛れに翻弄される妖精と人間は、ただこのルールを喜んで受け容れる。悪い魔法をかけられ、効力が数年あるいはいくときか持続すると、今度は逆方向の働きをもった良い魔法が行なわれて、前者の作用を消してしまうというものだが、すべての物語の構成の秘密もまた、まさしくここにある。つまり、始めに悪い魔法がなければストーリーは成立せず、魔法にかけられた者がさんざん苦しみ抜くと、そのあとで呪縛を解く別の魔法が行なわれるというように、物語は交互に行なわれる二種類の魔法をもとにして組み立てられている」(マンドルー　六八～六九頁)。この物語の組み立ては、ヴィルヌーヴ夫人が『美女と野獣』において饒舌に語る、妖精どうしの内輪揉めである「妖精の話」を、まさに彷彿させるものである。しかしながらわずか十六年後、妖精物語としてヴィルヌーヴ夫人が描いた善玉と悪玉の妖精による複雑な魔法のかけあいはボーモン夫人によって削除され、物語のあらすじだけが後世に残されたのである。

ここまでのことをまとめると、『美女と野獣』は、プシュケー物語に見られる〈愛の試練と心の浄化〉というテーマを保ち続けながら、それまで口承で伝えられてきた民話と、十七～八世紀に流行した妖精物語が混交して作り上げられた、コントと呼ばれる文学ジャンルの中で生まれた物語である。それは、十八世紀前半にヴィルヌーヴ夫人がサロン向けの一種の実験的な小説として書きあげたものを、同世紀中葉に新しい時代の子女教育にふさわしく、ボーモン夫人の手によって妖精物語の複雑な駆け引きがそぎ落とされ、再び本質的なストーリーに立ち戻っていった作品であると考えられるのである。

4 『美女と野獣』におけるスペクタクルと驚異《メルヴェイユ》

十八世紀の二つの『美女と野獣』のこうした文学的な特徴に加えてもう一つ留意すべき点は、こうした妖精物語が、文字文学としてだけではなく、宮廷文化で発展を遂げていたオペラなどの演劇ジャンルでも格好の素材を提供していたということである。最終節では、これまであまり指摘されることのなかったオペラを含む各種のスペクタクルにおける妖精物語と、『美女と野獣』との関係性について言及してみたい。

ヴィルヌーヴ夫人の『美女と野獣』におけるスペクタクルと驚異

ヴィルヌーヴ夫人の『美女と野獣』を読むと、その饒舌な語りの中に、オペラや演劇など各種スペクタクルの描写がいかに多いかがわかる。以下の引用箇所の傍線部はオペラや各種のスペクタクルと関係していることを示している。

　ベルが現れると皆いっせいにお喋りを始めました。あるものはおはようと挨拶し、あるものは朝ごはんを要求し、軟派な三番目のオウムはベルにキスをせがみます。数羽のオウムはオペラのアリアを歌い、他の数羽はすぐれた作家の詩を朗唱する、というように、皆でベルを楽しませようとするのでした。（ヴィルヌーヴ『美女と野獣』五十頁）

父の代わりに捕らわれの身となったベルが、怖れを抱きながら野獣の館で過ごし始める場面である。どれほど恐ろしい事態が待ちかまえているのかと思いながら読み進めると、意外にも、豪華な宮殿にふさわしく、貴族生活の象徴であるオペラが明るく楽しく歌われる。オペラの描写はさらに続く。

食事中はずっと鳥たちが楽器のようにさえずって、オウムたちの歌声に正確な伴奏をします。それは最新流行の最高に美しいアリアでした。（ヴィルヌーヴ 五三頁）

この本が出版された一七四〇年は、宮廷バレエを好んでみずから太陽神アポロンに扮して踊り太陽王と呼ばれたルイ十四世（一六三八〜一七一五年）が崩御し、幼くして王位についたルイ十五世（一七一〇〜一七七四年）の摂政《レジャンス》時代を経て、重厚さと優美さを合わせもつ宮廷オペラが頂点を極めていた時期である。その時代背景を考慮すると、最新のオペラのアリアが演奏されるという記述からは、当時の読者にとってこの場面が現実のオペラのアリアを想起させるものであったことが考えられるだろう。ただし、演奏するのは動物たちという現実離れした内容であり、その宮殿もあくまでも「魔法にかけられた」ものであることが強調されている。

ベルはこの魔法の宮殿にあるすべての部屋を幾度も繰り返し見て回りました。珍しいもの、珍奇なものや豪華なものには自然と目が行くものです。ベルはまだ一度しか見ていない大きなサロンに足を運びました。［中略］何をする場所なのかしらと考えていると、突然ぴかっと光が射して目が眩みました。幕が上がり、現れたのは、見事に照明された劇場でした。（ヴィルヌーヴ 五四〜五五頁）

「魔法の［＝魔法にかけられた］」（enchanté）という言葉がここではキーワードになっている。それはもちろん妖精物語が要請する用語でもあるが、それと同時にこの箇所ではこの言葉が「宮殿」のみならず「大きなサロン」や「劇場」と結びつくことによって具体的な場所を想像させるとともに、当時オペラで流行していた現実に存在するあるジャンルを想起させる。その時期に流行していたオペラは、ギリシア・ローマ時代の神話をもとにして台本が作られ、神々や妖精の魔法によってハッピーエンドの大団円を迎えるパストラルやパストラル・エロイックと呼ばれるジャンルだったのである。(4)

前日は、二つ目の窓を開けるとオペラ座でした。いろんな娯楽を試したくて三つ目の窓を開けると、サン＝ジェルマン定期市で遊べるようになっていました。当時この定期市は今よりずっと華やかだったのです。［中略］この上なく珍奇な品々や自然の驚異的な産物、美術品も見えます。どんなに小さく些細なものもベルの目にとまるのでした。とりあえず人形劇を見ましたが、十分楽しめました。オペラ・コミックはじつにすばらしく、ベルは大満足でした。［中略］

翌日以降も同じような毎日でした。彼女にとって窓は、次から次へと新たな娯楽を提供する無尽蔵の宝庫でした。さらに三つある窓のうち、一つはイタリア座の歓楽を、もう一つはヨーロッパ中から超一流の美貌の男女が集うチュイルリー宮の眺めを見せてくれました。（ヴィルヌーヴ 五八頁〜五九頁）

当時のパリは、オペラ座、イタリア座、オペラ・コミック座といった公共の劇場はもちろん、チュイルリー宮など王や貴族の宮殿内にも舞台が備えられ、また市井の人々はサン＝ジェルマンなどの定期市で「市の芝居」を観劇することができた。市そのものや市の芝居、あるいはオペラなどのスペクタクルが「珍奇な」「驚異的な」「すばらしく」などの形容詞が冠されるように、貴族から民衆にいたるまで、魔法にかけられたような非現実の世界への入り口として観劇を楽しんでいたのである。

なお、十七世紀から十八世紀にかけて『美女と野獣』の祖型であるプシュケー物語から翻案された物語や舞台が多く生まれたことはすでに確認したが、前述した機械仕掛けの舞台『プシシェ』は一六七一年一月十七日にチュイルリー宮で初演された（【図3】）。ヴェルサイユ宮に移るまでルイ十四世の居城だったチュイルリー宮が、国王によって注文され作成された前作の機械仕掛けによる演し物『エルコレ・アマンテ』（*Hercole amante*, 1662）に続き、その舞台装置を再利用するという注文つきで再び上演の舞台となったのである。『プシシェ』の機械仕掛けは、西風の神ゼフュロス［ゼピュロス］が仕掛けに乗ってプシシェをさらう場面、そして大団円で全員一緒に仕掛けに乗って空に昇る場面が挙げられるが、こうした仕掛けを用いた宮廷オペラの流行はすでに市民階級へも波及しており、早くも同年七月二四日にパレ＝ロワイヤル劇場で一般公演が始まった。仕掛けを用いるこの公演のためにモリエールは多額の費用をかけて劇場を大改修したといわれており、『プシシェ』は初演から大好評を博し、十八世紀に入ってからも再演が続いたのである。ヴィルヌーヴ夫人の『美女と野獣』にはオペラ座と並んでチュイルリー宮の様子と思われる記述がなされ、読者は容易に現実の『プシシェ』の舞台を思い浮かべることができただろう。そしてたやすく物語の幻想世界へと思いを馳せ、この小説の描写の中にまるで本物の舞台を見るかのように、宮廷オペラや機械仕掛けを見て取ることができたのではないだろうか。

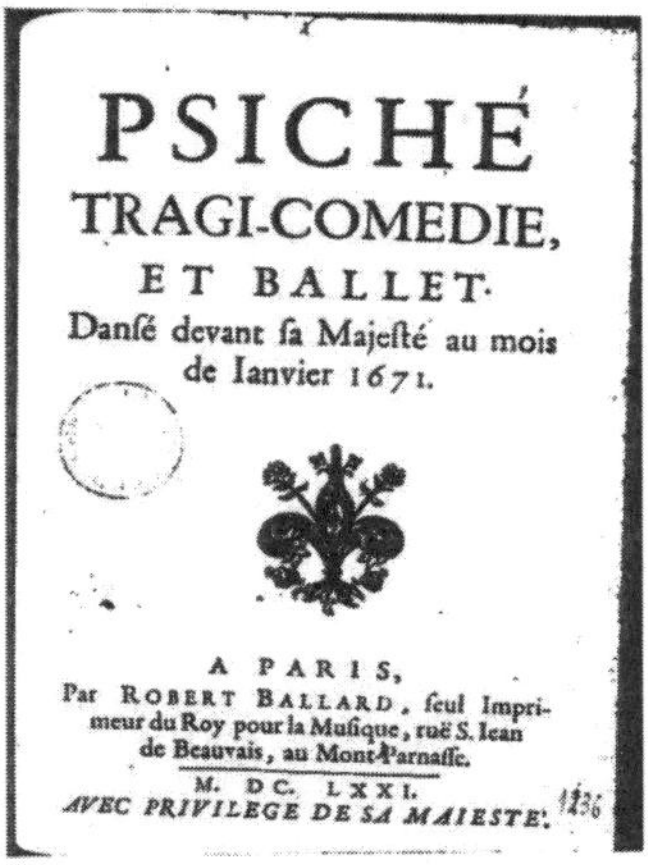
PSICHÉ
TRAGI-COMEDIE,
ET BALLET.
Dansé devant sa Majesté au mois de Ianvier 1671.

A PARIS,
Par ROBERT BALLARD, seul Imprimeur du Roy pour la Musique, ruë S. Jean de Beauvais, au Mont-Parnasse.
M. DC. LXXI.
AVEC PRIVILEGE DE SA MAIESTE.

【図3】モリエール『プシシェ』
（1671年1月初演の
国王御前公演時の台本の表紙）

ベルは観劇が好きでした。都会を離れて懐かしく思う唯一の娯楽はそれだったのです。隣の桟敷席の絨毯がどんな生地でできているのだろうと見ようとしたベルは、席の境にあったガラスにさえぎられてしまいました。それでわかったのですが、現実だと思っていたものはトリックでしかなく、クリスタルを使っていろんな事物を反射し、世界一美しい街の劇場の上から彼女のほうへ送ってくる仕組み［仕掛け］になっていたのです。非常に遠いところから［映像や音を］反射させるという、光学技術の傑作でした。［中略］奇跡にだんだん慣れてきたベルは、それが起こるのはもっぱら自分のため、自分を楽しませるためだと思うと嬉しくなりました。

（ヴィルヌーヴ 五五頁）

さらにこの時代に特有の事象として、近代科学技術の発展を背景とした光学技術の進歩がある。カメラ・オブスキュラなどの光学装置や、カステル神父による視覚クラヴサンの構想は、近代科学の先達だけではなく思想家や知識人たちにも大きな刺激を与えていた。ヴィルヌーヴ夫人は読者に、こうした同時代の発見や発想に基づいた光学技術による仕掛けを想像させるかのように、「光学技術の傑作」を「トリック」や「仕掛け」として描きこんだ。それは現代に置き換えて考えてみると、まるでSF（サイエンス・フィクション）やVR（ヴァーチャル・リアリティ）による最新の映像や再現技術が、具体的な記述となって小説に描きこまれているかのようでもある。

以上のように、ヴィルヌーヴ夫人の『美女と野獣』には、オペラやスペクタクルを想起させる場面が数多く描かれている。妖精物語の「魔法」や「奇跡」に加えて、その「魔法」を実現可能なものとする「機械仕掛け」の流行がこれらの描写の中に見られるのである。それはまた、あまりに現実離れし過ぎてその世界に入り込むのが難しい妖精物語を、最新科学技術に対する好奇心を刺激することによって、現実世界に存在する場所や事柄に引き込もうとする場面が描かれているとも言えるかもしれない。ヴィルヌーヴ夫人の小説には、荒唐無稽な妖精物語で終わることのないよう、読者がいかにリアルな没入感を得られるかを追求した描写の工夫の跡が見られるのである。

ボーモン夫人の『美女と野獣』におけるスペクタクルと驚異

それでは、ボーモン夫人の『美女と野獣』についてはどうか。これまで見てきたように、ボーモン夫人の物語は教育的な読本という傾向が強く打ち出されているために、彼女にとって不必要だと思われる描写はことごとく取り去られている。ヴィルヌーヴ夫人の物語で語られるオペラの描写の部分がまさにその不必要な部分にあたっていたようで、オペラの描写は実際わずかしか見られない。反対に特徴的に残されたのは、童話としての骨組みをなし、子女に良識と美徳を教えるための描写である。次の場面は、森で道に迷った商人が城館にたどり着いたときのものである。

〈この宮殿は〉と彼は思いました。〈わたしの窮状を憐れんだどこかの善良な妖精のものにちがいない〉［中略］「ありがとうございます、妖精さん」と彼は大きな声で言いました。「ご親切に朝食のことまで考えてくださるなんて」（ボーモン夫人 三七〜三八頁）

商人が魔法の宮殿にたどり着いたとき、商人は善良な妖精のしわざだと思い、このように感謝を述べる。読者である良家の子女に、善行は誰か［＝妖精］が見ていて必ず報われるという教えを学ばせる場面に、妖精物語としての名残りが垣間見える。そして、わずかに残ったオペラを喚起させる場面がやってくる。それは物語のクライマックスである。

ベルがこの言葉を口にするやいなや、宮殿が光り輝き、花火が上がり、音楽が流れて、あたり一帯がお祭り騒ぎになりました。［中略］なんとも驚いたことに、野獣の姿は消えており、足下には「愛の神《アモール》」のように美しい王子が横たわっていたのです。（ボーモン夫人 五四〜五五頁）

こうした終わり方は、当時のオペラや仕掛け芝居の大団円でよく見られ、人間の力では解決できない事態を神々や妖精の魔法がハッピーエンドへと導く常套手段である。その際、従来の「機械仕掛けの神《デウス・エクス・マキナ》」（古代ギリシア劇の終幕で、上方から機械仕掛けで舞台に降り、紛糾した事態を円満に収拾する神の役割。転じて、作為的な大団円）の代わりに、仕掛けや花火のような視覚や聴覚で一気に人々の興味を惹きつける、宮廷趣味と近代科学技術がもたらした「驚異」という手法が用いられるのである。そして、その瞬間に野獣の素性に「愛の神《アモール》」の姿が映し出され、神話の「アモールとプシュケー」をなぞらえていることがわかるとともに、そこに『プシシェ』の舞台が眼に浮かぶようにも感じられるのである。

　次の瞬間、妖精が杖をひと振りすると、大広間にいた全員が王子の王国に運ばれました。王国の人々は喜んで王子を迎え、彼はベルと結婚してふたりは完璧な幸せのうちに末永く暮らしました。というのも、その幸せは美徳の上に築かれたものだったからです。（ボーモン夫人 五六頁）

「驚異」とは、技術や驚くべき魔法ですべてを解決してしまう、当時流行していたスペクタクルの技法の一つである。フランス語で「妖精物語」をほかの「コント」とは厳密に区別して表現する際に、「妖精のコント」（conte de fées）とも「驚異のコント」（conte merveilleux）とも呼ぶ所以はそこにある。[5] 以上が、驚異という手法がオペラをはじめとする各種のスペクタクルにも妖精物語にも介在している理由であり、『美女と野獣』が誕生した時代に、この驚異こそが観客や読者を幻想世界へと導く原理となっていたのである。

　ボーモン夫人の『美女と野獣』はあくまでも妖精物語として終わる。妖精の魔法の「杖のひと振り」で迎える結末は、善良で徳のある振る舞いをめざした子どもの教育と見事に融合し、人々の心に幸福な読後感を残すのである。

おわりに

　人間の素朴な感情に根ざした民間説話に、神話由来の〈愛の試練と心の浄化〉という精神的かつ理論的な心情の構築がともない、そこにさらにフランスの民話と宮廷文化の中で流行した「驚異」という魔法をもたらす概念が加味された。『美女と野獣』は、十八世紀フランスの宮廷文化の流れを引き継いだサロン文化において、古典神話、民間説話、妖精物語という三つの物語ジャンルの垣根を越えて一つの物語として結実されたものといえるだろう。

冒頭に「二五〇年以上も前に書かれ、もはや古びた物語だとも思える『美女と野獣』だが、なぜ現代の私たちをこれほどまでに惹きつけるのだろうか」という問いを投げかけた。その答えはヴィルヌーヴ夫人とボーモン夫人の『美女と野獣』のそれぞれに示されているように思われる。『美女と野獣』で見られる「驚異《メルヴェイユ》」の世界は、文学的であるばかりでなく、視覚や聴覚にも訴えるオペラ的な要素をはらんでいる。それは、目を眩ませたり、耳を喜ばせたりすることで、感覚器官に訴えて非現実の世界に没入させる原理である。そして、これが舞台が盛んに上演された時代に発展してきた概念であることを踏まえると、妖精による魔法や花火での大団円などが、現代の主要な娯楽メディアである映画やミュージカルにこれ以上ないほど好ましい相性を示しているといえるのではないだろうか。

ここまで妖精物語というジャンルにおける異類婚姻譚について考えてきたわけだが、はたして『美女と野獣』の物語において、「異類」は「美女」と「野獣」のどちら側なのだろうか。始まりにおいて私たちは野獣が動物という異類であると見なしてきたわけだが、実は野獣はもともと魔法にかけられることにより美貌と知性を奪われた人間であることがわかった。ヨーロッパの異類婚姻譚の多くは、妖精譚のように魔法をかけられた人間が動物になっているにすぎないのであり、ある特定の行為によって魔法が解かれ、人間に戻って結婚するのである（小澤俊夫「日本の異類婚姻譚の分析」一三九頁）。さらに問えば、そのジャンルの起源の一つが妖精譚であるこの物語においては、妖精の「美女《ベル》」こそが異類なのではないだろうか。『美女と野獣』が異類婚姻譚であると考えれば考えるほど、事態は混沌としてくる。しかし、いにしえより、人間はつねに自己や他者の内になにかしらの異質性を感じとってきたのではないだろうか。たとえば、二〇一七年公開のディズニー映画『美女と野獣』は、アニメーションではなく、観客によりリアルに感じられる実写版として映像化されたが、ベルが村人から少し変わった娘だと思われ孤独を感じていることを、野獣の異質性に由来する孤独と重ね合わせることで、現代にも通じるテーマとなっていた。二一世紀には、妖精の魔法という非現実なテーマはもはや跡形もなく消し去られ、観客がもっと容易に共感できる現代的なストーリーに変えられたということだろう。だがこのように、他者との異質性をどのように克服するのかという普遍的なテーマがあるからこそ、異類婚姻譚は、神話の昔よりその姿形や表現方法を変えながらも、未来永劫にわたって語り継がれていく物語であるように思われるのである。

本章では、近代小説の黎明期に生まれた『美女と野獣』が本来的にもっている物語の魅力を、時代を遡ってたどってみた。民間説話にも起源を求めることのできるギリシア・ローマ神話由来のプシュケー物語は、十七世紀から十八世紀においては宮廷オペラで発展した機械仕掛けの演し物として、また十八世紀から十九世紀には『美女と野獣』のような子女教育の物語として人気を得て、再び市民層へとその人気を拡大していった。媒体《メディア》のジャンルを変えながらも異類婚姻譚としての物語の脈絡を保ちつつ、舞台や機械仕掛けにふさわしい視覚的な魅力を携えた『美女と野獣』は、現代ではさらに映画やミュージカルにその命脈をつなぎ、いまなおその魅力を放ち続けているのである。

＊　＊　＊

註

（1）それぞれのジャンルにおける主な作品をここに少し紹介しておこう。映画化の草分けであるジャン・コクトーの『美女と野獣』は、モノクロームフィルムながらも映像の美しさと立ち昇る妖しさで、いまなお映画史に残る金字塔である。八十年代以降、テレビや映画などの映像あるいはミュージカルなどの舞台が増えるが、ウォルト・ディズニーが満を持して制作した『美女と野獣』（一九九一年）がアニメーション映画として大成功を収めると、これをもとにしたアラン・メンケン作曲のミュージカル『美女と野獣』（一九九四年）がニューヨークのブロードウェイでロングラン公演を記録し、ロンドンのウエスト・エンドをはじめ、日本でも劇団四季が上演するなど、世界中で愛されている。近年ディズニーはアニメ作品の印象を一新すべく実写化を試みているが、映画の実写リメイク版『美女と野獣』（二〇一七年）の成功は記憶に新しいところである。映画やテレビなどの映像以外にも、音楽では、十八世紀にはアンドレ・グレトリによってオペラ・バレエ『ゼミールとアゾール』（一七七一年）が作曲され、十九世紀以降も器楽曲として人気が続いた。二十世紀にモーリス・ラヴェルによるピアノ連弾組曲の第四曲「美女と野獣の対話」（一九一〇年頃）が作曲されると、パリ・オペラ座ではその組曲によるバレエ『マ・メール・ロワ』（一九一〇年）が上演された。バーミンガム・ロイヤル・バレエ団ではデヴィッド・ビントレー振付の『美女と野獣』（二〇〇三年）がレパートリーに加えられ、現在なお再演を重ねている。日本でも二〇〇〇年代に入ると、歌舞伎、宝塚歌劇、沖縄の組踊など各ジャンルで翻案されている。外見の美醜に惑わされず内面の誠実な心に価値を見出そうとするストーリーの人気とともに、舞台に映える美女と野獣の舞踏の場面や、野獣から王子への早替わりの場面といった見せ場が、舞台や映像の格好のモチーフとなって愛好されているものと考えられる。小説や童話には枚挙にいとまがなく、また本論の主旨から外れるためここでの紹介は割愛するが、教育書やマナー本としての役割を果たしたことは特記すべきことであり第2節で改めて触れる。

（2）アールネ＝トンプソンのインデックスは、ATのちにATUで始まる分類記号で、昔話や民話の研究における分類体系の標準として世界的に用いられている。ヨーロッパ最古の昔話集と呼ばれるストラパローラの『愉しき夜』（第一巻：一五五〇年、第二巻：一五五三年）の第二夜第一話として語られる「豚王子」の前半は、北欧の民間説話「竜王《リンドルム王》」と同じATU433に分類でき、カルヴィーノの「クリン王」と前半は同じだが、「クリン王」の後半は妻が夫を探す冒険が中心となる「アモールとプシュケー」型の展開を見せる（ストラパローラ『愉しき夜』長野徹訳、四四～五三頁および三二四頁）。また、グリム童話の決定版に慣例的に付されるKHM番号をもつ「カエルの王さま［鉄のハインリヒ］」（KHM1）は、落とした鞠を拾ってもらったカエルに対し気味が悪いと嫌悪を示す王女がそのカエルを壁に投げつけたところ王子に変身してめでたく結ばれる物語だが、その一方で同じグリム童話にあるKHM番号のない「カエルの王子」の物語は、三人姉妹のうちカエルの求婚を拒まなかった末妹がカエルにされていた王子の魔法を解くことができる話で、『美女と野獣』により近い内容である（『完訳グリム童話集（一）』金田鬼一訳 十七～三二頁）。

（3）以下、ヴィルヌーヴ夫人とボーモン夫人の『美女と野獣』のテキストはすべてビアンカルディによる次の校訂版を参照した。Madame de Villeneuve, *La Jeune Américaine et les contes marins*（*La Belle et la Bête*）, suivi les textes *Les Belles Solitaires*, Madame Leprince de Beaumont, *Magasin des enfants*（*La Belle et la Bête*）édition critique établie par Élisa Biancardi, 《Bibliothèque des Génies et des Fées, vol.15》Honoré Champion, 2008. なお邦訳は、ガブリエル＝シュザンヌ・ド・ヴィルヌーヴ『美女と野獣［オリジナル版］』藤原真実訳（白水社、二〇一六年）、ボーモン夫人『美女と野獣』村松潔訳（新潮社、二〇一七年）を参照し、訳文は適宜文脈に合わせて改変した。なお、引用内の傍線は筆者による。

（4）パストラル（pastorale（dramatique））は田園劇や牧歌劇と訳すことができ、ギリシア・ローマ時代より続いてきた文芸ジャンルである。詩、小説、絵画など各種のジャンルに存在するが、それぞれ流行時期が異なる。演劇としてのパストラルは、十六世紀半ば以降イタリアやスペインの田園劇がフランス語に翻訳され始めたことでフランス宮廷バレエや演劇、オペラの世界に広がり、十八世紀半ばまで繰り返し流行した。パストラル・エロイック（pastorale héroïque）はそのうちとくに神話的英雄が登場するジャンルで、機械仕掛けを用いる「仕掛け舞台」に格好のテーマを提供する。いずれも神話由来のストーリーや登場人物を有し、超自然的な「驚くべきもの」（merveilleux）が要素として用いられる。先述した『プシシェ』の仕掛けの概念が「驚くべきもの」の好例として紹介されよう（『プシシェ』の「驚くべきもの」と機械仕掛けについては次の文献に詳しい。村山則子『ペローとラシーヌの「アルセスト論争」――キノー／リュリのオペラを巡る「驚くべきもの le merveilleux」の概念』二九〜四二頁）。日本語として訳しづらい用語であるが、本章では主に「驚異」と訳し、十七〜十八世紀のフランスでオペラを含む各種スペクタクルにおいて示される特殊な概念として用いている。なお、十八世紀中葉に出版されたフランスで初めての事典『百科全書』によると、「魔法（魔法にかけること）」（enchantement）の項目はオペラの用語だとされている。そのうえで、「驚異がフランス・オペラの基礎であり、［中略］あらゆる類いの驚異にはからくりがあり、神話の神々が介入するか、妖術の助けや魔術（magie）によってのみ、魔法（魔法にかけること）（enchantement）はなしえる」と説明される（*Encyclopédie*, t. 5, p. 619）。この項目名（enchantement）は、本文に出てきた形容詞「魔法の、魔法にかけられた」（enchanté）の名詞形であり、十八世紀前半のフランス・オペラの原理として enchantement「魔法（魔法にかけること）」、magie「（妖精や仙女の）魔術」、merveilleux「驚異（驚くべきもの）」の三つが切っても切れない関係にあることをよく示している。

（5）「妖精のコント」（conte de fées）はドーノワ夫人が自身の作品につけた書名であり、のちにジャンルを示す用語となった。なおこのドーノワ夫人の『妖精物語』（*Les Contes des Fées*, 1697-1698 ?）には、ストラパローラの「豚王子」の再話とされる「猪王子」、『美女と野獣』に受け継がれたとされている「羊王子」が含まれている。

引用・参考文献

Alembert, Jean Le Rond (d'), et Diderot, Denis, *Encyclopédie, ou Dictionnaire raisonné des Sciences, des Arts et des Métiers, par une société de gens de lettres*, Paris : Briasson, David, Le Breton, S. Faulche, 1751-1772.

Barchilon, Jacques, *Le conte merveilleux français de 1690-1790, Cent ans de féerie de poésie ignorées de l'histoire littéraire* (*Nouveau cabinet des fées*, I, 1785-1786), Slatkine Reprints, Genève, 1978.

Hearne, Betsy, *Beauty and the Beast, visions and revisions of an old tale*, The University of Chicago Press, Chicago, London, 1989.（ハーン、ベッツィ『美女と野獣――テクストとイメージの変遷』田中京子訳、新曜社、一九九五年）

Jomand-Baudry, Régine, et Perrin, Jean-François (éd), *Le Conte merveilleux au XIIIe siècle. Une poétique expérimentale*, Kimé, 2002.

Robert, Raymonde, *Le conte de fées littéraire en France de la fin du XVIIe à la fin du XVIIIe siècle*, Supplément bibliographique 1980-2000 établie par Nadine Jasmin avec la collaboration de Claire Debru, Honoré Champion, 2002.

Sermain, Jean-Paul, *Le conte de fées du classicisme aux Lumières* (*L'esprit des lettres*, collection dirigée par Michel Delon), Desjonquères, 2005.

Villeneuve, Madame de, *La Jeune Américaine et les contes marins* (*La Belle et la Bête*), suivi les textes *Les Belles Solitaires*, *Magasin des enfants* (*La Belle et la Bête*) de Madame Leprince de Beaumont, édition critique établie par Élisa Biancardi,《Bibliothèque des Génies et des Fées》vol. 15, Honoré Champion, 2008.

アープレーイユス『黄金の驢馬』呉茂一・国原吉之助訳、岩波書店、二〇一三年［アプレイウス『黄金のろば』呉茂一訳、岩波書店、一九五六年］

ヴィルヌーヴ（ド）、ガブリエル＝シュザンヌ『美女と野獣［オリジナル版］』、藤原真実訳、白水社、二〇一六年

小澤俊夫「日本の異類婚姻譚の分析」『昔話と動物』昔話研究懇話会編、三弥井書店、一九八二年

グリム『完訳グリム童話集（一）』金田鬼一訳、岩波書店、一九七九年

ストラパローラ『愉しき夜』長野徹訳、平凡社、二〇一六年

新倉朗子「オーノワ夫人の妖精物語集について」『東京家政大学研究紀要』第二八集、一九八八年、一～七頁
西浦禎子「シャルル・ペロー『過ぎし昔の物語ならびに教訓』の成立と受容――17世紀フランス・サロンの女性たちをめぐって」『成城文藝』第一四〇巻、一九九二年、六六～八七頁
藤原真実「怪物と阿呆――「美女と野獣」の生成に関する一考察」首都大学東京都市教養学部人文・社会系『人文学報』三九一号、二〇〇七年、四七～八七頁
――「「恋愛地図」で読む『美女と野獣』――連作《セリー》的読解の試み」首都大学東京都市教養学部人文・社会系『人文学報』四六六号、二〇一二年、一～三九頁
ボーモン（ド）、ジャンヌ＝マリー・ルプランス（ボーモン夫人）『美女と野獣』村松潔訳、新潮社、二〇一七年
――『美女と野獣』鈴木豊訳、角川文庫、一九七一年
マンドルー、ロベール『民衆本の世界――十七・十八世紀フランスの民衆文化』二宮宏之・長谷川輝夫訳、人文書院、一九八八年
村山則子『ペローとラシーヌの「アルセスト論争」――キノー／リュリのオペラを巡る「驚くべきもの le merveilleux」の概念』作品社、二〇一四年
モリエール『プシシェ』秋山信子訳、『モリエール全集』第八巻、ロジェ・ギシュメール・廣田昌義・秋山伸子編、臨川書店、二〇〇一年、二五三～三六一頁

◉図版出典

【図1】*La Belle et la bête*, réalisé par Jean Cocteau, 1964.（出典：DVD video, *La Belle et la bête*, Classic movie collection. ジャン・コクトー監督『美女と野獣』ファーストトレーディング）

【図2】Frontispice, Madame Le Prince de Beaumont, *Le Magasin des enfants, ou Dialogues entre une sage gouvernante et plusieurs de ses élèves de la première distinction*, 1756.（出典：Betsy Hearne, *Beauty and the Beast, visions and revisions of an old tale*, The University of Chicago Press, Chicago, London, 1989.）

【図3】Molière, *Psyché*, tragi-comédie et ballet, dansé devant sa Majesté au mois de janvier 1671.（パリ国立図書館蔵）

コラムV

十八世紀のフランス・オペラ『プラテ』

白川 理恵

フランス王太子とスペイン王女との婚姻を祝福する余興の一つとして上演された『プラテ』（*Platée*, 1745）は、近代和声理論の基礎を確立したジャン＝フィリップ・ラモー（一六八三〜一七六四年）による音楽喜劇である。卓越した音楽と当時流行していた奔放な諧謔性が巧みに融合された作品として、フランス宮廷オペラの傑作に数えられている。

主人公は醜いカエルの姿をした沼地の妖精《ニンフ》プラテ。最高神ジュピターが妻ジュノンの機嫌を取るために一計を案じてプラテに偽りの結婚を迫ると、自惚れやのプラテはジュピターの求愛をすっかり真に受けてしまう。そして結婚式当日、嫉妬深いジュノンが新婦のヴェールを剥ぎ取ると、そこにいたのは一匹の醜いカエル。身のほど知らずの哀れなプラテの姿を見てみな抱腹絶倒、ジュノンは機嫌を直すという他愛もない話である。原作は二世紀後半のパウサニアスの作品に拠ったと思われるオトローの『プラテあるいは嫉妬深いジュノン』、台本はドルヴィルが担当した。

男性が女装してプラテを演じる舞台では、プラテの過度の自己愛と浅はかな虚栄心が招く悲喜こもごもの珍妙な話が展開され、音楽においても伝統的な宮廷音楽が面白可笑しくパロディー化され、作品全体は諧謔精神に満ちている。浮気者のジュピターはときのフランス王ルイ十五世、プラテは容貌に恵まれなかった幼いスペイン王女を連想させたこともあり、結婚の祝宴であるヴェルサイユでの初演時には下品だと評判は芳しくなかったが、改訂を加えて数年後に上演されたオペラ座の一般公演では大好評を博した。

宮廷オペラには珍しい神と動物の異類婚というテーマを用いて演じられた『プラテ』だが、二五〇年後の今日もなお上演されるほど根強い人気をもつ理由は、バロック・オペラの再流行や戯画化された喜劇性にだけあるのではないだろう。そこに、うわべの美醜や偽善にとらわれる軽佻浮薄な人間と社会を揶揄し嘲笑う、フランスの伝統的な精神が窺えるからではないだろうか。

第6章　女吸血鬼カーミラと少女ローラ——レ・ファニュの吸血鬼譚を現代的観点から読み直す

久保陽子

はじめに

本章は、アングロ・アイリッシュの作家シェリダン・レ・ファニュ（一八一四〜七三年）（【図1】）の『カーミラ』（*Carmilla*, 1872）を、異類婚姻譚として読み解くものである。ただし、この物語の中で美しい女吸血鬼カーミラに見そめられるのは、主人公の少女ローラである。通常の異類婚姻譚が、人間の女性と異類の男性の婚姻、あるいは人間の男性と異類の女性の間の婚姻というような、異性間の婚姻を扱うものであるのに対して、『カーミラ』では同性間の異類婚の問題が扱われている。

異類婚姻譚には、人間の男のもとに美しい嫁がやってくると同時に富がもたらされたり（鶴女房に代表されるように、「見るな」のタブーを犯してしまうまでの、束の間の幸せではあるが）、あるいは、荒ぶる神や化け物に嫁ぐことで、その地方を苦しめた災害が治められたりといったものがある。さらには、異類婚から生まれた子どもたちを、特異な能力や神権を備えた英雄として描く物語もあれば、呪われた異形の子として描く場合もある。現実の人間同士の婚姻が様々な思惑のもとで行なわれ、幸せを生み出すこともあれば不幸に終わることもある様子が、異類婚というカテゴリーの中にもそのまま写し出されてきたのであろう。

ところでキリスト教においては、あらゆる性愛的関係は罪深いものとされ、その中でも正式な婚姻のかたちを取った男女の間柄だけが聖別されたものとして許されてきた。ゆえに、同性愛が公に認められる余地はなく、実際に多くの文学者・芸術家たちが同性愛を理由に異端視され、制裁を受けてきた。たとえば、厳格なモラルや規律、性的抑圧のもと、ヴィクトリア朝のイギリスでは、一八九五年にオスカー・ワイルド（一八五四〜一九〇〇年）が同性愛の咎《とが》により逮捕投獄されている。また精神医学の世界では、同性愛は精神疾患の一つとして取り扱われ、同性愛者に対しては治療と称される人権侵害が長らく続けられてきた（ＷＨＯが同性愛を治療の対象から削除したのは一九九三年になってからのことである）。

今日でもカトリック教会は、同性婚の合法化を容認しない立場を取っている（同性愛者に対する暴力や迫害には反対するとされている）。つまり同性婚は、キリスト教的価値観からも科学的価値観からも幾重にも逸脱した、許され難い関係であると見なされてきた歴史があるということになる（なお、動物性愛については『出エジプト記』二二章十九節に「獣と寝る者はすべて必ず殺されなければならない」とある）。

一方、人の生き血を吸う怪異である「吸血鬼」は、古くから世界各地の人々に実在のものとして信じられ恐れられてきた。しかし、そこにキリスト教が移入されると、教化以前の土俗的風習に根差した心霊的恐怖の象徴として、また、死してなお現世での肉体に執着しキリスト教に帰依しない醜悪の権化として、吸血鬼は反キリストの象徴という立ち位置を付与されるようになる。やがて十八世紀後半のイギリス啓蒙主義の時代、心理学や病理学などが応用されるにつれ、この現実世界のどこかに吸血鬼が実在するという仮説は科学によっても否定され、「吸血鬼譚」を現実のエピソードとして認識する余地は世の人々の間から失われていった。その代わりに、ゴシック小説やオカルト的な物語において、キリスト教的価値観や科学的方法論を備えた主人公によって打ち倒される悪役としての吸血鬼、というイメージが成立していったのである。そして一八九七年にブラム・ストーカー（一八四七〜一九一二年）が発表した『ドラキュラ』(*Dracula*) が「吸血鬼譚」の金字塔となり、後世の作家たちによって数多くの模倣作品や派生作品が書かれることとなった。生きる死体としての吸血鬼のイメージ、「長身で痩せ形、青白い顔に尖った白い犬歯、血の気の薄く尖った耳、毒々しいほどに赤い唇に赤い目」「日中は棺の中に横たわり、十字架とニンニクを忌避する」という特徴は、死後に肉体を離れた魂が救済されるかどうかを重要な問題とするキリスト教的価値観との対比や、生物学や医学との科学的整合性に関する議論を超えて、強烈な印象を読者に与えている。

【図1】レ・ファニュの肖像

【図2】D.H. フリストンによる挿絵
第14章「めぐりあい」より（1872年）
「スピエルドルフ将軍による回想；
少女に忍び寄る女吸血鬼を待ち伏せる」

さらには、吸血鬼と被害者の間に、捕食者と被捕食者の関係を超えた倒錯的愛情が生じ、それが純愛へと展開する流れが、現代のサブカルチャーに至るまでの「吸血鬼譚」の典型の一つとなっている。

『カーミラ』は、ブラム・ストーカーによって男性の吸血鬼が人間の女性を襲う『ドラキュラ』が書かれるより二五年も前の一八七二年に、女性の吸血鬼が人間の女性を襲う「吸血鬼譚」として書かれた。同性間の異類婚の可能性を描いた物語として『カーミラ』を捉え、広義の異類婚姻譚の一つとして読もうとする試みは、従来の異類婚姻譚の読み方の範疇からは大きく外れてしまうであろう。しかし、今日の社会でこれほどまでに婚姻のかたちが多様化され、その結果、「そもそも人はなぜ結婚するのか」、という根源的な問いが問われている現状においては、「同性異類婚姻譚」として『カーミラ』を読むことが、いくつかの示唆を与えてくれるのではないだろうか（【図2】）。

あらすじ

舞台は十八世紀後半、オーストリアのスチリア。主人公の少女ローラがイギリス人の父と二人で住む屋敷には、他に家庭教師や乳母がいる。母は既にローラが幼い頃に亡くなっている。

父娘のもとに、ローラがまだ六歳にもならない頃に悪夢の中で出会った少女とそっくりのカーミラという名の娘が預けられることになる。カーミラはどうやら名門の出のようだが詳しい身の上は決して明かさない。口にするのはローラへの愛の言葉ばかりだ。

そんなある日、近隣の百姓の若い娘が謎の死を遂げる。その少し前、名士スピエルドルフ将軍の美しい姪も、不可解な衰弱のあげく亡くなっていた。相次ぐ謎の死に怯える中、ローラはカーミラとの同性愛ともいえる親密さを増していく。しかしついにそのローラも、ある晩、首のまわりに二本の針をチクリと刺された感触を得たあと、みるみる衰弱していく。

ローラの父とスピエルドルフ将軍、そしてヴォルデンベルグ男爵が調査に乗り出し、ローラが住む屋敷から三マイル先の、名門カルンスタイン家の礼拝堂に眠る伯爵夫人マーカラの棺を掘り起こす。するとそこには、カーミラと瓜二つの容貌で吸血鬼の痕跡が認められる女が横たわっていた。昔、このカルンスタイン村は、吸血鬼現象に悩まされていた土地だったのだ。

同時に、スピエルドルフ将軍の姪が亡くなった経緯も明かされる。姪は亡くなる前、ひょんなことから、ミラーカという謎の美少女と生活をともにしていた。その状況は、カーミラとローラの関係と奇妙にも酷似していた。姪が亡くなった際に医者に診てもらうと、喉元に吸血鬼が原因と思われる刺し傷と青い痣があったという。

その後、掘り起こされた墓から出てきたマーカラに対して、吸血鬼伝説に則った儀式が行なわれる。先の尖った杭を胸に打ち込み、首を打ち落とし、胴体と首は焼かれ、その灰は近くの川に投げ捨てられた。以降、この地方が吸血鬼現象に見舞われることはなくなり、カーミラも姿を消した。その後、回復したローラが、一年以上経った今でもカーミラの面影を抱く胸の内を語る場面を最後に、物語は幕を閉じる。

1　吸血鬼伝説と女吸血鬼カーミラの血統

吸血鬼伝説は世界各地の文化圏に偏在して語り継がれてきている。ポール・バーバーの『ヴァンパイアと屍体――死と埋葬のフォークロア』（*Vampires, Burial, and Death: Folklore and Reality*, 1988）では、世界各地でそれぞれの吸血鬼の伝承があることを、民俗学者の立場に法医学の観点を加え、実際の事件と関係づけながら考察されており、それぞれの地域で吸血鬼がどのように想起され、人々に信じられてきたのかという過程が丹念に論じられている。ブラム・ストーカーは『ドラキュラ』の作品中で、精神病院長ドクター・セワードの台詞として、「いろいろ調べた結果、吸血鬼というやつは、古来人間のいた所にはどこにでもいたものなのだね。古くはギリシア、ローマ、ドイツ全土、フランス、イタリア、中国、いたるところにいたようだ。あの凶暴なアイスランド人の船の跡にもついていっておるし、悪魔の子フン族の中にもおるし、スラヴ人、サクソン人、マジャール人の中にもおる」[1]、と語らせている。

『カーミラ』の舞台は東欧オーストリアのスチリア（Styria）地方である。『ドラキュラ』の舞台もトランシルヴァニア（現在のルーマニア）であるため、吸血鬼伝説のイメージが色濃い東欧の文化的背景を念頭に『カーミラ』を読もうとする読者は多いであろう。しかし、『カーミラ』の作者レ・ファニュの母国アイルランドにも、東欧の吸血鬼伝説とは別系統としての吸血鬼伝説がある。妖精「リャナン・シー」（Leannán-Sidhe / Lhiannan Shee）や、「デアルグ・デュ」（Dearg Due）などのアイルランドの吸血鬼たちは、美しい女の姿をしていて、通常人間の目には映らない不可視的な存在であるとされる。このうち「リャナン・シー」は、「妖精の恋人」「妖精の愛人」を意味する名をもち、餌食とする人間の男をその美しい姿で魅了する。妖精は人間の男の愛をひたすら追い求め、人間の男は生き血を吸われる代わりに芸術的な才能を与えられる。この両者の間には相互的な関係が形成されていること、また吸血鬼＝捕食者、人間＝被捕食者というような、一方的関係でも対立的関係でもないという点に注意が必要である。後述するように、アイルランドの民間伝承に明るかったレ・ファニュが女吸血鬼カーミラを創造した際には、この妖精を暗に意識して、吸血鬼と人間との間に恋愛感情が生じるように、そしてその関係が相互的であるようにと描写した可能性がある。ただし、カーミラが愛情を求める相手は男性ではなく同性の少女であった。

ここで、『カーミラ』に出てくる女吸血鬼について、その特異な点を浮き彫りにするためにも、物語のあらすじをふりかえろう。『カーミラ』では、吸血鬼の血統が、母系的に継承される様相に着目したい。前述したように、女吸血鬼カーミラ（Carmilla）の出現より以前にはミラーカ（Millarca）が、それよりさらに前にはマーカラ（Mircalla）と呼ばれた女吸血鬼がそれぞれの時代に存在した。カルンスタイン村を脅かす女吸血鬼は、そのアナグラムが指し示すようにマーカラで始まり、ミラーカ、カーミラと名前を変えつつも、実は同一の人物が再生を繰り返し生き続けていたことが暗示されている。しかも、次の引用に見られるように、ローラ自身もこの女吸血鬼一族の縁者であり、吸血鬼の血統を受け継ぐべき者として、母から娘へと（「出産」という過程は経ていないものの）、女系の血脈を連綿として存続させる宿命を帯びているかのようでもある。

物語の中盤で、ローラの母の生家（ハンガリアの旧家）にあった古い肖像画がいくつか城に運び込まれる様子が描かれている。その中の一つに、なんとカーミラと瓜二つの女性を描いたものがあったのだ。主人公ローラは傍らのカーミラに興奮して呼びかける。

「まあ、カーミラ、まるで奇蹟だわ。ほら、あなたここに、絵の中にいらしてよ。まるで生きているよう。〔中略〕
「ねえ、こうなると、このすみに書いてある名前がはっきり読めますわ。〔中略〕名前はね、カルンスタイン伯爵夫人、マーカラ。その上に小さな冠が書いてあって、その下に一六九八年としてありますわよ。お母さまがそうなんだから、わたくしはカルンスタイン家の血筋のわけね」
「まあ、わたくしもそうなのよ」とカーミラはものうそうに申しました。〔中略〕
「それはそうと、月の光が美しいこと！」そういって、すこしあいているホールのドアからのぞきながら、「ねえ、すこしお庭を歩いてみないこと。あすこの道と川のほとりから眺めましょうよ[2]」

この会話からは、ローラとカーミラがカルンスタイン家の同一の家系であることがわかる。そして、古めかしい肖像

【図3】D.H. フリストンによる挿絵
第6章「ふしぎな苦悶」より（1872年）
「悪夢の中で襲われるローラ；悲鳴をあげて
目覚めると一人の女が立っていた」

画に描かれたカルンスタイン伯爵夫人マーカラは、喉元の黒子までがカーミラとそっくり同じであるため、二人は同一人物であることが示唆されている。偶然の一致に驚き喜ぶローラに対して、当の本人であるカーミラは、ものうげに応じつつ話題を他に逸らそうとしているように読める。

ローラがカーミラにとって特別な相手となったのは、ローラもまた吸血鬼の血筋をごくわずかに受け継いでいたからなのか。レ・ファニュはこの点を物語中で明らかにはしていない。『カーミラ』に登場する女吸血鬼たちがその時々で襲うのは常に同性の少女で、またほとんどがその後に死を遂げるのに対し（血を吸われたこれらの少女たちが死した後に吸血鬼として復活したという記述はない）、カーミラに襲われたローラだけは活力を取り戻す理由も示されない（【図3】）。

先のあらすじで述べた最後の場面では、吸血鬼カーミラすなわち吸血鬼マーカラを葬るための「型通りの処置」が、おどろおどろしく行なわれる。吸血鬼の一族の源流であるマーカラの墓が掘り起こされると、死後一五〇年も経っているのに、棺の中の顔には生命の温かみがあり、目はぱっちりと開かれ、死臭もしない。しなやかな手足と弾力のある肉、その死体は七インチもたまった血の中に浸っている。ローラの父たちは、これを「吸血鬼に違いないという印と証拠」（三六七頁）として認め、マーカラの胸さきに、先の尖った杭を打ち込む。するとマーカラは、あたりをつんざくような叫喚とともに、まるで断末魔のような苦悶の形相を呈する。続いてマーカラの首は打ち落とされ、真っ赤な血がドッと流れ出す。そして胴体と首は、薪を積んだ上で燃やされ灰にされ、近くの川に捨てられて流される。これに呼応するかのようにカーミラも姿を消す。

一読すると、マーカラの血統はここで途絶えたかのようである。しかし、先の引用箇所は、主人公ローラが吸血鬼カーミラと同じ血統の出であり、それゆえにローラがこの女吸血鬼一族に選ばれ吸血を受けたことをうかがわせている。ローラが「あの事件の恐ろしさは、とうの昔に消えて」しまい、今では「夢のような思い出からはっと驚くこともございます」(三七二頁)と淡々と振り返ることで、物語は締めくくられている。しかし、この後日譚として、いったん滅ぼされたマーカラすなわちカーミラが、ローラの肉体やその周囲を通じて何らかの再生を遂げる、というような展開を思い描く読者もいるであろう。

『カーミラ』をさらに読み解くにあたり、ここでフィクションとしての「吸血鬼譚」の系譜を概観してみよう。吸血鬼文学の嚆矢は、ジョン・ポリドリ(一七九五〜一八二一年)がバイロン作として発表した一八一九年の『吸血鬼』(*The Vampyre*)だといわれている。もっとも、それより以前、たとえばドイツでは一七四八年にオッセンフェルダー(一七二五〜一八〇一年)が『吸血鬼』(*Der Vampir*)を、一七九八年にはゲーテ(一七四九〜一八三二年)が『コリントの花嫁』(*Die Braut von Korinth*)を、イギリスでも一八一〇年のジョン・スタッグ(一七七〇〜一八二三年)の『吸血鬼』(*The Vampyre*)、ジョン・キーツ(一七九五〜一八二一年)の一八一九年『ラミア』(*Lamia*)などが先行して発表されていた。しかしこれらはすべて詩であって、描かれたのは断片的なイメージにすぎない。

「吸血鬼譚」を描いた最初期の小説としては、フランス人作家テオフィル・ゴーチェ(一八一一〜七二年)の一八三六年の作品『死霊の恋』(*La Morte Amoureuse*)がある。ここでは女吸血鬼クラリモンドが、聖職者の男性ロミュオーに対して純愛を抱きつつも、生来の吸血欲に苦悩する。ロミュオーへの一途な恋情から、クラリモンドの吸血行為は彼の生命を奪わない程度の量に止められ、ロミュオーもクラリモンドへの恋情から、彼女が生き続けるために進んで自らの血を差し出す。ロミュオーは吸血鬼化せず人間のままであるが、聖職者であるゆえにクラリモンドとの婚姻はできず、したがって子孫を得ることもできない。

一八三六年ゴーチェの『死霊の恋』、一八七二年レ・ファニュの『カーミラ』を経て、一般的な吸血鬼イメージを小説の中で決定づけたのは、やはり一八九七年のストーカーの『ドラキュラ』である。この作品以降、民間伝承に語られた吸血鬼が実在する怪異として人を襲うという事件に対して、周囲の人間が信仰の力や科学の力によって協力しあい、最終的には吸血鬼を滅ぼすというプロットが、以降の吸血鬼文学での定番になった。また『ドラキュラ』の細部のエピソードで吸血鬼の血統がどのように扱われているかも、後世の作品に多大な影響を与えている。ドラキュラ伯爵の毒牙にかかり衰弱する美しい女性ルーシーは、治療の過程で合計四人の男の輸血を受ける。そして、死後に不死身となって、夜な夜なおびき寄せた子どもたちの血を吸って生気を得る。ルーシーの親友ミナもドラキュラ伯爵の吸血行為にあい、また自らも伯爵の血を吸わされるのだが、その後はジョナサン・ハーカーという人間の男と結婚する。二人の間に生まれた息子にはドラキュラ伯爵とハーカーの二人の血が混じっていることになるが、もう一人別の男キンシー（吸血鬼ハンターとして伯爵と果敢に戦うも、最後は殺されてしまう）の魂を受け継いでいるとされた息子には、同じキンシーという名がつけられる。

このように、『死霊の恋』、『カーミラ』、『ドラキュラ』の三作品には、吸血鬼による自らの不死の血統を永らえさせようとする試みと、人間による吸血鬼の血統を滅ぼす試みとが描かれているが、いずれにしても吸血鬼と人間の関係は一方的な関係でも単純な対立関係でもないということがいえよう。その中でも『カーミラ』は吸血鬼と人間の、同性同士での恋愛関係を扱う点で特異なものとなっている。同性同士のカーミラとローラは、社会制度上の婚姻ができないし、当時の社会通念上の合法的な関係性も公には築けず、そして生物学上の出産も経ることはない。しかしそうであるからこそ、母方の女吸血鬼という血統が、生まれ変わりを通じて脈々と再生され生き続けていく可能性が、物語全体を通じて示唆されているのだといえよう。

2 アイルランドの民間伝承とレ・ファニュの作家的背景

民間伝承や文学作品は、それが書かれた時代や政治、文化的な様相を背景とするわけだが、反対にそれらに影響を及ぼすために意識的に作り出され用いられてきたという側面がある。また、作者の個人的な経験が無意識のうちに作品内に反映されているという場合もある。

たとえば、丹治愛の『ドラキュラの世紀末――ヴィクトリア朝外国恐怖症の文化研究』（一九九七年）では、『ドラキュラ』を、十九世紀末のヴィクトリア朝の政治や文化、精神風土を色濃く反映したものだと読み解く。一八五九年のダーウィン（一八〇九～八二年）の『種の起源』（*On the Orgin of Species*）に代表されるこの時期、自然科学が発展することで人々は信仰の揺らぎを経験するが、反面、科学では証明できない魔物や幽霊といったものも好まれた。一八九七年のヴィクトリア女王即位六〇周年とともに大英帝国は最盛期を迎えるが、アメリカから伝わった心霊主義と、フロイトの精神分析、唯美主義や芸術至上主義が生まれたのもこの頃だ。そして、植民地からもたらされた伝染病ペストや、東欧からきたユダヤ人に対する脅威が英国内で増大する。当時のこうした文脈の中にトランシルヴァニアからきたドラキュラを重ねると、吸血鬼ドラキュラは、逆植民地化を狙う植民地民族の体現となるという。丹治は、『ドラキュラ』というフィクションは、混沌とした社会状況の中でこそ生まれた純潔主義や排他主義の一側面を表していると論じている。

同じ頃レ・ファニュの母国アイルランドでは、W・B・イェイツ（一八六五～一九三九年）らがアイルランドの民間伝承を蒐集・記録し、再話・編纂することで、文芸復興運動が促進されていた。大英帝国からの独立を目指すアイルランドの精神的・文化的基盤としての民話の力が大いに期待され、積極的に用いられていたのである。そして、アイルランドにおける「吸血鬼」イメージも、時として政治利用もされてきた。『カーミラ』の舞台はスチリアであるが、この東欧の地を、レ・ファニュの母国アイルランドと結びつけて論じようとする研究者は多い。たとえば、ヴィクトリア朝の吸血鬼小説についての論考で、ロバート・トレイシーは、アイルランド土着の娘とのインターマリッジ（異なる種族・宗教・

【図４】ジョン・テニエルの風刺画
《アイルランドの吸血鬼》

階級間の結婚）を、アングロ・アイリッシュ側にとっては人種的堕落や退歩そして権威の失墜につながる脅威に、また、アイルランド人に土地を奪い戻されかねない恐怖にもつながっていたと解釈している。トレイシーは、それはまた、『ドラキュラ』と『カーミラ』における吸血鬼対人間（捕食者対被捕食者）の関係性における脅威とも重ね合わされるものだと指摘している。

一方、一八八五年十月二四日の『パンチ』誌に掲載されたジョン・テニエル（一八二〇～一九一四年）画の《アイルランドの吸血鬼》（*The Irish Vampire*）（【図４】）では、アイルランドの土地同盟運動を率いたチャールズ・スチュワート・パーネル（一八四六～九一年）の顔をもつ吸血鬼が、アイルランドの古名エリンであるところの女性を襲う姿が描かれている。この絵を分析するジム・ハンセンによると、ここにはイングランド対アイルランドではなく、アイルランド内部における男性脅威と、その餌食となる無力な女性が描かれているのだという。ちなみに、吸血鬼と東方問題を扱ったマシュー・ギブソンのように、『カーミラ』をこの時代の政治的社会的に不安定化した東欧の状況と結びつけようとする研究者もいる。

ダブリン出身のレ・ファニュは、フランスから亡命したユグノー教徒を祖先にもち、母方のシェリダン家は名家として知られ、母エマは医師の娘だった。父フィリップはプロテスタントのカルヴァン派の牧師であり、アングロ・アイリッシュとして生を受けた。大の読書家だった父の影響で、レ・ファニュも幼い頃から多くの書に慣れ親しむ。その後移り住んだリメリックでは、地元の農夫などから聞いた土着の伝承や逸話を楽しんだという。

レ・ファニュの作品の中にも、アイルランドの妖精を題材にした短編が二つある。一八七〇年の「妖精にさらわれた子ども」（"The Child that went with the Fairies"）と、一八七二年の「ローラ・シルヴァー・ベル」（"Laura Silver Bell"）である。

両者とも、この地に残る伝承の「妖精による人さらい」を扱っている。イェイツの一八八六年の「さらわれた子ども」（"The Stolen Child"）という有名な詩では、魂ごと妖精にもっていかれてしまう男の子の様子が、美しくも恐ろしい薄明の世界として描かれている。それに対してレ・ファニュの「妖精にさらわれた子ども」では、さらわれた現実を周りの者たちが静かに受け入れるという、人間側の諦観が描かれている。レ・ファニュの「妖精にさらわれた子ども」に出てくる五歳の少年ビリーは、ある日、兄姉と遊んでいる最中に、馬車に乗った身なりの良い貴婦人らしき女性に連れ去られる。その後、亡霊のようなビリーに似た姿が時折周囲で目撃されるが、超自然現象に詳しいフェアリー・ドクターの手を借りてもどうにもならず、二度と戻ってくることはなかった。当初は取り乱していた母親ライアン夫人も、時が経つにつれ、この地に伝わる「善い人々（good people＝妖精のこと）」による所業を受け入れ、「家族の愛情あふれるまなざしを受け止めることなく消息を絶った幼いビルに、昇天のしるしは決して与えられないのだ[3]」と理解し、墓は造らない。ただひたすら、妖精たちの棲処だと恐れられるリズナーヴラの丘を見つめながら、面影を偲んで祈るのだった。

レ・ファニュのゴシック小説全体を分析するポール・デイヴィスによると、この短編には、レ・ファニュ自身が経験した身内の死に対する、彼なりの折り合いのつけ方が表れているという（Paul E.H. Davis, "The Nightmare Tales of J.S. Le Fanu," p.41）。レ・ファニュは一八四四年に弁護士の娘スーザン・ベネットと結婚し四人の子どもを授かるが、その後、妻は精神を病み、五八年に発作を起こしこの世を去った。その原因の一端を自身に認め、罪の意識を抱いたレ・ファニュは、六一年には最愛の母も亡くしてしまう。身内の辛い死という現実を受け入れるための方便を、彼は不死の存在だといわれたアイルランドの妖精に見出そうとしたのかもしれない。

「ローラ・シルヴァー・ベル」においても、レ・ファニュの個人的な経歴と重ね合わせるかたちでアイルランドの伝承が使用されている。身寄りのない美しい娘、ローラ・シルヴァー・ベルは、ある日突然現れた上流階級風の、背が高くて痩身の男に見そめられる。産婆のカークばあさんは、この男の足が地面についていないこと、身に纏う黒いビロードの衣服やそれと同じく黒い顔から、きっと魔物の妖精であるに違いないと確信する。言い伝え通りに、まだ洗礼を受けていない娘ローラがこの妖精の格好の餌食になるのではと危ぶみ、ついていってはいけないと厳しく忠告する。しかし、既に妖精の魔法にかかり始めている娘は、ある日、小川の向こうからその男に手招きされ、ついに誘いに応じてしまう。一年後、カークばあさんが謎の男に請われてレアディル夫人のお産に立ち会うと、寝台の上に横たわっていた夫人は、飢えやつれ、垢だらけで真っ黒な顔をしているが、他ならぬローラ・シルヴァー・ベルだった。生まれた赤ちゃんもまるで小鬼のような異形の姿だった。「長くとんがった耳、ぺたんこの鼻、せわしなく動く大きな目と口。生まれるが早いか、そいつは大声を出し、わけのわからない言葉で話し出しました」(4)。

レ・ファニュのゴシック小説を階級・人種の観点から論じたジェイソン・ハリスも指摘しているが、貴族風の好色男子とその誘惑にあう百姓の娘という構図は、サミュエル・リチャードソン(一六八九~一七六一年)の『パミラ』(*Pamela; or Virtue Rewarded*, 1740)をはじめとするイギリス文学にもよく見られるテーマである。結婚が娘にもたらすと思われた階級上昇と富、そして幸福な生活は、ローラ・シルヴァー・ベルの物語においても無残にも打ち砕かれる。この人さらい妖精が人間の娘と結婚したのは、妖精の子を産ませるためであった。異類婚姻譚の類型の一つに、異類側の思惑が、異類の子を増やし一族を繁栄させることのみを目的としているのだとわかった人間側が、絶望に陥るという展開がある。心を通じあわせることができない相手との婚姻が、恐ろしくむごたらしい結果を生み出すという陰惨な現実を、これは寓話として描いているものだと解釈できる。

レ・ファニュは妻と母との死別の後、ダブリンの邸宅にこもって執筆に専念し、「ローラ・シルヴァー・ベル」と『カーミラ』を発表したそのわずか一年後の一八七三年に心臓発作で亡くなっている。ローラ・シルヴァー・ベルが連れていかれた妖精の世界は、妖精塚の地下にあるのでもなければ海の彼方の異界でもなかった。そこは貧しいアイルランドの片田舎で、積まれた石はぐらぐら、軒は垂れ下がり朽ちかけ、屋根は歪み棟木や梁が飛び出しているような、極めて現実的なみすぼらしい建物の中だった。レ・ファニュの寒々しい心象風景と重ね合わされているようでもある(【図5】)。

さて、『カーミラ』は「リャナン・シー」と同じように女吸血鬼の物語である。W・B・イェイツによると、この「リャナン・シー」は、「一人暮らしの妖精たち」に分類され、「群れをなす妖精たち」とは違い、単独行動をするという。そして、相手とする人間の男を密やかに誘惑する。

この霊《スピリット》は人間の男の愛を探し求める。〔中略〕リャナン・シーは恋人たちの命を吸い取ることで、生きているのだ。〔中略〕この悪の妖精は、自分の虜になったものに霊感を与えるまごうことないゲールの詩神《ミューズ》なのである。彼女の恋人であるゲールの詩人たちは年若くして死ぬ。彼女の心は騒ぎだし、詩人を別の世界へ連れ去ってしまう。というのは、死も彼女の支配力を妨げることはないからだ。(5)

このように、アイルランドの女吸血鬼「リャナン・シー」は、各地の民間伝承に語られるような血生臭く禍々しい生きる死体としての吸血鬼ではなく、美しくロマンティックな心霊的存在として伝えられている。「リャナン・シー」と人間の男性との間には、捕食者対被捕食者の対立構造ではなく、男女間の恋愛感情が土台としてあるのだ(【図6】)。

【図5】ダブリン、メリオン・スクエアにあるレ・ファニュ晩年の家

レ・ファニュは必ずしも文芸復興の中心的担い手ではなく、イェイツのような明確な意図を伴う民間伝承の蒐集者でもなく、また、伝承を政治利用しながら作品を生み出したわけではなかったと見なされている。しかし、先の短編二作品には、アイルランドの妖精物語の中に、レ・ファニュ自身の生涯における愛する人との別離による喪失感ともいうべき感情が折り込まれている。そうした意味において、レ・ファニュは確かにこの国の精神風土の中に生きた作家であったということができる。

【図6】フィリップ・バーンズによる《吸血鬼》（1897年）

そしてレ・ファニュは、晩年にかけて作家人生の集大成として、アイルランドの吸血鬼伝承の影響のもとに女吸血鬼『カーミラ』のイメージを具体化させていった。彼がそのイメージに、不変的な愛と希望を託そうとしていたことについて、以下考察していく。

3　カーミラとローラにおける自他の境界の消失

レ・ファニュは多くのゴシック小説やミステリー小説を残し生前は人気を博したが、死後しばらくは読まれなくなっていた。しかし一九二三年に、M・R・ジェイムズ（一八六二〜一九三六年）が「第一級のゴシック作家」と評したことで再評価の機運が高まり、日本でも一九五八年には平井呈一による日本語訳が出る。レ・ファニュ生誕二〇〇周年を迎えた二〇一四年は、とりわけ『カーミラ』を中心に再読され話題となった。現在、『カーミラ』はアイルランドが誇るゴシック小説の一つとしての地位を確立しており、その「女吸血鬼と人間の女性の恋愛」という独創的なテーマ設定を模倣・翻案した作品が多く発表されている。

『カーミラ』にやや先行して出版された一八六六年のシャルル・ボードレール（一八二一〜六七年）の吸血鬼詩『吸血鬼の変身』（*Les métamorphoses du vampire*）に出てくる肉感的な女吸血鬼や、『ドラキュラ』に登場するドラキュラ城に幽閉されている三人の女吸血鬼の生々しくも妖艶な描写などは、十九世紀末文学を席巻した、美しく誘惑的で、男性を破滅に追い込む「ファム・ファタール」の系譜に位置づけることができる。しかし、『カーミラ』において吸血鬼の犠牲者となるのは男性ではなく女性であり、カーミラの愛は同性のローラに向けられている。「ファム・ファタール」であるカーミラの愛が、ここではどのように描かれていたのか。

カーミラとローラは、幼いときに一度夢の中で出会っている。双方ともに同様の記憶をもつ二人は、実際に出会ってからすぐに意気投合する。ローラの回想を引用しよう。

正直のはなし、わたくしははじめて会ったこの美しい方に、もうどうもこうもいえないほど、傾いていたのでございます。「心をひかれる」と彼女がいったとおりの心持でおりましたのですが、しかし同時にまた、そこになにか反撥みたいなものがないわけではございませんでした。（二八二頁）

ここで、ローラの中には、カーミラに会った当初から「反撥みたいなもの」があったことが明かされている。しかしローラはこの後、近隣で百姓の女性が謎の衰弱死を遂げたときも、前兆としての明らかな吸血行為（夜の就寝中に喉を締めつけられ、以後衰弱していく）を認めながらも、あくまでその死因を「疫病か熱病」だと解釈している（二九二〜九三頁）。その不安を糊塗するかのように、ローラはカーミラが投げかける愛情に身を委ね、二人の関係は女性同士の友愛という枠を次第に踏み越えていく。そして、以下の引用にあるように、カーミラはローラへの愛の言葉をささやきつつ、同性愛的身体接触を重ねるのである。

なにかというと、わたくしの首に美しい腕を巻いて、そばに引きよせて、頬ずりをしながら、耳に口をつけて囁くのでございます。「ねえ、あなたの心は傷ついているのね。［中略］あなたの心が傷ついていれば、わたくしの心もいっしょに血の出る思いがするのよ。わたくしね、この大きな屈辱の喜びのうちに、あなたの温かい生命のなかで生きていくの。そうしてあなたは死ぬの。わたくしのなかへはいって、心持よく死なしてあげてよ。それよりしようがないのよ。わたくしがあなたに近づくように、こんどはいまにあなたがほかの人に近づくの。そうして残酷

の喜びを知るわけよ。でも、それも愛なのよ。……」（二八七頁）

……「わたくしはあなたのなかに生きているのよ。あなたはわたくしのために死ぬのよ。それほどわたくし、あなたを愛しているの」

わたくしはハッとして彼女から身を離しました。（三〇四～〇五頁）

これらの引用においてカーミラは、ローラに精神的に移入するあまりに、自他の境界が曖昧になり、自分と相手とが錯綜した支離滅裂な言葉を発している。そうした中でも、「そうしてあなたは死ぬの。わたくしのなかへはいって、心持よく死なしてあげてよ」というように、ローラを吸血したいという渇望が随所に見え隠れしている。加えて、「わたくしの心もいっしょに血の出る思いがする」「大きな屈辱の喜びのうちに、あなたの温かい生命のなかで生きていく」「わたくしはあなたのなかに生きている」という言葉にあるように、カーミラ自身が逆にローラに吸血されることまでを望んでいるようにも読める。さらには、「わたくしがあなたに近づくように、こんどはいまにあなたがほかの人に近づくの。そうして残酷の喜びを知るわけよ。でも、それも愛なのよ」という箇所では、ローラが本物の吸血鬼となってほかの人間を襲うという未来が幻視されている。

こうして暴走していくカーミラに対し、「ハッとして彼女から身をはなし」たというローラの側には、カーミラに溺れる一線を踏み越えてしまうことへの迷い、一定の節度や逡巡といったものが見られる。今日に至っては、異性愛者の読み手一般の間であっても、同性愛的要素を描いた作品が受け入れられようになっているが、ヴィクトリア朝にあって、厳格なモラルや規律、性的抑圧に支配され、同性愛が敵視されていた社会的環境の中で、『カーミラ』のような作品が発禁処分にはならず現代まで残ることができたのはなぜか。それは、この物語の主人公ローラの、一人称による語り口にあるといわれている。ローラの語りは、カーミラとともに過ごしていた当時から八年経ったのちの回想の体裁を取っており、全体的に優しく穏やかで、抑制がきいている。ヴィクトリア朝が望んだ慎ましやかな子女の枠を決して超えることがない。なお、ヴィクトリア朝における同性愛への抑圧は、ワイルドの例に顕著なように、それはあくまで男性同士の関係性に向けられたものであって、女性同士の性愛というものはそもそも存在し得ないもの、絶対にあり得ないものだという認識がなされていた。レ・ファニュ論を発表しているレニー・フォックスやシャロン・M・ギャラガーもいうように、カーミラとローラの関係は「友愛」ということで充分片づけることが当時は可能だったということであろう。

とはいえ、現代的観点から改めて読み直すと、また違った印象を受けるものとなる。カーミラはローラに対して自他の境界線を踏み越えるほどの愛情を投げかけ、ローラはそんなカーミラの思いに戸惑いつつも流され応じていく。そうして同性愛的関係がエスカレートしていく展開を想起させつつも、小説としては吸血鬼退治を描く内容へと大きく舵を切ることで、物語は畳み掛けるようにエピローグへと向かっていく。

4 「同性異類婚姻譚」の結末

そしてカーミラはローラを襲い、ローラは自らの喉にちくりと刺すような痛みを感じる。しかしローラは、そうして身体が弱まったときですら、「知らず知らずのうちに、わたくしは誰でもそれにかかると苦しむような、不思議な病気にかかりだしていたものと見えます。」（三一七頁）として、吸血鬼の本性を現したカーミラが自分の血を吸うに至った状況を受け止めようとしない。ローラの父・カルンスタイン伯爵もまた、村を襲う謎の衰弱死について、「自然の原因で起こったこと」だとして科学的な解釈を試み、怯える村人たちを、「ああいう貧しい連中は迷信深いからね」、と言い捨てて土俗的な怪異との結びつきを否定し、さらには「神のお許しにならんことは、なに一つ起こるわけがないさ」、と断じて敬虔なキリスト教信者の立場から吸血鬼を信じない（二九七〜九八頁）。

こうした状況を打開するのが、スピエルドフ将軍の自由な発想と行動力である。「わしはむろん、吸血鬼なんて魔性のものの存在は信じちゃおらんから、〔中略〕あんな奇怪な理屈をこねおって、〔中略〕くらいに考えとった。しかし、わしもよくよく困っとったから、なにもせんよりはと思って、その手紙の指示通りにやってみたのだ」(三五九〜六〇頁)。この後、スピエルドフ将軍の姪を殺した吸血鬼ミラーカと様々な特徴が一致することから、マーカラこそが吸血鬼であることが認識され、吸血鬼退治に関わってきたヴォルデンベルグ男爵の助力を得ることで、ついにマーカラすなわちカーミラも滅ぼされるのである。

『カーミラ』は、カーミラが消えて一年以上経った頃に、ローラが思い出の中のカーミラの面影を淡々と語る様子で幕を閉じる。

　翌年の春、父はわたくしをつれて、イタリアへ旅に出かけました。なんでも一年以上も家をあけておりました。〔中略〕ただいまでは、カーミラの顔を思いだしましても、もうすっかりおぼろになってしまって、〔中略〕そうかと思うと、客間の入口にふっとカーミラの軽い足音が聞こえたような気がして、夢のような思い出からはっと驚くこともございます。(三七二頁)

多くの他の異類婚姻譚には、異類との別離の後、残された人間側が別離の不幸を引きずる描写が見られる。しかし、ローラは一年半経ったのちでも、良き思い出の中にカーミラを甦らせ、その気配を感じとる。つまり、両思いだったカーミラとローラの別離は、互いの間での争いやタブーの侵犯が理由だったのではなく、二人の関係を理解できない周囲の者たちから引き離されたのだということである。「吸血鬼が特定の人たちに、しだいに激しく取りついていくのは、恋情によく似ております」(三六九頁)とローラが語るとき、たとえそこに最愛の者との関係を示す物質的証拠は一切なくとも、自らの経験を受け入れ納得できている様子が伝わってくる。

『カーミラ』を吸血鬼と人間の異類婚姻譚かつ同性愛を描いた物語であると見なし、さらに現代的な観点に立って考えると、今なお、同性婚カップルが社会から受け入れられず、異性婚のカップルの間には当然のように認められた法的権利が認められず、さらには、自分たちの間では遺伝的な子孫を遺すこともできないというような、様々な障害と苦悩が二重写しになる。その困難を超えていくためには愛情の力がよりいっそう強く必要とされる。

おわりに

『カーミラ』という女吸血鬼と同性の少女の関係を読むと、周囲の者が抱く通念や倫理、あるいは利害といった観点からは決して評価することのできない、当人同士にしかわからない理由や価値といったものの重要性が示されていることがわかる。周囲から見るとカーミラとローラは捕食と被捕食の関係であり、被捕食者が受ける搾取を何とか終わらせたいと周りは願うわけだが、当人同士は幸せなのである。

『カーミラ』を異類婚姻譚の一種、「同性異類婚姻譚」として読むと、婚姻の理由や価値は当人同士にしかわからず、当人同士にしか決められない、という、いわば当たり前の事実に突き当たる。カーミラとローラは同性であるがゆえに、二人が結びつくためには通常よりも大きい困難を伴うが、その分、愛情の強さが想起される。その愛情もまた、時に移ろいやすく永遠とは限らないが、たとえ別離に終わっても、残されるものがある。

日本における羽衣伝説においても、鶴女房でも、雪女でも、異類婚姻譚の多くは、異類と人間との離別が結末となっている。異類は、彼岸の先や、本来の世界である異界へと戻ってしまう場合が多い。困難を乗り越えて一度は交わした婚姻関係もそこで打ち切りとなる。カーミラに至っては、殺されることでローラとの別れを強いられることになる。しかし、そうであればこそ、後に残されたもののこと、そして婚姻によってどんな価値が残されたのかということを考えることが重要になる。ここで、本章のはじめに提示した「そもそも人はなぜ結婚するのか」という問いへの、一つの回答を提示してみたい。鶴女房の場合は織られた機が残され、小泉八雲の雪女においてはお雪と巳之吉との間に生まれた子ども、すなわち雪女と人間の間に産まれた子どもが人間の側に託される。あるいは、「リャナン・シー」の物語においては、男性詩人は自らの早死と引き換えに創作を行ない、その作品を後世に残すことができる。

カーミラは何を残したのだろうか。先の引用にもあるように、カーミラとの別離後一年たっても、ローラはカーミラの面影を心に抱き、足音を耳にしたかと思うくらい身近に感じている。また、カーミラが幾度となく繰り返す愛の言葉「わたくしはあなたのなかに生きているのよ」のとおり、ローラが生きる限り彼女の中にカーミラは存在し続ける。相手の中に生きること、そして、相手を心に生かすこと。経済益、社会的対面、子どもの有無ではなく、より純粋な目的がそこにある。キリスト教の結婚で誓われるところの「死が二人を分かつ」そのときを迎えた後も、伴侶を失った日常として残された側の人生は続いていく。困難や断絶を乗り超えて、そこに不変の愛情が存在し得ることを、この「同性異類婚姻譚」が現代の我々に語り伝えてくれているのではないだろうか。

＊＊＊

註

（1）ブラム・ストーカー『吸血鬼ドラキュラ』平井呈一訳、創元推理文庫、一九七一／二〇一八年、三五四〜五五頁

（2）シェリダン・レ・ファニュ『吸血鬼カーミラ』平井呈一訳、創元推理文庫、一九七〇／二〇一八年、三〇二〜〇三頁。以下、テキストからの引用は全てこの平井呈一訳とし、本文引用の（　）内に頁数を示す。

（3）シェリダン・レ・ファニュ「妖精にさらわれた子供」佐藤弓生訳、西崎憲編訳『怪奇小説日和　黄金時代傑作選』ちくま文庫、二〇一三年、二二九頁

（4）シェリダン・レ・ファニュ「ローラ・シルヴァー・ベル」『ドラゴン・ヴォランの部屋　レ・ファニュ傑作選』千葉康樹訳、創元推理文庫、二〇一七年、一六八頁

（5）W・B・イェイツ『ケルト妖精物語』井村君江編訳、ちくま文庫、一九八六年、三二四～二五頁
なお、女吸血鬼の起源一般としては他にも諸説ある。ギリシア神話においては、ゼウスの寵愛を受けつつもその妻ヘラの嫉妬にあい、半人半蛇になって子どもの生き血を吸う女怪物となったラミア、またはメスカマキリを意味するエムプーゼの名が挙げられる。十七世紀はじめにハンガリーに実在したチェイテ城に住む連続殺人者エルジェベト・バートリー伯爵夫人（一五六〇～一六一四年）は、異常な血液愛好者だったとして知られている。

引用・参考文献

Barber, Paul, *Vampires, Burial, and Death: Folklore and Reality*, Yale UP, 1988.（バーバー、ポール『ヴァンパイアと屍体――死と埋葬のフォークロア』野村美紀子訳、工作舎、一九九一年）

Davis, Paul E.H., "The Nightmare Tales of J.S. Le Fanu," in Barbara Brodman & James E. Doan, eds., *The Supernatural Vampire: From Timeworn Legends to Twenty-First Century Chic*, Fairleigh Dickinson University Press, 2016, 35-49.

Fox, Renee, "Carmilla, and the Politics of Indistinguishability," in *J. Sheridan Le Fanu, Carmilla A Critical Edition*, ed. Kathleen Costello-Sullivan, Syracuse UP, 2013.

Gallagher, Sharon M., *The Irish Vampire From Folklore to the Imaginations of Charles Robert Maturin, Joseph Sheridan Le Fanu and Bram Stoker*, McFarland, 2017.

Gibson, Matthew, "Fanu's Carmilla and the Austro-Hungarian Ausgleich," in *Dracula and the Eastern Question: British and French Vampire Narratives of the Nineteenth-Century Near East*, Palgrave Macmillan, 2006.

Glassie, Henry, *Irish Folktales*, Pantheon Books, 1985.（グラッシー、ヘンリー編『アイルランドの民話』大澤正佳・大澤薫訳、青土社、一九九四年）

Hansen, Jim, *Terror and Irish Modernism: The Gothic Tradition from Burke to Beckett*, State Univ. of New York Press, 2009.

Harris, Jason Marc, *Folklore and the Fantastic in Nineteenth-Century British Fiction*, Routledge, 2008.

James, M.R., "An Introduction" to *Madam Crowl's Ghost & Other Stories*, Wordsworth Editions, 2008, p.v.

Killeen, Jarlath and Valeria Cavalli, eds., *Inspiring a Mysterious Terror 200 Years of Joseph Sheridan Le Fanu* (Reimagining Ireland Volume 76), Peter Lang, 2016.
McCormack, W.J., *Sheridan Le Fanu*, 3rd ed., Sutton Publishing, 1997.
Senf, Carol A., *The Vampire in Nineteenth Century English Literature*, Popular Press of Bowling Green State, 1988.
Tracy, Robert, "Loving You All Ways: Vamps, Vampires, Necrophiles, and Necrofilles in Nineteenth-Century Fiction," in Regina Barreca ed., *Sex and Death in Victorian Literature*, Indiana University Press, 1990, 32-59.

イェイツ、W・B『ケルト妖精物語』井村君江編訳、ちくま文庫、一九八六年
――『ケルトの薄明』井村君江訳、ちくま文庫、一九九三年
栗原成郎『スラヴ吸血鬼伝説考』河出書房新社、一九九一年
丹治愛『ドラキュラの世紀末――ヴィクトリア朝外国恐怖症の文化研究』東京大学出版会、一九九七年
平賀英一郎『吸血鬼伝承――「生ける死体」の民俗学』中央公論新社、二〇〇〇年
マリニー、ジャン『吸血鬼伝説』池上俊一監修、中村健一訳、創元社、一九九四年
森瀬繚・静川龍宗編著『図解 吸血鬼』新紀元社、二〇〇六年

コラムⅥ

異類婚の血脈

久保　陽子

長い人類史においては、人間と動物の交わりや異類婚的な儀式が実際に幅広く行なわれてきた。また、農作物や家畜を品種改良のために交配する実験も繰り返されてきた。より優秀な第二世代を作り出そうという試みではあるが、反面、遺伝子疾患をもった子を生み出してしまう場合も多い。

世界各地の神話や伝承においても、異類との不貞や婚姻の結果として「異形の子」が生まれるという展開が数多くある。ギリシア神話の半人半牛の怪物ミノタウロスは、牛を愛する呪いをかけられた母から生まれ、その凶暴さに手をやいたミノス王によって迷宮に閉じ込められた。日本神話のヒルコは、葦船に乗せて海に流されてしまった。

実際の婚姻でも、子を成さない場合や、死産・流産・障がいなどで、悩み苦しむ場合がある。異類婚と異形の子の物語は、そうした状況を受け止めきれず、「結婚相手が異類と不貞をした」、「結婚の相手が異類であった」などと責任転嫁や現実逃避をし、寓話のかたちで語り伝えることにしたのだという見方がある。アイルランドの「取り替え子」の伝説においても、自分の子をあるがままに愛することができない親が、自分の本当の子どもは妖精に連れ去られ入れ替えられたのだと説明する（あるいは自分で納得する）ために作られたのだという説もある。

しかし近年、科学の発展によって、我々人類そのものが、異類婚による交雑の果てに生まれた種であるということが明らかにされつつある。ホモサピエンスのＤＮＡにはネアンデルタール人の要素が約二パーセント含まれている。このことは我々の先祖がネアンデルタールと交雑関係にあったことを示している。また、人間の細胞内にあり母親由来で遺伝するミトコンドリアは、我々の祖先の原始的な生物が、別の生物（バクテリア）を細胞内に共生させて受け継いできたものである。異類婚と異形の子の物語は、遠い昔の架空話ではなく、異類婚の末裔である我々自身の物語でもあるのだ。

第7章　狼男ではない「狼男」との婚姻[1]

――異類が困難な時代

倉重　克明

はじめに――短編「月の病」について

イタリア人映画監督タヴィアーニ兄弟（兄ヴィットーリオ一九二九〜二〇一八年、弟パオロ一九三一年〜）の作品に『カオス・シチリア物語』がある。映画は五つの小話から成り、いずれもイタリア人作家ルイージ・ピランデッロ（一八六七〜一九三六年）の短編小説集『一年間の物語』（*Novelle per un anno*）からとられている。映画中のエピソードの一つ「月の病」（"Mal di luna"）は原作とは結末が異なり、狼男らしき主人公バタは妻シドーラの膝上に抱えられて、心温まる場面をもって物語は終わる。以下で見るとおり、原作の「月の病」（"Mal di luna"）では、このような心安らぐ結末ではなく、登場人物たち個々の内面的相違が際立つかたちで終わっている。

本論では、ピランデッロ著「月の病」を以下のとおり考察する。主人公バタが狼男らしき記述を施されていることから、第一に西洋における狼男に関して基本事項を確認する。さらに「月の病」のテクストの一部を取りあげてバタが狼男だと読者に受け取られる描写部分を確認した後、ピランデッロと時代的に近接するシチリア出身作家二人の作品に触れながら、シチリアという場においてピランデッロの「狼男」が何を意味するのか、次にピランデッロ自身の文学観からこの短編が意味するところを確認する。もはや人間と異類との婚姻譚がリアリティをもたない現代において、異類婚姻譚をどのようなかたちで文学作品として創作しうるのか、ピランデッロという作家をとおしてその可能性の一端についての考察を行なうことが本論の目的である。

以下では、この短編のあらすじをまとめたあと、出版の経緯に触れる。

あらすじ

母親に推された男バタと気が進まぬまま結婚をした娘シドーラは、人里離れたバタの「あばら家」でともに暮らし始めて二十日後、夫バタから、今夜は家に閉じこもり何があっても戸を開けるなと言われる。戸外にうずくまっていたバタはその満月の夜に獣のようなうなり声をあげ、戸を叩くなど我を忘れて凶暴になり、怖くなったシドーラは翌日実家に逃げ帰る。母親は次の満月にはシドーラの従兄サーロを連れていくので大丈夫だと娘を諭す。翌月の満月の晩に、母親とシドーラ、その従兄サーロの三人は家に入ってしっかりと戸締りをし、母親は怖いからと物置に閉じこもるが、シドーラは前々から好意を抱いていたサーロを寝床へと誘う。戸外のバタの狂気と、この状況の中で自分を誘おうとするシドーラの狂気の双方に恐れをなし、次いで怒りに駆られたサーロは物置からシドーラの母親を引きずり出してシドーラと並べてベッドに座らせ、ふと小窓に目を向けると満月が見える。

1　「月の病」出版の経緯について

ピランデッロは一八九四年の第一短編小説集『愛なき恋愛』(*Amori senza amore*) 以降に計十四の短編集を出版し、生涯にわたり精力的に短編小説を執筆し続けた。そして、一九二二年以降ピランデッロは、一日一篇を読んで一年掛かる短編集を編むことを計画し、『一年間の物語』の出版を開始した。その編集と執筆は生涯継続し、彼の死後は、所収とならなかった短編が「補遺」として一九三七年に出版された。

「月の病」は一九一三年に新聞『コッリエーレ・デッラ・セーラ』(*Corriere della Sera*) 紙上に発表されたのち、一九二五年に『一年間の物語』第八巻にあたる『鼻から空へ』(*Dal naso al cielo*) に所収された。

2　ヨーロッパ・イタリアにおける異類婚姻譚について

【図１】シチリアの内陸風景

動物との婚姻譚の例

洋の東西を問わず人間と動物との異類婚姻譚の例は数多く見られるが、とくに代表的なものとしては、本書でも論じられている蛇女との婚姻を扱う「メリュジーヌ」、フランスをはじめヨーロッパ各地に分布する熊と人間の母親の間に生まれたジャンが王女と結婚する民話「熊のジャン」が挙げられよう。近現代では、脱走した兵士が女豹と洞窟で数日を過ごすオノレ・ド・バルザック（一七九九～一八五〇年）の『砂漠の情熱』（*Une passion dans le désert*, 1830）も一種の異類婚を形成するであろうし、またイタリアでは雌ヒヒ（邦訳では「猿」）との婚姻を描くジョヴァンニ・アルピーノ（一九二七～八七年）著「猿の女房」（“La babbuina,” 1967）などがある。[2]

イタリア文学における異類婚姻譚の例

次にイタリアにおける異類婚姻譚のごく一部に目を向ければ、ルネサンス期におけるマキァヴェッリ（一四六九～一五二七年）『ベルファゴール』（*Belfagor arcidiavolo*, c1527）がまず挙げられよう。冥界の神プルトンが地上での婚姻生活が地獄よりも酷いのかを確かめるために、悪魔のベルファゴールを人間の女性オネスタと結婚させるという短編小説である。同じくルネサンス期における、羊飼いアミンタの妖精シルヴィアへの恋の成就を物語る牧歌劇トルクァート・タッソ（一五四四～九五年）著『アミンタ』（*Aminta*, 1573 初演）もイタリア文学を代表する作品である。

また、イタロ・カルヴィーノ（一九二三～八五年）がイタリア各地の民話を蒐集した『イタリア民話集』（*Fiabe italiane*,

1956）に所収されている、地獄へ堕ちる人間が皆そろって女のせいだというので騎士に変身して人間の女と結婚してそれを確かめる「ツォッポ悪魔」（“Diavolozoppo”）は、前述の『ベルファゴール』に連なる一例である。同民話集には他に、不貞をはたらいたために船乗りの夫によって海に捨てられ人魚になった妻が夫の命を助け、感謝した夫の尽力によって再び人間に戻る「人魚の花嫁」（“La sposa sirena”）という異類婚姻譚の異型も見られる。また、婚姻こそしないが、これも異類婚姻譚の異型といえるジュゼッペ・トマージ・ディ・ランペドゥーザの中編「セイレーン」は、人間の若者と人魚セイレーンの邂逅と愛の日々を描く、イタリアらしいギリシア神話を題材とする作品である。

以上のとおり、ヨーロッパそしてイタリアでは、動物や神話上の神などの、人間とは異なるものたちが文学的に重要な存在として機能していることがわかる。その一部が人間との婚姻関係をとおして、異類婚姻譚のジャンルを構成しているのである。つまり、本論で扱う「月の病」の「狼男」が動物を起源とする異類であり、この作品が扱う婚姻が動物との異類婚、あるいは非現実的存在との異類婚だとしても、ヨーロッパやイタリアにおいてそれほど特異なモチーフを扱っているわけではないことがわかる。しかし、本作品においては、主人公バタが満月の夜に「狼男」になる際に、その外見的描写は見られない。つまり、彼の容姿がその夜にいかなるものであるかは、読者が各自想像するしかないのである。月というモチーフや地の文に巧みに置かれた「狼」という語によって、「月の病」を読む者はいや応なく狼男をバタに重ね合わせることとなる。次節では、ピランデッロが作品内で示唆した狼男が、あるいは狼が西洋において、そしてイタリアにおいて、いかなる意味をもつのかに目を向けたい。

3　西洋における狼と狼男

ここでは、第一に古代ギリシア・ローマ時代における狼男と狼に関する記述より、ヨーロッパにおける狼男の起源に目を向けたい。なお、精神的均衡を乱して錯乱を起こした人間（いわゆる狼憑き）、あるいは外見が狼になった人間に対して、日本語では「人狼」、「狼男」など複数の語があてられ、これらの語を区別する場合もあるが、本論ではこれらの語を厳密に定義することが、本来の目的である短編小説「月の病」の意義を異類婚姻譚という観点から考察することには必ずしもつながらないため、「狼男」の語に統一する。

古代世界における狼男の系譜

古代世界においてもっとも著名な狼男は、ギリシア神話のリュカオンであろう。このリュカオンについては、オウィディウス（前四三～後十七年頃）が次のように述べている。

ある晩ユピテル［ギリシア神話のゼウス］はリュカイオン山を超え、アルカディア王リュカオンの屋敷へ赴き、そこにいる者たちに神の来臨を告げると、人びとは祈りを捧げ始めるが、リュカオンは来客が神であるとは信じないで嘲笑する。リュカオンはモロッシア［ギリシア北東部］からの人質を茹でて、あるいは焼いて食事に供した。そこでユピテルは雷電を放ち、罰を与える。リュカオンは逃げ出して田園へたどり着くと、言葉は話せず、吠えるのみで、姿は毛に覆われ、凶暴な狼に姿を変えて、羊を襲った。しかし、灰色の髪、凶暴な顔つきと目の光は、元々の人間の様相のままであった。(3)（オウィディウス『変身物語』（上）二一～二二頁。［ ］は筆者による補足。）

つまり、リュカオンは狼の姿に変えられてはいるが、人間の痕跡を残したままである。ここでリュカオンは狼が憑いて凶暴になりはしたが、必ずしも狼自体に変わってしまうのではなく、顔や目には人間リュカオンの「様相」が見てとれるとある。

オウィディウスの一世代後のペトロニウス（二七年頃～六六年）は『サテュリコン』において、同じく狼に変わった人間の話を描いている。作品内で登場人物ニケロスは、かつて奴隷として働いた店の客との出来事を披露する。兵士であるその客はニケロスとともに墓場を通った際、突然服を脱いで小便を自分の服にかけると狼に化けて森の中へ走り去り、その後家畜を襲ったが、その際その家畜を飼う家の者に首を槍で刺されて傷を負って逃げた。翌日その狼は人間に戻ったが、首に受けた傷の手当てを受けていた、というものである（ペトロニウス『サテュリコン』一〇七〜一一〇頁）。いずれにせよ、紀元前後にはすでに人間が狼に変身することは、その理由はどうあれ、ローマ世界に流布していたと考えるべきであろう。しかし注意すべきは、以上の例が凶暴な存在としての狼男を示していることである。それは、動物としての狼が人間や家畜にとって脅威であったことを考えれば当然である。

しかし古代ローマにおいて、狼には、より正確にいえば「雌狼」にはまた別の意味が付されていた。それは、ローマ建国の祖ロムルスとレムスを、夫の羊飼いファウストゥルスとともに育てた妻アッカ・ラレンティアに残る逸話である。彼女は元娼婦であったため、ローマ人が彼女に対して用いたあだ名が「雌狼」（lupa）であった。

同時に、かつてイタリアの地にあった古代ローマの起源を伝承から考えるとき、狼にはまた別の意義が付与される。それはローマに都を築いたロムルスと、その弟レムスを育てたのが雌狼だったという建国神話が伝承されているからである。また、それを記念して、かつてローマでは毎年二月に雌狼が二人を育てたとされる洞窟のあるパラティヌスの丘の麓でルペルカリア祭が催され、豊穣が祈念された(4)。

以上のとおり、のちのイタリアと文化的に深く結びついた古代ギリシア・ローマにおいて、すでに狼男が文学的な表象として存在しており、その起源たる狼は、豊穣とともに残虐性および淫欲を表していたことがわかる。

中世以降の狼および狼男

ここでは、狼男の凶暴さや残虐性の原因ともなっている、人間にとっての脅威の存在としての狼という観点から考察を進める。かつて狩猟時代には、狩りのフィールドが人間と重なる狼は、また、遊牧民にとって羊や山羊などを襲う狼は、人間にとって生命と生活の糧を脅かす動物であった。人間の定住後は、狼が棲む森の中や、森と居住地の境界で、人間や家畜の被害が見られた。人と狼のこの関係は、すなわち都市と森の関係ともいえる。人間の文明そのものである都市に脅威をもたらす狼は、残虐性、凶暴さの象徴であった。

しかし、同時に狼は人間にとって力強さの象徴ともなった。北欧におけるベルセルク（またはベルセルキール）がその代表といえる。神話では、戦の神オーディンを取り巻く者たちは、戦闘時に熊や狼に変身するとされたが、現実のゲルマン世界においては、熊や狼の毛皮をまとった尋常ならざる戦闘能力をもった戦士がベルセルクと呼ばれていた。

一般的には、前記の理由により人間の敵であった狼は、キリスト教が広まるにつれて悪魔と同一視されていった。そして、主に十六世紀の対抗宗教改革以降の時代における異端審問の先鋭化に伴う魔女裁判と並行するかたちで、狼男と見なされる人物が裁判にかけられた。その根底には宗教的危機により社会が不安定化した（とカトリック教会には映った）からであり、その状況の下で共同体内での攻撃性、凶暴さを露わにしたり、精神的異常を発症した者、また、人肉を食すと見なされた者は、悪魔に取り憑かれたと断ぜられた。

そしてこのような、人間が狼の姿に変わり悪魔となるという考えが行きついたのが、「満月のときに、ベッドからはね起き、窓から外へ飛びだして、泉にとびこみ、反対から出ると狼になっている」（篠田『人狼変身譚』三七五頁の註（27））という迷信や、満月の夜に戸外で眠ると発狂して狼に変身するという迷信である。

こうして、古代からの人間と狼の関係に、キリスト教的な悪魔の観点が加わり、さらに民間の迷信が加味されて出来上がったのが、満月の夜に変身し凶暴になる狼男である。

4　「月の病」より——主人公バタは狼男か

バタとシドーラ夫婦は人里離れたところに住み、初めての満月の夜を迎える。すでに述べたとおり、ピランデッロ著「月の病」では、満月の夜にバタが外見上狼男になることは明示されていない。しかしながら、それを読む者は、バタが狼男に極めて近いものになると想像する。第一には、満月の夜にバタが次のとおり「変身」するからである。

物語は、「バタは麦打ち場の中央にある積み藁のうえに屈み込んでいた」場面から始まり、時間を遡ってバタとシドーラの結婚の経緯が語られた後、冒頭の尋常ではない様子のバタの場面に戻る。バタは、「立ち上がったとたん、まるでめまいにでも襲われたように軀をよじった。自由を奪われた両脚が曲がる。バタは両腕を空に突き上げ、やっとの思いで立ち上がる。喉の奥からは怒りに近いうめき声が洩」れる。そして、唾が口に溢れて話すことのできないバタは、「喉の奥からしゃくり上がってくるおぞましい嗚咽を抑えきることはでき」ず、血の気を失った顔色で、身振りでシドーラに近寄らないように警告する（四八頁）。そして、バタはやっとのことで絞り出した声で言う。

> 「月だ！」
> 事実、恐怖に襲われ「あばら屋」に走って戻ろうとするシドーラの目に、満月が垣間見えた。炎のように青く燃え上がったその巨大な月は、青白く光るクロッカ山［アグリジェント近郊の小高い丘］から顔を覗かせたところだった。［中略］その後まもなくして、外で身をよじっていた夫は、戸口前までやってきて、月から送られてくる恐ろしい病に取り憑かれたまま、獣のような長い遠吠えを発し、鉤爪でも研ぐように戸口を引っ掻いた。疲れた野獣が怒りを爆発させるときのように鼻息を荒げ、その戸口を引き剥がしてめちゃくちゃに破壊せんばかりの勢いで、今度は、まるで軀の中に犬でも棲んでいるようにいくども遠吠えをしたかと思うと、また振り出しに戻って引っ掻いたり、鼻息を荒げたり、遠吠えをしたり、戸口に頭突きや膝蹴りを喰らわしたりしている。
> バタはそこにいた。うつ伏せで顔はよだれにまみれ、軀は黒くむくれあがって、両腕は開かれている。横たわる姿はまるで死んだ獣のようだった。犬が前足を伸ばしたまま傍らに座り、月の下で主人を守っている。（四九～五一頁、傍点は筆者による）

この一節は、満月の夜に「獣のよう」になることを印象づける箇所であり、狼という語はまだ用いられていないが、「満月」の存在、およびそれに感化された狂暴さから、「狼男」への変化は容易に想像しうるといえる。(5) 一方、そのような凶暴さとは正反対の、バタの変化前の妻シドーラに対する気遣いは、その後の「狼男」的描写とは対照をなすことにも留意したい。

夫バタの異様な変化に恐怖を抱いたシドーラは町にいる母のもとへ逃げ帰り、その様子に驚いた母親が叫び声をあげたため、近所の女性たちが集まってくる。そして事の経緯をシドーラから聞くと、「この訳のわからない病気」に対しての恐怖から、近所の「迷信深い女たち」がかつて言っていたことを思い出して、母親は次のように言う。

> ああ、かわいそうに、この娘！ ここの女たちも言っていたではないか。あれは「まとも」な男じゃない、なにか重大な欠陥を隠しているにちがいない、だれも自分の可愛い娘をあんな男にやるつもりはないって。吠えてたって？ 狼みたいな遠吠えをしてたって？ 戸口を引っ掻いてたって？ イエス様、なんて恐ろしいことを！ かわいそうに、この娘、よくも死なずにすんだものだ。（五二頁、傍点は筆者による）

シドーラの母親が口にしたこの台詞は、近所の女性たちの迷信深さや今回の事態への恐怖心を考慮すると彼女一人の台詞ではなく、シチリアの田舎町という閉じた共同体にあっては、少なくともこの場にいる女性たち全員に共有されているといえる。それゆえ、バタの遠吠えが「狼みたい = come un lupo」（“Male di luna”［以下 ML］491）であると「狼」の直喩で形容したことは、満月とバタの凶暴性からバタの状態が狼男に等しい「訳の分からない病気」であるとの認識に由来する。

さらに、この物語の終盤では、シドーラが母親と従兄サーロと家にこもって満月の夜を迎えるが、その際に恐怖に駆られる母親は、次のように言う。

「あんたは男だ」と母親はサーロに言うと、娘にはこう言った。「そして、おまえはもう事情を知ってる。でもあたしゃ年寄りで、あんたらよりずっと怖がりだ。だからここに隠れてひとりで静かにじっとしてるからね。ここにしっかり隠れてるから。あいつが外で狼になっても」（五六頁、傍点は筆者による）

ここで注意を向けるべきは、最後の譲歩節「あいつが外で狼になっても＝lui faccia pure il lupo fuori」（ML494）であり、ここでは比喩表現ではなく明確に「狼」となっている。このように、バタが狼男に変身すると明示されてはいないが、作品内に配された「狼」という語や、満月への言及とバタの様子から、本作品で示唆されているのはやはり「狼男」であると考えてよいであろう。つまり、満月との関係や狂気や凶暴性という古来の狼男のイメージを利用して創作されたのが、この「月の病」である。

同時に、この作品の描写には、次に触れる一世代前の作家ジョヴァンニ・ヴェルガらが実践した「ヴェリズモ」（フランス自然主義に影響を受けたイタリアの文学潮流）的描写、すなわち写実的描写も見られる。両者に共通するのは、田舎暮らしの貧しい人物の生をシチリアの自然を基盤として描写している点である。加えて、「月の病」は「狼男」をほのめかす言説によって、幻想小説的要素ももちあわせているといえよう。しかし、本作品が内容的には怪奇小説やホラー小説ではないことを考慮すると、作中で言及される「狼」、ひいてはそこから示唆される「狼男」が、この短編小説にとってどのような意義を有するのかを分析する必要がある。

5　二人のシチリア人作家との比較

ここでは、ピランデッロと同じシチリア出身の二人の作家、ジョヴァンニ・ヴェルガ（一八四〇〜一九二二年）とジュゼッペ・トマージ・ディ・ランペドゥーザ（一八九六〜一九五七年）に目を向けて、「月の病」を考察する。最初に、ヴェルガの短編小説とともに二人の作家の文学における人間と動物の関係という視点から、次にランペドゥーザの中編小説とともに、シチリアがその多くの舞台となっているギリシア神話をとおした異類とシチリアとの関係という視点から考える。

ヴェルガ「ルーパ」（"La lupa," 1880）を題材に

この短編小説は、シチリア内陸の小村を舞台に、「ルーパ」（雌狼）と呼ばれる女が、娘マリッキアを自分の気に入った男ナンニと結婚させて同居し、事あるごとにナンニを誘惑するという話である。

作品冒頭では、なぜその女がルーパと呼ばれるかの説明がなされている。それによると「ルーパ」と呼ばれるのは、「野良犬みたいに独りきりで、飢えた雌狼のあの疑わしい目つきで彼女が通り過ぎ」、「まばたきする間に、あの赤い唇で、女たちの息子を、夫を、彼女は骨抜きにした」（六五頁）からである。あるときルーパは若者ナンニを気に入るが、ナンニはルーパの娘マリッキアを嫁にくれという。そこでルーパは娘に、「あの男を貰わねば、おまえを殺すからね！」（六八頁）と言って結婚を強制し、娘夫婦とともに住む。当初はルーパの誘惑を拒絶していたナンニだが、とうとう麦打ち場で彼女の誘いにのってしまう。娘マリッキアは母親の行状を知って嫉妬に駆られ、「彼女もまた一匹の雌狼となって」（七〇頁）母親を罵倒するが、母親はいっこうにその行ないを改めない。罪の意識に苛まれるナンニは、とうとう斧に手を伸ばしてルーパと対峙する。

ここで描かれる「雌狼＝ルーパ」は、アッカ・ラレンティアに付されたあだ名「ルーパ」と同じ淫蕩の意味で用いられている。ヴェルガは、古来の表現を利用しながら、このように自己の情欲を抑制できない人間を動物すなわち「ルーパ」と名づけたと考えられる。

この作品に限らず、ヴェルガの小説には動物をモチーフとする表現が多用されている。たとえば、シチリアで用いら

れる建築資材の赤砂の採掘場を舞台とする「赤毛のマルペーロ」（"Rosso Malpelo," 1880）では、主人公マルペーロは、半ば優しさから、半ばは見下して、同じく少年鉱夫の「ラノッキオ（＝カエル）」に厳しく当たる。ラノッキオはこの仕事で太ももに怪我をしたうえ体も弱く、坑道の蝙蝠の犠牲にでもなりそうなことからこのあだ名がつけられていた。過酷な労働に耐えられずに、ついに吐血するようになったラノッキオを見てマルペーロは、あまりの積み荷につぶれて死んでしまった驢馬と、殴られながら過酷な仕事に耐える自分たちは同じだと考える。そして、いっそ命を落とした方がましだと、ラノッキオに対して優しさの裏返しの罵声を浴びせる。

ピランデッロも、動物のように暮らす、あるいは文字どおり家畜としての動物に囲まれて暮らすシチリアの貧困層を描いている。ヴェルガ同様に、ピランデッロは「月の病」において人間と動物の関係を描いた。バタとシドーラは「馬小屋と住居が一緒くたになった『あばら家』」（四七頁）に住んでおり、そこでは比喩としてではなく人間と動物がまさに同居している。ピランデッロの短編「鍬をもって！」（"Alla zappa!," 1902）では、貧しい農家の家屋内壁の一面が家禽のための餌場であり、「そこでは驢馬が我慢強く自分の藁をすりつぶしていた」（*Novelle per un anno*, vol.II: 185）が、もう一方の側にはベッドが据えつけられ、兄弟三人がそこで眠るのである。

この両作家が動物を表現するとき、他の作家たちと同様に、人間あるいはその獣性が動物に等しいことを表現しようとするのであるが、他と決定的に異なっている点はこの二人の作家が描く貧困に生きる人間は「動物のよう」なのではなく、「動物そのもの」だということである。そこには、自然界での生存競争に等しい、人間社会の底辺での厳しい生の条件に追い詰められた人間の姿が見られる。そして、この動物を用いた表現は悲惨さを表すためだけではなく、「赤毛のマルペーロ」に逆説的なかたちで見られたように、思いやりや同情という、極めて人間的な言動を浮かび上がらせる契機ともなる。

「月の病」は、貧しい生活を送るシチリア人をその生活の場から写実的に描く点でヴェリズモの作品に近いともいえる。しかし、満月の夜に凶暴性を露わにする「狼男」バタは、ヴェルガの短編小説における、情欲に支配されるだけの「ルーパ（雌狼）」や、周りに食い潰されるだけの「ラノッキオ（カエル）」のような、動物そのものの生を送るわけではない。この相違にはまた後に触れたい。

ランペドゥーザ「セイレーン」（"La sirena," 1961）を題材に

この中編ともいえる物語は、一九三八年のトリノを舞台とする。現在はトリノに住むシチリア出身の新聞記者コルベーラ・ディ・サリーナは、同じくシチリア出身の大学老教授かつ上院議員のロザリオ・ラ・チェーラと知りあう。老教授は乗船のためジェノヴァへ向かう前にコルベーラを自宅に招き、五十年前に経験した故郷シチリアの夏の海での出来事を話す。古代ギリシア文学の教授職をめざして勉学に集中すべく友人から借り受けた海沿いの別荘前の海上で、若きラ・チェーラは、自らを「リゲーア、カリオペの娘」と名乗るセイレーンと出会う（四二〇頁）。この人魚は「生きたものしか食べなかった。ぴくぴく体をふるわせている銀色の魚を歯にくわえ、しなやかな上半身を太陽の光に輝かせて海面から現れる姿をよく見かけた」（四二二頁）。こうして、ラ・チェーラと人魚リゲーアとの愛の日々は二十日間ほど続いた。この幻想的な話をした翌日に老教授ラ・チェーラはジェノヴァからナポリへと向かう船に乗るが、「航海中のレックス号の甲板から海に落ち、ただちに救命ボートが下ろされたが、そのまま行方知れず」（四二五頁）、という連絡を新聞記者コルベーラは受け取る。

この物語の基底には、神話が生きている場としてのシチリアがある。それは、遠い非現実ではなく、シチリアで現に生きる者たちの中に残っている神話である。シチリアに行けば、今現在も古代ギリシアとつながることができる。シラクーサには、丘の上にギリシア劇場が残り、その海沿いのオルティージャ島にはアルペイオスから逃げるためギリシアからたどり着いたニンフ、アレトゥーサの泉がある。シチリア島の北側には風の神アイオロスのエオリア諸島があり、東沿岸にはスキュラ、カリュブディス、キュクロプスといった怪物が住んでいる。最後のキュクロプスは一つ目の巨人族で、その一人ポリュペモスは（本書で論じられている）恋敵エイシスにも、イタケへと帰還途中のオデュッセウスにも（ホ

メロス『オデュッセイア』(上)二二七〜四四頁)、巨岩を投げつける。ピランデッロが生まれたカオスという地区はアグリジェントに属しており、周知のごとくその街には古代ギリシア遺跡が残っている。また、複数の伝承の舞台となったエトナ山など、この島は他にも多くの神話の登場人物や舞台に関わっている。

若きラ・チェーラは、セイレーンとの出会いをとおして、神話の世界、永遠の世界に接した。彼にとって、その後の人生は、つまり人間としての生は退屈なものにすぎなかったといえる。誰にも話せなかった自分の経験を、同じシチリア人のコルベーラに話し、人生の最後にラ・チェーラ教授はセイレーンの住む、永遠の時が流れる海の中へと、神話の世界へと、消えていったと考えられる。

【図2】タオルミーナの古代ギリシア劇場

シチリアの大貴族の血筋に属するランペドゥーザは、時の流れとともに自分たちの一族が潰えることを予想したがゆえに、永遠なるものとして、一族の記憶を長編小説『山猫』(*Il Gattopardo*, 1958)では自叙伝的に、そしてこの「セイレーン」では寓意的に残そうとした。それはラ・チェーラが「あの偉大な夏の三週間はまるで一夜のようにあっという間に過ぎ去った。だがそれが終わったとき、私は実際には何世紀も生きてしまったことに気づいた」(四二四頁)と口にすることからもわかる。それは、「獣であるには違いなかったが、同時に《不死なる神》」(四二二頁)であり、「あの淫らな小娘、あの残酷な野獣はそこにいるだけで信仰を根こそぎにし、形而上学を吹き飛ばしてしまう《叡智の母》」(四二四頁)でもあるリゲーア、神話上のニンフとの邂逅をとおして永遠の存在、永遠の観念を認識したからである。

他方ピランデッロには、アグリジェントに生まれ育ちながらも、神話を題材とした作品は少ない。しかし、ザングリッリは演劇『リオラ』(*Liolà*, 1916)で

【図３】シラクーサのアルトゥーサの泉。奥の遊歩道の向こうは海だが泉は淡水。

の収穫期の田園的祝祭的雰囲気の中に、神話的な、バッカス的な要素を見出している[6]（Zangrilli, *Il bestiario di Pirandello*, 28-30）。また、神話劇をモチーフの一つとした晩年の演劇作品『山の巨人たち』（*I giganti della montagna* 未完）も挙げられよう。

シチリアが、神や神話上の存在、空想上の生物、動物そして人間が共存する土地であることはこのように明らかだが、ランペドゥーザは長編『山猫』や中編「セイレーン」では比較的神話寄りの選択をし、ピランデッロやヴェルガは動物寄りの選択をしているとわかる。これは単純に、扱う登場人物の社会階層によるものだと考えられる。しかし、この三人のシチリア人作家のうちヴェルガは、長編『マラヴォリヤ家の人びと』（*I Malavoglia*, 1881）でシチリアの貧しい漁村の一家の過酷な運命を題材にしたが、彼らのような貧しい村人の困窮が歴史的に反復され永遠に変わらぬ状況であるかのように、あたかも神話を物語るのに似た叙事詩的文体をこの作品で築いた。加えて、この長編小説の舞台アチ・トレッツァ村周辺は、先に触れたポリュペモスがオデュッセウスやエイシスに巨岩を投げつけた神話の舞台である。散文でありながら叙事詩であるようなヴェルガの文学的世界は次世代に受け継がれ、ランペドゥーザの『山猫』や、先に触れたピランデッロの演劇『リオラ』『山の巨人たち』にも神話的世界が通底して見られる。ここまでの議論を踏まえれば、この三人の作家にとってのシチリアはギリシア神話や民話、迷信の中に見られるような実在・非実在のあらゆる生物が、観念的には、そして文学的には生きうる土地として定義できるであろう。

6 「月の病」における「狼男」の意味

以下では、結論として「月の病」における疑似的「狼男」がいかなる意味をもつのかを考察する。

異類「以下」である人間の本性の一端

先の節「4「月の病」より」で考察したとおり、バタは満月の夜に凶暴になる以外は、妻シドーラを思いやる夫である。そして、シドーラが結婚しながらも従兄を誘惑する女性であることを考えると、人間の本性の一端（満月の夜の凶暴性）の反映が「狼男」であるならば、「月の病」には、その狼男にあたるバタをとおして、シドーラという人間の負の本性を浮かび上がらせるという転倒が、ピランデッロの諧謔《ウモリズモ》[7]的精神の表れとして見出される。つまり、バタに「狼」あるいは「狼男」という異類的属性を付したのは、バタ自身の残忍性ではなく、彼の人間性から、妻の非人間性を浮かび上がらせるためであるともいえる。

シドーラの実際の描写に目を向ければ、家にこもり、狂えるバタにおびえる彼女は「ああ、この人を殺すことができたら！」と言い、「そのとき、正面壁の高いところに開いている格子窓からふたたび月が見えた。〔中略〕この光景を見ると、まるで月の病にとつぜん襲われ感染したかのように、シドーラは大きな叫び声をあげると意識を失ってあおむけに倒れ」（五〇頁）てしまい、あたかも満月に呪われたのがシドーラであるかのように描かれる。つまりこの一節は、「狼男（狼女）」がバタではなくシドーラであるということを示唆している。その後シドーラが母のもとへと逃げ帰る際に、「マントを小脇に抱えたまま慎重に抜き足差し足で畑をとおりぬけて、月明かりを全身に浴びながら、まだ明けきらない夜を町へと逃げた」（五一頁、傍点は筆者による）とある箇所からもそれがうかがえる。原文では「抜き足差し足で」は a passi di lupo（ML490）と書かれ、これは文字どおりには「狼の歩みで」ということである。

そして、説得されてシドーラがバタと住む家に戻った後、次の満月の夜に母親と従兄サーロがやってくると、この二人と家にこもったシドーラが「平気よと言わんばかりに快活な受け答えをし、笑いながらサーロに挑発的な眼差しを送っている」し、さらには「笑いながらベッドに腰掛け、腕組みして片足を揺すりながらおれを呼びやがる」ことに我慢できなくなったサーロは、隠れていた母親にシドーラが狂っていると怒鳴り、戸口へと後ずさりする。すると彼は、「正面の壁の高いところに穿たれた小窓の格子から見える月に気づいた。月は、壁の向こう側で夫に病を与え、壁のこちら側で、復讐に失敗した妻を満足げに、そして意地悪そうに嘲笑しているように見えた」（五六～五七頁）と思うのである。ここから、ザングリッリも同様の指摘をしているとおり（Zangrilli, 40-41）、シドーラという娘の方が原初的な獣性を有しているということがわかる。

「異類」バタの婚姻を描く意味

ピランデッロは本作品において、異形の者が存在しうる「文学的場」としてのシチリアを舞台としつつも、「狼男」を異形の者として描いたのではない。また、ヴェルガが描くような貧困から抜け出せない、獣に等しく見える人間を「狼男」として描いたのでもない。

狼男がもはや存在しえない二〇世紀という時代に、明確に非現実的要素を盛り込めない類の文学においては、狼男そのものを物語内に登場させることは滑稽そのものである。それゆえピランデッロは、異類が文化的基層に、かつ生活する環境に根づき、異類と人間が歴史、文化、概念的に極めて近く存在しうるシチリア島を、この短編小説の舞台として意図的に選択したと考えられる。

ピランデッロは幼少時に、家政婦マリア・ステッラから迷信なども含めてシチリアに伝わる様々な民話や伝説を聞いている（Seddio, *Le donne di Pirandello*, 49-51. Guglielminetti e Ioli, *Luigi Pirandello*, 1183-1184）。そして、彼の故郷アグリジェント近隣の村カンポベッロ・ディ・リカータで口承文学を蒐集するインフーゾは、興味深い民話をその著書に収めている。それらの民話の一つが「月の病」（“Lu mali di la luna”）である。村の文化や言語を伝えようとして、老婆が孫たちにシチリア語でこの話を聞かせる（そのためシチリア語のタイトルが付されている）。この民話「月の病」で描かれる狼男はかつてこの村で生活し、普段は畑仕事をこなしながら、ときに家具の修理も請け負っていたのだが、満月の夜には凶暴になるというものである。彼は満月の夜間近には、家族や近隣の住人に自分が凶暴になっても決して戸を開けずに屋内に閉じこもるように警告する。この男の姿は、ピランデッロの描くバタと酷似しているといえる。老婆は孫たちに、この病にかかるのは満月の夜に生まれた者や、洗礼がしっかりと行なわれなかった者、洗礼の際に十字架のしるしを額に受けなかった者であると語る。この非現実的な現象について老婆は、「何が本当かなんて誰にわかるだろうか。多分科学者たちがいつか本当の原因を見つけることになるだろう。あるいは、狼男は実際には存在したことなどないのだから、本当の原因などない。だけど、存在しなかったかどうか、誰が明言できるだろう」（Infuso, *Lu mali di la luna*, 116）と孫たちに語りかける。

シチリアは、ピランデッロの短編小説「月の病」の「狼男」が存在するかもしれない舞台でありうる。同時に、本作品内のシチリアの片田舎は、動物との同居が当然であるようなリアリスティックな生活の舞台でもある。このように、異類など存在しない現実的な場と、異類が存在してもおかしくない場との境界として、つまりは文学的装置の場として、ピランデッロは「月の病」の物語舞台を築いている。こうしてピランデッロは、現代における異類婚姻譚の可能性の一つを図らずも示しているのである。

他方、人間と異類という観点から見れば、読者には、「人間」シドーラが理性的抑制のきかない非人間的な存在として映る。他方バタは、「狼男」として凶暴な一夜以外は、優しく気弱な「人間」的人物として描かれている。ピランデッロは、人間の姿をしながら愛欲を抑えられないシドーラを鏡として、「狼男」バタをより人間的な存在として映し出している。

「狼男」という異類との婚姻が描かれた物語「月の病」のこのような転倒には、人が「人間として」生きる難しさが込められている。その困難を描く物語の中に、通常の人間とは異類または同類であるという表層の裏側に、人間の本性と生の真実の姿を見出す作者ピランデッロの意思が見てとれるのである。ここに、人間という存在に辛辣な眼差しと愛情を同時に向けるピランデッロ的諧謔精神《ウモリズモ》がある。「月の病」を異類婚姻譚として読むときには、「通常」だと私たちが信じこむ基準から外れるように見える者を、容易に観察可能な特徴から異質なもの＝「異類」として疎外する危うさを読み取るべきであり、現代においてそれは、多様性を標榜する私たちにとっての警鐘となるはずである。

＊＊＊

註

（1）本論では、伝統的な意味での狼男はカッコなしで、ピランデッロによって文学的な意義を付された狼男はカッコつきの「狼男」と便宜的に表記する。

（2）長野氏は「メリュジーヌ」を含むヨーロッパの「蛇女」の系譜に属するイタリアに伝わる複数の「蛇女」の話を他地域の伝承との共通点と相違点をとおして論じている。その他の例については、民話・伝承における動物との婚姻譚を日本の昔話を中心に比較考証及び分類した小澤俊夫『昔話のコスモロジー』のとくに一八三～二〇五頁も参照されたい。

（3）しかし、オウィディウスと同時代あるいは近接する一、二世紀に『ビブリオテーケー』すなわち『ギリシア神話』を記したアポロドーロスによれば、アルカディア王であるリュカオンは「多くの女から五十人の息子を得」た。しかし、高慢で不敬な王と息子たちをゼウスが試そうとその城を訪れた際、少年一人の臓腑を食事として供されたことに気づいたゼウスは怒り、彼らを雷で撃ったとあるのみである。（アポロドーロス『ギリシア神話』一四四～一四五頁）

加えて、狼男に関しては、古代ギリシアのヘロドトスが『歴史』第四巻一〇五節で、ネウロイ人が魔法を使う人種であり、年に一度狼に変身し、再び姿を人間に戻すと語っている。（ヘロドトス『歴史』（中）六二一～六二三頁）

（4）ローマ建国神話における雌狼は以下のように登場する。建国の祖ロムルスとレムスは、祖父ヌミトルから王権を奪いとったアムリウスによって、籠に入れられてテヴェレ川に流される。籠は川を遡上し、パラティウムの丘の麓にたどり着く。彼らを雌狼が救って乳を与え、その後、羊飼いのファウストゥルスが兄弟を連れて帰り、彼とその妻アッカ・ラレンティアによって育てられた、とされている。（ラガッシュ『オオカミと神話・伝承』九～十三頁。『プルタルコス英雄伝』（中）二〇二～二〇六頁）アッカ・ラレンティアのあだ名「ルーパ」に関しては、『プルタルコス英雄伝』（中）二〇四頁、および、ラガッシュ『オオカミと神話・伝承』十三頁を参照のこと。ただし、前者ではファウストゥルスは「豚飼い」とされ、アッカ・ラレンティアは「春をひさぐ女」であったため「ルーパ」と呼ばれたと記されている。

また、祭祀ルペルカリアの名は、雌狼がロムルスとレムスを育てたとされる洞窟（Lupercal）の名にちなんでいる。祭祀では、山羊や犬を犠として供する二人の祭司がオオカミの皮を身にまとい、若者二人に対して、屠られた犠の血を額に塗り、さらに乳でぬらした羊毛や綿でその血をぬぐう儀式を行なう。こうして象徴的に狼となった祭司は、あるいは腰巻き以外身につけずに裸になった若者二人は、さらに後のカエサルの時代には大勢が裸となって、丘の麓を駆けぬける。その際、女性や大地を鞭で打ちつけて豊穣を願った。この祭の最後には宴が催されたが、それが淫らであったため、四九四年に教皇ゲラシウス一世によって廃止された。（『プルタルコス英雄伝』（中）二三二～二三四頁。『プルタルコス英雄伝』（下）二五六頁。ラガッシュ十二～十三頁）

（5）逃げた妻を町まで追ってきたバタが自分の奇異な症状の理由を近所の女性たちに話す場面では、バタが自身にかけられた「魔法」と満月の関係の始まりを語っている。

いちばん勇気のある近所のおばさんがまずバタの前に椅子を置き、続いて二、三人が出てきてバタを取り巻いた。すると、バタは黙ったまま首を振って感謝を伝え、自らの不幸をぽつりぽつり語り始めた。こんな話だった。母が若いとき、麦打ちに行って夜空の下、麦打ち場で眠ってしまい、赤ん坊をひと晩じゅう月に晒してしまった。なにも知らない赤ん坊は、かわいそうに、ひと晩じゅうお腹を出したまま、目をあちこちに彷徨わせながら美しい月と戯れ、小さな手足をばたつかせていた。そして月はその子を「魔法にかけて」しまったのである。だが、魔法はその子の中で何年も眠り、つい最近になってそれが目覚めた。以来、満月になるたびに、その病に襲われている。（五三頁）

（6）本作品の登場人物たちにはキリスト教や神話を示唆する名前をもつ者が多い。主人公リオラの母親は「ニンファ小母」など神話を想起させるものもあれば、他の女性役にはクローチェ（「十字架」）、トゥッツァ（サンタ「聖母、聖女」にシチリア語の親愛辞「-uzza」を付した Santuzza の縮小形 Tuzza）なども見られる。

（7）作家ピランデッロの言う諧謔的《ウモリズモ》精神は、一九〇八年に初版、一九二〇年に改訂版が発表された『ウモリズモ』（*L'umorismo*）において詳述された、彼の創作の根幹をなす概念である。ウモリズモ文学創作過程に関わる「内省」は、現実の外面的、社会的特性を解体し、その現実を否定する別の現実を提示する。こうして、作品世界は現実の非合理や矛盾を露わにすることができる。そのとき、現実の「形式」や「虚構」に囚われた／囚われざるを得ない人間、表面的には滑稽に見える人間は、笑いと涙が共存する複合的な視点から、真の人間の姿として捉えられる。更なる考察については、引用・参考文献記載の菊池氏、齊藤氏、高田氏の論考を参照されたい。

引用・参考文献一覧

註記：本論内で（一二三頁）など頁数のみの表記はその際に言及されている文学作品の下記邦訳の頁である。

〈テクスト〉

ピランデッロ、ルイージ　Pirandello, Luigi

「月の病」（『ピランデッロ短編集――カオス・シチリア物語』、白崎容子・尾河直哉訳、白水社、二〇一二年に所収）。

「リオラ」（『ピランデッロ戯曲集』Ⅰ、白澤定雄訳、新水社、二〇〇〇年に所収）。

"Male di luna," in Id., *Novelle per un anno*, vol.II, Milano, Mondadori, 1987.

Novelle per un anno, voll.3, Milano, Mondadori, 1985-1990.

ヴェルガ、ジョヴァンニ　Verga, Giovanni

「赤毛のマルペーロ」（『カヴァレリーア・ルスティカーナ他十一篇』河島英昭訳、岩波文庫、一九八一年に所収）。

「ルーパ」（同書に所収）。

"La lupa," in Id., *Tutte le novelle*, Milano, Mondadori, 1979.

ランペドゥーザ、ジュゼッペ・トマージ（・ディ）　Lampedusa, Giuseppe Tomasi di

「セイレーン」(『ランペドゥーザ全小説』脇功・武谷なおみ訳、作品社、二〇一四年に所収)。
"La sirena," in Id., *Opere*, Milano, Mondadori, 2004.

〈参考文献〉

Crupi, V., *L'altra faccia della luna. Assoluto e mistero nell'opera di Luigi Pirandello*, Soveria Mannelli, Rubbettino, 1997.

Ferroni, G., *Storia della letteratura italiana. Il Novecento e il nuovo millennio*, Milano Mondadori, 2017, pp.115-157.

Giardelli, P., *La paura. Lupi, licantropi, streghe, fantasmi*, Savona, Pentàgora, 2014.

Guglielminetti, M., e Ioli, G., *Luigi Pirandello* (Cap. XVII), in E. Malato (diretta da), *Storia della letteratura italiana.* (vol.VIII *Tra l'Otto e il Novecento*), Roma, Salerno, 1999, pp.1183-1238.

Infuso, L., *Lu mali di la luna. Cosi e cunti della gente di Campobello di Licata*, Messina, Armando Siciliano Editore, 2009.

Masiello, P., *L. Pirandello: Natura, religiosità e mistero*, Roma, Albatros, 2018.

Pirandello, L., *L'umorismo* (1908), in Id., *Saggi e interventi*, a cura e con un saggio introduttivo di F. Taviani, Milano, Mondadori, 2006, pp.775-948.

Pirandello, L., *L'umorismo* (1920), in Id., *Saggi, poesie, scritti varii*, a cura di Lo Vecchio - Musti, Milano, Mondadori, 1977 (IV ed.), pp.15-160.

Rando, G., *Verga, Pirandello e altri siciliani*, Milano, FrancoAngeli, 2014.

Ranisio, G., *Il lupo mannaro. L'uomo, il lupo, il racconto*, Roma, Gangemi, 1984.

Reale, B. *Sirene siciliane. L'anima esiliata in "Lighea" di Giuseppe Tomasi di Lampedusa*, Bergamo, Moretti&Vitali, 2001.

Seddio, P., *Le donne di Pirandello. Mondo femminile e teatro*, Acireale-Roma, Bonanno, 2008, pp.49-51.

Segre, C., e Martignoni, C., *Testi nella storia* (vol.IV *Il Novecento*), a cura di G. Lavezzi et al., Milano, Mondadori, 1992, pp.275-277.

Zangrilli, F., *Il bestiario di Pirandello*, Fossombrone, Metauro, 2001.

小澤俊夫『昔話のコスモロジー——ひとと動物との婚姻譚』講談社、一九九四年
アポロドーロス『ギリシア神話』高津春繁訳、岩波書店、一九五三年
アルピーノ、ジョヴァンニ「猿の女房」カルビーノ他『現代イタリア幻想短編集』竹山博英編訳、国書刊行会、一九九五年
ヴェルガ、ジョヴァンニ『マラヴォリヤ家の人びと』西本晃二訳、みすず書房、一九九〇年
オウィディウス『変身物語』(上)、中村善也訳、岩波書店、一九八一年
カルヴィーノ、イタロ『イタリア民話集』下巻、河島英昭編訳、岩波書店、一九八五年
菊池正和「ピランデッロの解放——存在の他律性と時間性からの脱却」『イタリア学会誌』第五十号、二〇〇〇年、二四〜四八頁
齊藤泰弘「ピランデッロとティルゲル——『すべては首尾よく』をめぐる芸術と哲学の相克について」『京都産業大学論集 人文科学系列』第四七号、二〇一四年、三三一〜五二頁
篠田知和基『人狼変身譚』大修館書店、一九九四年
高田和文「ピランデルロの『哲学』をめぐって」『イタリア学会誌』第二五号、一九七七年、一〇五〜二一一頁
タッソ、トルクァート『愛神の戯れ——牧歌劇「アミンタ」』鷲平京子訳、岩波書店、一九八七年
長野徹「イタリアの民話と文学作品に見られる『蛇女』の表象」『イタリア語イタリア文学』第七号(東京大学大学院人文社会系研究科南欧語南欧文学研究室紀要)、二〇一四年、六七〜八九項
バルザック、オノレ・ド「砂漠の情熱」『呪われた子他 バルザック幻想・怪奇小説選集3』私市保彦ほか訳、水声社、二〇〇七年
プルタルコス『プルタルコス英雄伝』(中)および(下)、村川堅太郎訳、ちくま文庫、一九八七年
ベアリング=グールド、セイバイン『人狼伝説——変身と人食いの迷信について』ウェルズ恵子・清水千香子訳、人文書院、二〇〇九年
ペトロニウス『サテュリコン——古代ローマの諷刺小説』国原吉之助訳、岩波書店、一九九一年
ヘロドトス『歴史』(中)、松平千秋訳、岩波書店、一九七二年
ホメロス『オデュッセイア』(上)、松平千秋訳、岩波書店、一九九四年
マキァヴェッリ、ニッコロ「寓話・大悪魔ベルファゴール」『マキァヴェッリ全集 4』岩倉具忠ほか訳、筑摩書房、一九九九年

ラガッシュ、ジル『オオカミと神話・伝承』高橋正男訳、大修館書店、一九九二年
ランペドゥーザ、ジュゼッペ・トマージ・ディ「山猫」『ランペドゥーザ全小説』

コラムⅦ

二十世紀イタリア文学の「奇想的」異類婚姻譚

倉重 克明

現代イタリア文学で描かれる愛の対象としての異類は、ランペドゥーザ著「セイレーン」に見られた写実性に加えて、ある種の滑稽さを伴う描写を特徴とする。たとえば、トンマーゾ・ランドルフィの一九五四年作の短編「ゴーゴリの妻」（『カフカの父親』米川他訳、白水社、二〇一八年に所収）では、この作家の妻はおしりから空気を入れて膨らませるゴム人形であり、「一回一回が新たな創造で」、同じ形には「奇跡でも起きない限り復元不可能」（二四九頁）なばかりではなく、妻と向きあうゴーゴリの真剣な態度から、数年後には「かれらの関係も変にごたごたと」（二五〇頁）してくるのである。婚姻譚ではないものの、同じ著者による一九三九年作『月ノ石』（中山訳、河出書房新社、二〇〇四年）では、主人公の青年と、彼が好意を抱く「山羊の足」をした美しい娘との逢瀬、そして月光に照らされた不思議な世界が夢のようにかつ現実のように語られる。

また、猿との結婚生活を描いたジョヴァンニ・アルピーノの一九六七年作の短編「猿の女房」（『現代イタリア幻想短編集』竹山訳に所収）では、「おれ」にかいがいしく尽くす猿ジルダとの間にも不一致はあるが、「それは性格の不一致というよりも、種族の相違なのだ」と「おれ」は言ってのける。そして自分のせいで彼女を失いそうになるとうろたえた姿をさらすのである。

しかし、単に滑稽で空想的な世界を描くだけではないイタリア現代文学は、異類婚姻譚に限らず、社会的視点を有することにも注目すべきである。竹山氏は『現代イタリア幻想短編集』のあとがきで、この種の現代イタリア文学がリアリズムの伝統に基づく理知的傾向を有し、幻想世界と現実社会との均衡を保っていると指摘している（三〇三頁）。つまり、これら異類は、滑稽さとともに社会に対する辛辣な視点を含んでおり、私たちと社会の関係や、それに由来する自己認識や価値観を批判的に問い直す機会を読者に与えてくれるのである。

第8章　ラヴクラフトの〈反転〉する恐怖

植月 惠一郎

はじめに

本章では、「恐怖小説のコペルニクス」（Bloom, *Modern Horror Writers*, p.142）とも称されるハワード・フィリップス・ラヴクラフト（一八九〇～一九三七年）のクトゥルー（あるいはクトゥルフ）神話（the Chulhu Mythos）の一つで、一九七〇年には映画化され二〇〇九年にはTV映画にもなった『ダンウィッチの恐怖』（*The Dunwich Horror*, 1928）を、異類婚姻譚の視点から分析する。(1) アメリカの寒村に住まう人間の女性ラヴィニア・ウェイトリーが、悪魔ヨグ＝ソトースと交わって生んだとされるウィルバー・ウェイトリーと名もなきその双子の兄弟（全身ゼリー状の巨体で、ダンウィッチの村の恐怖を引き起こした張本人）が、この奇妙な物語の主人公である。

したがって、この小説は、異類婚姻譚に通常見られる、異形の男あるいは女性と人間の女あるいは男性が幸福な生活をともにしているが、ある日一方が禁忌事項を破ってしまい、結局は破綻に至るという展開にはなっていないことは明らかだ。つまり、生まれた子どもがダンウィッチの〈恐怖〉の中心であるとすると、婚姻を中心に据えた従来の異類婚姻譚からすれば異端ということになる。ラヴクラフトが描きたかったのは、人間と異類の間にできた「生存可能な夾雑物または特権的構造物」（Donald R. Burleson, *Lovecraft*, p.132）であった。ほとんど暗示でしか終わっていないこの両親の交わりは、明らかにキリスト生誕にまつわる聖霊とマリアの交わりと関連し、それを〈陽〉とすれば、悪魔と人間の女性の交わりは〈陰〉に相当する。「要するにあれは神の反転であった」（丹生谷貴志「戸口にあらわれたもの」一八一頁）のだ。

【図１】ハワード・フィリップス・ラヴクラフト

この「神の反転」を発端に、結局二人の悪魔の子は悪魔払い（エクソシズム）の犠牲となりダンウィッチは封鎖され、他は日常を取り戻す。このような物語展開の中で、最初の悪魔祓いでは、ウィルバーは忍び込んだ図書館の番犬に殺される。この〈犬〉（dog）こそ、神（God）であったことを本章では明らかにし、神としての犬を指摘したい。

もう一つの悪魔祓いは魔道書『ネクロノミコン』（*Necronomicon*）を使って行なわれる。本来悪のエッセンスを記した書だが、そこには悪魔祓いの呪文が隠されており、ウィルバーの双子の兄弟もその呪文を入手したミスカトニック大学のアーミテージ教授がエクソシストの役割を果たす。結局、この『ネクロノミコン』は悪の書でも善の書でもあり、デリダ（一九三〇〜二〇〇四年）の言う、「毒」＝「薬」の両面的意味を併せもつ興味深い概念〈ファルマコン〉と同様の機能を果たしているが、これも言い換えれば〈反転〉の一つである。

本書にはその他いくつもの〈反転〉が見られ、いわば異類婚姻譚の〈反転〉の物語である。

あらすじ

アメリカはマサチューセッツ州にダンウィッチという孤立し、荒涼とした地方があった。そこに、ウィルバー・ウェイトリーという早熟な子がいた。母はラヴィニア・ウェイトリーという名で白皮症を患っていたが、この子は未詳（実は悪魔ヨグ＝ソトース）の父との間に出来た恐ろしい息子だ。ウィルバーは異常な速度で成熟し、十年足らずで成人男子に達する。

地元の人々は彼とその家族を気味悪がって避け、動物さえ彼の発する臭気を恐れて忌避する有様であった。その間、魔術師でもある彼の祖父は、ウィルバーを闇の儀式に参加させ魔術の研究に導いた。父代わりとなった祖父が次々多くの牛を購入したので、地元の人の多くは疑心暗鬼となったが、購入頭数が増えているにもかかわらず、牛の群れの数は決して増えておらず、しかも畑にいる牛は得体の知れない傷に悩まされていた。

その原因はウィルバーとその祖父が、自宅の農家で目に見えない存在を隔離していたからだ。そしてこの存在は、何らかのかたちで悪魔の父とつながっていた。年々、この目に見えない存在は巨大になったので、二人はその住居を頻繁に増築する必要があった。一方で、人々は、牛がいつともなく姿を消していることに気づき始める。やがてウィルバーの祖父は亡くなり、彼の母親もすぐに姿を消してしまう。ウィルバーとその巨大な存在だけが取り残され、その存在は最終的にウェイトリー家の内部全体を占有してしまう。

ウィルバーは、アーカムのミスカトニック大学で魔道書『ネクロノミコン』のコピーを調達しようとする。ミスカトニック大学図書館は、そのオリジナルを保管する世界でも珍しい図書館だった。『ネクロノミコン』には、ウィルバーが悪魔を召喚するために使用できる呪文が記載してあるはずだったが、彼の家に秘蔵していた写本はその肝心な箇所を欠損しており、魔界への「扉」を開くために必要な頁が見つからなかったのだ。

司書であるヘンリー・アーミテージ博士は、大学のコピーを彼に公開することを拒否し、他の図書館へも警告を送ることにより、ウィルバーを妨害する。そのため、ウィルバーは盗むという手段に訴えざるを得なくなり、その図書館に不法侵入するが、ウィルバーが放つ異臭に悩まされていた番犬が異常な残忍さで彼を攻撃し、殺してしまう。アーミテージ博士と他の二人の教授ウォーレン・ライスとフランシス・モーガンが現場に到着すると、ウィルバーの半人の死体は完全に溶けていた。

こうしてウィルバーが死亡したため、ウェイトリーの農家で成長している神秘的な存在が露わとなる。ある早朝、農家は爆発し、目に見えない怪物がダンウィッチの土地を横切って暴れ回り、畑、木、渓谷をめぐり、小道には木の幹ほどの大きさの巨大な「足跡」だけが残った。その後この怪物は居住区域にまで進出し、その地を数日間恐怖に陥れ、二家族と数人の警官を殺す。

アーミテージらがそれを殺すのに必要な知識と武器を持って到着し、魔法の粉末を使用すると、怪物は姿を現し、その想像を絶する大きさで人々は衝撃を受ける。納屋ほどの大きさのある怪物は、呪文によって破滅するその直前に英語で助けを求めて叫び、巨大な焼け跡を残して消えてしまう。最後に、その性質が明らかになる。それは「ウィルバーよりも本性が父親似」の、ウィルバーの双子の兄弟であった。

1　『ダンウィッチの恐怖』の異端性

異類婚姻譚とは、人間と〈異類〉（人間とは異質な存在）とが結婚し、繁栄し、禁忌事項が破られ破綻する物語である。様々なパターンがあることは他の各章でも明らかだが、本作品はむしろそれらとは異質な話である。すでに作品概要からも明らかなように『ダンウィッチの恐怖』（次頁【図2】）では、ラヴィニアと悪魔の婚姻というよりむしろ、その双子の成長と死に比重を大きく移しているといえる。

まず異類婚姻譚なるものの最大公約数的な部分を抽出し、一般化すれば、次のように邂逅から別離に至る大きく六つの要素で構成されていることがわかる。

邂逅――人間が動物を危難から救済する。
返礼――その動物が人間に化けて助けてくれた人のもとを訪れる。
共生――生活をともにし、その際、守るべき契約や規則（禁忌）を確認する。
繁栄――禁忌を遵守し、そういう生活を営むことで、富が生まれる。
破局――タブーを犯し、動物の正体を知ってしまう。
別離――動物は人間のもとを去る。

神話をはじめ様々な民話や説話にこうしたパターンを追跡することは可能だが、異界の存在と関わり、その不思議な

【図２】『ダンウィッチの恐怖』が最初に掲載された雑誌の表紙

交流から一旦幸を得る。説話文学で幸福を得る物語パターンとしては、異類の相手を屈服させその富を手にしたり、あるいは異界の相手と婚姻しその尋常ならぬ力を借りて繁栄したり、実際異界に赴いて富を得るなどがあるが、異類婚姻譚は文字通り異形の相手との婚姻により幸を得る部類に属するといえよう。しかし、『ダンウィッチの恐怖』は富どころではなく、不幸と恐怖の連続であり、そういう意味でも通常の展開を〈反転〉した物語といえる。

こうして、さらに分類していくと、人間と人間以外の婚姻から逸脱し神と神以外の異類婚姻譚もあり、そこから派生する異常誕生譚をも広く異類婚姻譚と同質の物語と捉える考え方もある(2)。本章で扱う小説に登場する〈異類〉との婚姻譚は、正確にいうなら、双子の悪魔の誕生と破滅の物語という異常誕生譚に分けられるであろう。

2　反転する聖書イメージ

マリアの処女懐胎について記述されているのは、「マタイによる福音書」一章十八〜二四節と「ルカによる福音書」一章二六〜三七節である。どちらも聖霊によりマリアが身ごもったことに言及している。しかし、両福音書（マタイとルカ）が参考にした「マルコによる福音書」、マルコかルカの福音書を知っていたかもしれない「ヨハネによる福音書」には言及がない。いずれにせよ、処女懐胎の物語は、当然のことながら、イエス・キリストがその誕生から神の子（神性）であったということを明示しようとする意図は明白である。

「マタイによる福音書」一章十八節「イエス・キリストの誕生の次第はこうであった」に始まり、二四節に至るまで事の顛末が説明されている。母マリアはヨセフと婚約していたが、まだ一緒になる前に、聖霊によって身重になった。夫ヨセフは正しい人であったので、彼女のことが公になることを好まず、ひそかに離縁しようと決心した。

ヨセフがこのことを思いめぐらしていたとき、主の使が夢に現れて言った。「ダビデの子ヨセフよ、心配しないでマリアを妻として迎えるがよい。その胎内に宿っているものは聖霊によるのである。彼女は男の子を産むであろう。その名をイエスと名づけなさい。彼は、おのれの民をそのもろもろの罪から救う者となるからである」。それはのちに実現される。

「マタイによる福音書」では、大天使のガブリエルの告げる言葉が、『七十人訳聖書』（ギリシア語訳の旧約聖書）の「イザヤ書」からそのまま引用されている。「見よ、乙女が身ごもって男の子を産む。その名はインマヌエルと呼ばれる」（「マタイによる福音書」一章二三節、「イザヤ書」七章十四節）という箇所に関して、この「乙女」は、本来は「若い娘」と訳すべきであり、「マリアの処女懐胎は誤訳の産物」だといった説もあるようだが、言語学的議論は他に譲ることにする。

さて、産まれた子が神聖視されるのに対して、この段階では産みの母マリアはまったく神聖視されていない。マリアを普通の女と見なすのは、マルコやヨハネも同じである。ところが、のちにキリスト教が他の地中海世界に広がるに際して、処女信仰や太母神信仰と複雑に絡みあい、カトリックや東方教会で、マリアは聖母として崇敬の対象として変貌し、処女懐胎はもっとも重要な教理の一つにまでなる。

処女懐胎のエピソード自体が、異教起源ではないかとの疑念も生じさせる。異教には、いわゆる異類婚姻譚に類するエピソードに事欠かないからだが、正確に「処女」懐胎か否かという点では、曖昧といえよう。この点の関連については、本章の議論を超えている。とにかくここで確認しておきたいのは、マリアが血のように赤い糸を紡ぎ始めると、天使ガブリエルが「彼女に入ってきた」（came in unto her）（『欽定訳聖書　ルカによる福音書』第一章二八節）点である。この糸は運命の綴れ織りに織り込まれると、「生命」を表す。女に「入ってきた」という語句は性交を表す聖書語法であり、ガブ

リエルという名は文字通りには「天の夫」を意味する。(3)

聖母子はもちろんだが、聖家族という言葉もある。「『ダンウィッチの怪』におけるウェイトリー家のような〈家族〉が登場することはむしろ例外的であるし、この一家は想像を絶した異端と畸形という属性によって宿命的に徴づけられている」（鈴木聡「ラヴクラフトからの影」一五八頁）。ラヴクラフトの作品では珍しい〈家族〉がなぜ必要だったのか。やはりキリスト教でいう聖家族の〈反転〉を意識していたはずだ。

本作品では、読み書きもできず男を知らないと思われる白子《アルビノ》の農家の娘が、超人的な力を授かった奇怪な存在を産むという筋になっているわけだが、物語の最後でも、ダンウィッチを見下ろす山の頂上で犠牲となるこの存在が、「わが神、わが神、どうしてわたしを見捨てられたのですか！」というイエスの言葉にそのまま響きあう「父よ、父よ、［中略］ヨグ＝ソトース（悪魔）」、という絶望的な呼び声を発する、まさに受難物語のおぞましいパロディで終わっているのだ（ウエルベック『H・p・ラヴクラフト』一八七頁）。このゴシック小説はキリスト教の裏返しの受肉譚つまり悪魔の〈受難物語〉となっており、『ダンウィッチの恐怖』の主題は、その最初も最後も巧みな『聖書』の〈反転〉として描かれていることになる。

キリスト教神学においては、サタンはかつては神に仕える御使いであったが堕天使となり、地獄の長となった悪魔の概念である。つまり天使と悪魔の出自は同じということになる。「十六世紀以後盛んになるいわゆる「黒魔術」は結局のところ「白魔術」と同じ同一性への試みだった」（丹生谷 一八一頁）。十八世紀は「理性」の時代であるとともに美学が成立する時代でもあった。美学とは感覚・感性を学問化したものに他ならず、理性の明るさと感覚の昏さが対照される。

一方が理性の透明さを中心とした同一性の学だったとすれば、一方は、感覚の昏さを透しての同一性の学だった訳だ。それと平行して成立するロマン派の感覚、感情への傾斜、黒魔術、夜のカトリックへの傾斜もそうだ。［中略］悪魔は神の反転、ミラー・イメージに他ならない（丹生谷 一八一頁）。

3　ウィルバー・ウェイトリー——魔術師マーリンの〈反転〉

アーサー王伝説の円卓の騎士たちランスロット、ガウェイン、パーシヴァルほどではないが、アーサー王の指南役である魔術師マーリンにはまた一味違った絶大な存在感がある。人知を超える叡智や力をもつマーリンは、戦、政治、恋愛など多方面においてアーサー王や円卓の騎士たちの良き相談相手でもある。だが、その正体は実に謎が多く、ロベール・ド・ボロン（十二世紀後半〜十三世紀初め）の十三世紀の写本『メルラン』（*Merlin*, the late 12th or early 13th century）では、アンブローズ・マーリンは、もともとはドルイド教の神官、または森の賢者として知られたメルラン（ムルジン）という人物にまつわる伝説の中で紹介されているが、通常、その母親は高貴な生まれの未婚女性、父親は夢魔とされている。これは『ダンウィッチの恐怖』のラヴィニアとヨグ＝ソトースを連想させるが、このマーリンは、父の魔力を継ぎ、さらに神の恩寵により予言の能力を得たとされている。

しかし悪魔の遺伝子には抗えず、女好きという極めて人間的弱点もあり、伝説では乙女の色香に惑わされて現世から姿を消すという不名誉な最期を迎えている。アーサー王に仕えたマーリンは聖人のようでもあり、一方で人間臭い俗人、さらには悪魔のような超自然的存在でもあり、作品によって変幻自在に姿を変える、一筋縄ではいかないのがマーリンなのだ。(4)

モンマスのジェフリー（一〇九五頃〜一一五五年頃）の『ブリタニア列王史』（*Historia regum Britanniae*（*The History of the Kings of Britain*）, c. 1136）では、ウェールズ南西部の小国ダヴェドの王女が、夢魔（インキュバス）に誘惑されて生んだ子とされている。その中ではアプレイウス（一二四頃〜七〇年頃）が『ソクラテスの神』（*De Deo Socratis*, 2century）で述べているように、月と地球の間には、我々が夢魔と呼ぶ精霊が住んでおり、これらの精霊は人間の性質と天使の性質をもっていて、思いのままに人の姿をとり女たちと関係をもつ（ジェフリー・オヴ・モンマス『ブリタニア列王史』一七五〜七六頁）。

ここでは、夢魔とマーリンは聖なる存在として扱われている。

マーリンの母の説明によると、ある日、美青年が現れて自分を抱きしめ、そして忽然と姿を消した。その後も姿の見えない何者かが頻繁に訪れては自分を抱き、その結果妊娠したという。当然、アプレイウス（一二四頃～一七〇年頃）の『黄金の驢馬』（*Asinus aureus*, 2c）の有名なエピソードであるクピードーとプシュケーの物語との類似点を直観的に感じる。また、様々な書物にそのような生まれの人がたくさんいると書いてあるとも述べてあり、その一人としてキリストも挙がっている。

もし夢魔が悪魔と同一の存在であるなら、息子マーリンは反キリスト的存在になるべくして生まれたが、誕生後すぐに洗礼を受けたため悪には堕ちなかったともされている。『ダンウィッチの恐怖』の主人公ウィルバーも、もし誕生後すぐ洗礼を受けていれば、古今東西の奇書に関する大学者になったかもしれないような書き方をされている。そういう意味で、このゴシック小説は、『聖書』の〈陰画〉であるのみならず、マーリン神話の〈陰画〉にもなっているという言い方もできるのではないだろうか。

4 〈モンスター〉誕生

さて、典型的な異類婚姻譚からは逸脱している『ダンウィッチの恐怖』の本領は悪魔ヨグ＝ソトースと人間ラヴィニアとの結婚生活などにはなく、双子の〈モンスター〉の誕生と成長にあることは明らかだ。〈モンスター〉の典型例としては、ケンタウロス、スフィンクス、ミノタウロスなどがあるし、グリフィンやワイヴァーンなど紋章に用いられる〈モンスター〉もあるが、この双子はそれらのどれにも属さない。人間とエイリアンの闘いを描いた『メン・イン・ブラック』（一九九七年）というハリウッド映画のエイリアンらの形状にむしろ似ており、その直接の起源になっているではないかとさえ思える。

ここで〈モンスター〉の概略史を考えてみよう。英語圏文学上では、メアリー・シェリー（一七九七〜一八五一年）の『フランケンシュタイン』（*Frankenstein; or, The Modern Prometheus*, 1818）を第一に挙げねばならないが、まずは既に言及したミノタウロスを考えてみよう。

ミノス王は、後で生贄に捧げるという約束で、ポセイドンから美しい白い雄牛（一説では黄金）を得る。しかし、雄牛の美しさに夢中になった王は、ポセイドンとの約束を違え、別の雄牛を生け贄として捧げ、白い雄牛は自分の物にしてしまう。これに激怒したポセイドンはミノス王の后であるパーシパエーに呪いをかけ、后が白い雄牛に性的な欲望を抱くように仕向ける。思い悩んだパーシパエーは、名工のダイダロスに命じ、密かに雌牛の模型を作らせる。そして彼女は自ら模型の中へと入って雄牛に接近し、思いを遂げた。結果、パーシパエーは牛頭獣人の子ミノタウロスを産むこととなったことはよく知られている。

『ダンウィッチの恐怖』との関係でいうなら、このモンスター・ミノタウロス誕生から、それが退治される経緯をたどる必要がある。ミノス王はその「義理の息子」を、名建築家ダイダロスに命じて作らせた迷宮に閉じこめる。この迷宮は、壁面に諸刃の斧（ラビュリス）のレリーフが彫られていることから「ラビュリントス」の名前で呼ばれており、英語の「迷宮」（labyrinth）という言葉は、ここから派生する。この「迷宮」自体も「迷宮入り」という言葉があるように、悪魔がなぜラヴィニアを選んだのか全く描かれていないし、キリスト教のマリアの神格化を考えると、ラヴィニア自身が特殊な力を手にしたり、悪魔側で神格化されるわけでもない。

ミノタウロス神話に戻ろう。王はさらに、アテナイ（アテナ市）から毎年七人の少年少女を譲り受け、生け贄として迷宮に送り込んだ。アテナイの王子テーセウスはそれを憂慮し、このモンスター退治を決意する。彼は七人の生け贄の一人となってクレタ島へと赴く。テーセウスに一目惚れしたミノス王の娘アリアドネーは、この英雄に「役に立てば」と一振りの剣（青銅の棍棒説もあり）と糸の束を渡す。糸の束は帰り道を確保するためのものであった。体格差をものともせず、首尾良くミノタウロスを殺したテーセウスは、あらかじめ張りめぐらせておいた糸をたどって無事この迷宮から抜け出すことができたその顛末はよく知られている。要するに神話からして、つねにすでに〈モンスター〉は退治されるために存在しているのである。

『ダンウィッチの恐怖』の本文前の引用は、チャールズ・ラム（一七七五〜一八三四年）の『魔女および夜の恐怖』（*Witches, and Other Night Fears*, 1823）からである。そこではゴルゴーン、ヒュドラ、キマイラなどの〈モンスター〉に触れているが、モンスターたちは人間の遥かなる記憶の痕跡を留めたもので、全くの無から創造されたものではないことを示唆している。

悪魔の双子の母の話になるが、このラムのタイトルにもあるように、ラヴィニア自身が魔女であったと読むこともできる。しかし〈魔女〉とは何か。これも得体の知れない〈モンスター〉に対してつけられた名前にすぎないのではないだろうか。〈魔女〉に関してよくある議論だが、「女性的なるものは、そもそものはじめから、正常さからの逸脱と決めつけられているようにも思われる」（鈴木 一五八頁）のだ。〈モンスター〉、〈魔女〉など人間界から排除される「他者」と「悪」の関係は以下のようになる。

フレドリック・ジェイムソンがニーチェに触れながら論じているところに従うならば、〈他者〉は、悪であるがゆえに恐れられるのではなく、異質で〈私〉とは相容れない存在であるがゆえに悪であるとされるのである（鈴木 一五七）。

典型的な異類婚姻譚を考えてもらえばわかるように、そこでは「異質で〈私〉とは相容れない存在」が〈悪〉ではなく〈善〉とされる。人間の日常とまったく調和するように物語は進展するのだが、『ダンウィッチの恐怖』では徹底して不協和音を奏でるようになっている。つまり、その〈モンスター〉表象が伝えたいメッセージは、異質なものを生産し、それを「悪」であると断じ、その世界から排除してしまう闘争と不幸を語っているのである。(5)

5 犬（dog）—神（God）の〈反転〉

人間の能力をはるかに凌ぐウィルバーだが、悪魔の聖典『ネクロノミコン』（字義どおりには、「死者の掟の表象あるいは絵」の意）の欠けた部分を求めてミスカトニック大学図書館に侵入したとき、実にあっけなく番犬（guard dog）に仕留められてしまう（第六章）。本論が、異類婚つまり悪魔と人間の交わりから生まれた子の物語を精霊とマリアの交わりの〈反転〉とか〈陰画〉と呼ぶ根拠の一つが、この犬に殺される場面である。つまり犬（dog）とは神（God）の反転した綴りではあるが、神を連想させる存在にもなり得、悪魔の子は、犬という擬似的な〈神〉に退治されるのである。〈犬〉と〈神〉の関係、神による悪魔退治の真相／深層がそこにあることを明らかにしたい。

『ネクロノミコン』は「魔道書」などと訳されることもあるが、『ダンウィッチの恐怖』では、不完全な英語版が異世界からの怪物を召喚させるために用いられている。ミスカトニック大学のアーミテージ教授は、逆に悪魔を撃滅するためにも用いることができる書物であることを知っており、それは実際ウィルバーの双子の兄弟に対して使われ、ウィルバー自身は〈犬〉に殺されるのである。

まず、辞書の dog の意味を吟味してみると、くだらないもの、卑しいもの、価値のないもの、恥ずかしいもの等々を表しているのだが、他方で、いとおしく、親しみやすく、庇護してやらねばならない対象を示している。かくして、この語の喚起する感情の綾は複雑を極め、たしかに一筋縄ではいかない様相を呈する。「この語（dog）は、最低の場合、悪玉とか贖罪羊とかであり［中略］悪魔（devil）でさえあるのだが、最高の場合は後述するように神（God）をも含意するのである」（大石俊一『犬とイギリス人』四一頁）。こうして犬は最後に〈神〉になる。

犬（Dog）は十八世紀の懐疑家にとっては、彼の祖先の人々にとっての神（God）、人間的価値の背後の究極の保証となったのである。「人間は動物に過ぎない。いかなる努力をしようと、いかなる人間も、自己利益という呪縛の環は逃れることができない。」(大石 四七頁)

中世ならば人間と動物は不連続であったのだが、実は人間と動物は連続しているのではないかという考えが十八世紀に出てきた。のちに十九世紀半ばの進化論以降、その連続性は証明される。一方で、人間は動物とは異なるという独自性の「究極の保証」として〈神〉とも解釈できる存在、つまり〈犬〉の特異な存在が浮上してきた。こうして、犬という語の象徴性は動物—人間—神の関係の在り方についての考え方と密接に結びつく。犬と神がほぼつねに相互置き換え可能ということを様々な用例で見られる。もっともわかりやすいのは、「犬(dog)は音によって神(God)に結びついているから、「陰鬱」(the black dog of care)とか「ニューゲイトの極悪犯人」(the black dog of Newgate)の場合のように、犬は容易に悪魔にされる」(大石 一一二頁)という指摘だろう。さらに、「いまいましい」(doggone)が「くそったれ」(Goddamn)の婉曲な言い換えであることや、「ちぇっ」(zounds)は通常「神の傷」(God's wounds)の略と解釈されるが、スケープゴートとしての「犬の傷」にかけての誓言(Dog's wounds)の略でもあることを大石は指摘し、さらに、ジェイムズ・ジョイス(一八八二〜一九四一年)の用法、つまり、万物創造の神(God)に対してそれに反逆するまがいものの神、つまり神の犬である悪魔ルシファー(dog, devil)などの例を列挙しているし(大石 四七〜五一頁)、十七世紀の魔女裁判を挙げ、悪魔(Devil)は犬(Dog)の姿で、つまり神の逆綴りの姿で現れると言われていたこと、「聖職者用カラー(襟)」(God collar)が「犬の襟」(dog collar)とも呼ばれていた事実も挙げている(大石 六九〜七十頁)。

しかし、もっとも犬と人間と神が照応するのは次の根拠であろう。イギリスがいわゆる大英帝国を形成する頃、上流階級が国内外で数多くの人=家畜を管理・支配していたとき、彼らは羊飼いどころか、牧羊犬の役割であった。つまり、牧畜民族の末裔としての本領を発揮していたのであった。

かくして奇妙な言葉遊びに耽溺していると思われるかもしれないが、イギリス人はみずからを「犬」とすることで、みずからを国内外の被支配者にとっての「神」としていたといえるのではないか。要するに、イギリス人は「犬」であることによって「神」でありえた。（大石 六七頁）

犬が神となる例は、古くはトマス・モア（一四七八〜一五三五年）の『ユートピア』（*Utopia*, 1516）にも、人間よりも羊が大事にされている様子が皮肉に描かれており、イギリスは羊とともに繁栄し、そして今も『ひつじのショーン』（*Shaun the Sheep*）のようなクレイ・アニメも人気があるところを鑑みると、イギリス文化とは羊の文化であり、そこにおける犬の役割、つまり、羊を管理支配している犬と人間を導く羊飼いであるキリスト＝神が重なるのは、極めて妥当で乖離しがたいイメージだといえよう。この動物をあえてイギリス人の〈トーテム〉動物とする文化論は稿を改めたい。

6　魔道書『ネクロノミコン』の〈反転〉

『ネクロノミコン』（【図3】）は、「恐ろしい禁断の書」でもあるが、ウィルバーの双子の兄弟を退治する呪文が隠されている。実際それを発見し、見事に退治するのは、ミスカトニック大学のアーミテージ教授である。しかし、クトゥルー神話全体の中で、本書の実体は謎の書物『ヴォイニッチ写本』（*Voynich manuscripi*）にも似た部分があり、それにも増して漠然としている（Edelson Reclaiming Plots, 92）。実際、コリン・ウィルソンの小説『賢者の石』（*The Philosopher's Stone*, 1969）などに登場する『ヴォイニッチ写本』は、ラヴクラフトが創作した奇書『ネクロノ

【図3】ネクロノミコンの一例

ミコン』の写本であったなどという架空の設定をとっている。

その実体が追及されている『ヴォイニッチ写本』とは大きく異なり、『ネクロノミコン』の方は、「死体」（necro）＋「法典」（nomos）＋「象徴」（eikon）の合成語で、「死者の法典の象徴」ともいえるが、いずれにしても擬似書誌学的な厳密さを纏ったまことしやかな記述の総体でしかなく、言説の表層を浮遊するだけだ。言い換えれば、クトゥルー神話の中で断片的表象を繰り返すことで、架空の写本が周到に捏造されるにすぎない。まるで「テクストの中でその書名が言及されることは、物語が自らの自己同一性を証明するための絶対必要条件と考えられているかのようである」（鈴木 一五四頁）が、実はそこは〈空白〉なのだ。

つまり、ウィルバーの父＝悪魔と同じなのだ。言及はされているが、捉えようとすると実体らしきものはすり抜けてしまう。存在の暗示だけで、実体の把握しにくい文書に等しい。虚構として捏造された最終的な審級の拠り所と称される記号と化したものが、信仰の対象となることは、擬似宗教的・神秘主義的価値体系においてはありがちなことであるが、ここで〈処女懐胎〉を連想しても不思議ではない。

> そのような対象としてかりに選ばれるのが、誰一人として読んだことも眼にしたことすらもないのに、何の理由もなく漠然たる畏怖の的たることを当然視されている、単なる名称としてしか現前し得ない書物である……。（鈴木 一五五頁）

しかし、この魔道書に対して、伊藤は「声とイメージの呪力――真説『ネクロノミコン』」と題した論文の中で、果敢にその本質に迫ろうと試み、この書物をめぐって、ヘルメスと新プラトン主義から説き起こし、中世アラビアの天界的魔術の包括的著作である『賢者の目的』（*Ghayat Al-Hakim*）や、それが十三世紀頃にスペイン語に訳された『ピカトリクス』（*Picatrix*）などと比較検討し、ルネサンス期のフィチーノ（一四三三〜一四九九年）とアグリッパ（一四八六〜

一五三五年）に至り、最終的にジョン・ディーにたどり着いている。『ネクロノミコン』は、おそらく、古の妖術的・悪魔的秘儀を詳述した一種の百科全書的な書物であり、またそれ自体が礼拝の対象となるような祭儀的象徴としての機能をもっていたことは、クトゥルー神話全体の文脈から明らかだろう。

しかしそれだけでは、政府当局と教会から忌み嫌われ、発禁の処置を受ける「恐ろしい禁断の書」と呼ぶことはできないだろう。そして、この謎を解いた作品が中編「ダンウィッチの怪」であった。（伊藤博明「声とイメージの呪力」一二七頁）

キリスト教に『聖書』があるとすれば、クトゥルー神話には『ネクロノミコン』があった。『ダンウィッチの恐怖』が明らかにするように、その書物は悪魔を呼び出す契機となり退治する呪文をも含む。つまり、それは、善と悪を内包する、言い換えればあらゆる二項対立を無効とする、デリダの言い方を借りるなら、毒にして薬である「ファルマコン」（毒＝薬）のような位置を占めている。『ネクロノミコン』は、悪魔の子を成長もさせ退治もする書物となっており、容易にどちらにでも〈反転〉してしまう要素を含む書物なのだ。

おわりに――『ダンウィッチの恐怖』の現代的読解

繰り返しになるが、悪魔とラヴィニアの交わり、言い換えれば、キリスト教の処女懐胎の〈陰画〉に相当する箇所は、この物語の本体ではない。つまり、二人の間にできた双子、異常に精神的に急成長を遂げるウィルバーと、異常に肉体的に急成長する姿の見えない双子の兄弟とが、ダンウィッチに恐怖を引き起こし、この張本人たちこそがこの物語の主役なのだ。

結局、この物語は何の展開もなく終わる。具体的には、悪を成就させる呪文も潰え、悪魔の子と思しき双子の兄弟も雲散霧消する。キリスト教の比喩でいえば、〈エピファニー〉を前にして終わってしまい、物語としては成形することなく、〈流産〉しているのである。最後の悪魔の子のゼリー状の異様な姿形はそれを連想させる。

本章の結論として、まず、精神分析的にいうならば、ラヴクラフトのテクストは、無意識のアレゴリーというよりも、「超自我による、無意識の抑圧のアレゴリーなのである」（大橋洋一「最後から二番目の真実」一三四～三五頁）。これは痕跡を残さず消滅してしまう〈モンスター〉の去来を考えても、その表出自体が無意識の深海から浮上したものであり、ほぼ何の展開も示さず消滅してしまうことは、実際「抑圧」の完了を意味している。

しかし双子は本当に悪魔の子であったのだろうか。〈ラヴクラフト〉の文脈ではない別の「現実的」な文脈から語り直してみよう。体の異常な変異を伴う重病を患った兄弟が、家族を失った状況で、密かに治療法を求めるものの、結局叶わずして亡くなってしまう一種のＳＦ的病状の変形譚としても読めるのではないのだろうか。否、そのような物語は物語として成立せず、単なるルポルタージュに限りなく近いのかもしれない。その原話の存在は不確かとはいえ、処女懐胎を〈反転〉した物語を基本形として、それを〈突然変異〉させたのではないだろうかと疑いたくなる。

本章では、『ダンウィッチの恐怖』の主人公ウィルバー・ウェイトリーを単に悪魔の子として把捉することを拒否し、あえて〈モンスター〉としたのは、ラムの序文に大きく依拠している。英語圏文学の中の正統派〈モンスター〉誕生譚のジャンルである『フランケンシュタイン』や『ヴァンパイア』（*The Vampyre*, 1819）、『ドラキュラ』（*Dracula*, 1897）なども含めて〈異類婚姻譚〉、狭義には最初の方で述べた〈異常誕生譚〉の文脈で考察してみたが、およそ九十年近く前に書かれたこのゴシック小説を今読む意味を問うてみたい。

若い美女の柔肌に牙を突き立てるヴァンパイアやドラキュラの行為こそ、一種の性的隠喩に他ならない。その行為によって起こる異常な身体的変化、つまり〈モンスター〉化こそ、たとえば数は少ないが正義のヒーロー、スパイダーマンにもなり得、ゴシック小説が開花したロマン派以降に見られる、従来の〈異類婚姻譚〉の因果／陰画である。語源に還ろう。モンスターがラテン語の monstrum からの派生であることはよく知られており、これは divine portent つまり「神の警告」の意味なのである。

ラヴクラフト自身の可視／不可視の世界に対する言及は、我々の五感の限界を考えてみるだけでも肯ける。我々の肉眼は赤から紫に至る可視光線しか見ていない。しかし実際にはさらに波長の長い赤外線、波長の短い紫外線は存在する。耳にしても捉えられる範囲には限界がある。たとえば、犬笛の波長は人間には聞こえなくても、犬には聞こえる。

同様に、「人類こそがこの地上の最初にして最後の支配者であるなどとは考えられない。［中略］時間と空間の狭間にあって、古きもの（オールド・ワンズ）が悠々と原初のものとして次元を超越し、人の眼に触れることなく歩んでいる」（Lovecraft, *The Thing on the Doorstep and Other Weird Stories*, p. 219-20）。ヨグ＝ソトースとは「そこに至る門を知っている」者であり、むしろ、「ヨグ＝ソトースこそが門である」。偉大なクトゥルーは古きものの眷属だが、現代の近代科学を信奉する我々には、古きものの姿などぼんやりと知覚できるにすぎない。「「古きもの」の棲まう所は、実際我々の防御をかためた戸口と軒を並べることすらあるのかもしれない。「ヨグ＝ソトースは門に至る鍵であり、その門において二つの領域が接しているのだ。［中略］今、人間が支配しているところを、やがて彼の者共が支配するであろう」（Lovecraft, p. 219-20）。

こうして、彼独自の神話世界を展開するのだが、しかし、もっと現実的な〈恐怖〉があることにラヴクラフトは気づいていた。つまり現在の地球温暖化、気候変動、環境問題などに対する予感があったのである。

実はとんでもない妄想にも思えるラヴクラフトだが、発想の根幹は、「彼（ラヴクラフト）は人間が諸事象を統御する可能性についてはいささかの幻想も抱いてはいない」（ウエルベック 一九三頁）ところにある。彼の手紙によれば、「この現代社会のすべては、蒸気と電気エネルギーの大規模な応用方法を発見したことの、絶対的かつ直接的な帰結以外の何ものでもない」（ウエルベック 一九三頁）。

「蒸気」と「電気エネルギー」とは、〈人新世〉（Anthropocene）という新たな地質年代が提唱される今、産業革命以降の人類の進化の特徴をよく伝えている。最近の巨大台風などの災害で明らかなように、我々の生活がいかに「電気」に依存しているかよくわかる。こうした依存度は、リベラルな資本主義があらゆる人々の意識にまで支配を拡大してきた結果であろう。その歩みとともに、「拝金主義、広告、経済効率性への不条理でシニカルな崇拝、物質的な富への排他的かつ節度なき欲望が生まれてきた」（ウエルベック 一九四頁）ことは疑いなく、この資本主義的「欲望」こそが、我々を悩ます別の〈モンスター〉に他なるまい。

さらに悪いことに、自由主義は経済的領域から性的領域にまで拡大してきた。感傷的なフィクションはすべて、木端微塵になった。純粋さ、純潔、貞節、慎みは、嗤うべき烙印となった。一人の人間の価値は、今日ではその経済力と性愛のポテンシャルによって測られる——すなわち、まさにラヴクラフトがもっとも強く嫌悪していた二つの物によって、である。（ウエルベック 一九四頁）

「嫌悪」は「恐怖」（horror）の同義語である。我々が恐怖を感じるラヴクラフトの物語は、実は作者自身が恐怖していた現実の〈反転〉なのである。

＊　＊　＊

註

（1）分けて読めば、ダン＋ウィッチだが、有名な London 中央部 Thames 河岸の自治区で、もと王立天文台（Royal Greenwich Observatory）があり（一六七五～一九五八年）、現在は国立海事博物館となっている Green･wich は、「グリニッジ」であるし、London 南東部の地区 Dul･wich は、「ダリッジ」であるが、本論では、Dunwich は「ダンウィッチ」と表記しておく。もちろん、米国Connecticut州南西部Long Island Soundに臨む都市Greenwichは、「グリニッチ」であることは承知している。すでにある翻訳、創元推理文庫『ラヴクラフト全集5』所収の大瀧啓裕訳では「ダニッチ」と表記している。

ズィーリア・ビショップの発案、ラヴクラフト執筆『イグの呪い』(*The Curse of Yig*, 1928)の「異類」の誕生は非常に曖昧で、異類婚姻譚というよりも素朴な変身譚と考え、本論では言及していない。また、紙幅の関係で、作中でも言及しているアーサー・マッケン『パンの大神』等、「異類婚」、「善と悪の結婚」、「異形の双子」などのテーマを含んだ先行作品、およびモンスターの系譜論については本論では触れていない。参考にするとすれば、「人類の最も古く最も強烈な感情は恐怖であり、恐怖の中で最も古く最も強烈なものは未知なるものの恐怖である」で始まり、ゴシック小説の歴史なども視野に入れた『文学における超自然の恐怖』などがある。

(2)こうなると折口学の重要な概念の一つ「貴種流離譚(または、漂流譚)」ともつながる可能性がある。物語の類型の一種であり、折口学の用語の一つであるが、若い神や英雄が他郷をさまよいながら試練を克服した結果、尊い存在となるとする説話の一類型である。折口信夫が一連の「日本文学の発生」をめぐる論考の中で、日本における物語文学(小説)の原型として論じた概念であることは知られている。その説くところは時期によって細部が異なるが、基本的には「幼神の流浪」をその中核に据えている。

(3)「『ダンウィッチの怪』や『狂気の山脈にて』のような「傑作群」は、ほとんどセックスについて書かれたものであり、クトゥルフがラヴクラフトの物語に出現するときにわたしたちは、巨大で触手を具えている、時空を超えた殺人ヴァギナを目撃しているのだ、といった議論も可能だろう。また[中略]精神分析の立場から見れば、読者はフロイト的な光景が繰り広げられる現場に立ち会っていると指摘しておこう」(ウエルベック 十五頁)。

(4)国際アーサー王学会日本支部オフィシャルサイト(http://arthuriana.jp/legend/merlin.php)。二〇二〇年二月二日閲覧。

(5)M・フーコーは、「怪物(モンスター)」とは「存在そのものとその形態とが、単に社会における法律に対する侵害であるばかりでなく、自然の掟に対する侵害でもある」という事実に規定されると述べている。さらに、「怪物とは、いわば、不可能なものと禁じられたものを結合させるもの」であり、「自然に反するもの(コントル・ナチュール)の自然な(ナチュレル)形態」つまり、「規則からの可能な限りの違反を拡大したモデルであり、そうした逸脱が自然(ナチュール)そのものの戯れによっ

て繰り広げられた形態」であるという。（田中千惠子「ラヴクラフトの魔術と神秘主義」一四二頁）

引用・参考文献

＊テキストは、主にAugust Derleth ed. *Best Supernatural Stories of H. P. Lovecraft*（The World Publishing, 1945）を使用し、*The H. P. Lovecraft Archive*（https://www.hplovecraft.com/）も適宜参照した。翻訳は、『ラヴクラフト全集5』大瀧啓裕訳、創元推理文庫、一九八七年を参照したが、拙訳である。

Bloom, Harold ed., *Modern Horror Writers*. Chelsea House Publishers,1995.

Burleson, Donald R., *Lovecraft: Disturbing the Universe*. Lexington: University Press of Kentucky, 1990.

Cannon, Peter, *H. P. Lovecraft*. Boston: Twayne Publishers, 1989.

Edelson, Cheryl D., "Reclaiming Plots: Albert Wendt's 'Prospecting' and Victoria Nalani Kneubuhl's Old Na Iwi as Postcolonial Neo Victorian Gothic." Kohlke, Marie Luise and Gutleben, Christian ed. *Neo Victorian Gothic: Horror, Violence and Degeneration in the Re imagined Nineteenth Century*. Rodopi, 2012, 75-95.

Lovecraft, H. P., *The Thing on the Doorstep and Other Weird Stories*. Edited with an introduction and notes by S. T. Joshi. Penguin Books, 2002.

Marshall, Bridget M., *The Transatlantic Gothic Novel and the Law*, 1790-1860 . Ashgate, 2011.

Punter, David., *The Literature of Terror: A History of Gothic Fictions from 1765 to the Present Day*. vol. 2 The Modern Gothic. Longman, 1996.

Straub, Peter ed. *Terror and the Uncanny from Poe to the Pulps*. Library of America, 2009.

伊藤博明「声とイメージの呪力——真説『ネクロノミコン』」『ユリイカ』五十（二）、青土社、二〇一八年、一二五〜一三六頁

ウエルベック、ミシェル『H・P・ラヴクラフト——世界と人生に抗って』星埜守之訳、国書刊行会、二〇一七年

大石俊一『犬とイギリス人——一つの国民性論』開文社出版、一九八七年

大橋洋一「最後から二番目の真実——ラヴクラフトの修辞学」『ユリイカ』十六（十）、青土社、一九八四年、一二八〜一三七頁

金井公平「西洋文学における超自然——H・P・ラヴクラフトとゴシック小説」『明治大学人文科学研究所紀要』（四四）、一九九九年、

九三～一〇五頁
鈴木聡「ラヴクラフトからの影」、『ユリイカ』十六（十）、青土社、一九八四年、一五二～五九頁
ジェフリー・オヴ・モンマス『ブリタニア列王史――アーサー王ロマンス原拠の書』瀬谷幸男訳、南雲堂フェニックス、二〇〇七年
田中千恵子「ラヴクラフトの魔術と神秘主義――怪物・幻視・『ネクロノミコン』」『ユリイカ』五十（二）、二〇一八年、青土社、三三七～四七頁
南條竹則「孤独の詩を読む――ポオとラヴクラフト」*Kotoba*（三四）、二〇一八年、三二一～三七頁
難波美和子「異類婚姻譚の『異類の妻』と『異類の夫』」筑波大学比較・理論文学会『文学研究論集』（十）、一九九三年、一一七～二九頁
西山智則「アメリカ文化における障害の表象――H・P・ラヴクラフトと優生学」『埼玉学園大学紀要人間学部篇』（十七）、二〇一七年、二三三～三六頁
丹生谷貴志「戸口にあらわれたもの――ラヴクラフトへの接近の為のノート」『ユリイカ』十六（十）、青土社、一九八四年、一八〇～一八六頁
フーコー、ミシェル『異常者たち――コレージュ・ド・フランス講義一九七四～一九七五年度』慎改康之訳、筑摩書房、二〇〇二年
古木宏明「破滅への欲望――H・P・ラヴクラフト作品が求められる理由の考察」『龍谷大学大学院研究紀要 社会学・社会福祉学』（十六）、二〇〇八年、一～十八頁
ラヴクラフト、H・P『文学における超自然の恐怖』大瀧啓裕訳、学習研究社、二〇〇九年九月。
ヨシ、S・T（Joshi, S. T.）『H・P・ラヴクラフト大事典』森瀬繚監訳、エンターブレイン、二〇一二年三月。
※重版にあたり、読者より指摘があった先行研究への言及の有無については、註（1）に補足するとともに、参考文献も増補しました。

コラムⅧ

†人間と異類の近未来

植月惠一郎

今、人間自体が〈異類〉となってきている。その契機となるのは、やはりメアリー・シェリーの『フランケンシュタイン』（一八一八年）に登場する、死体の継ぎはぎからできた〈モンスター〉であり、一方ではカレル・チャペックの『R・U・R（ロッサム万能ロボット商会）』（一九二〇年）のロボットがある。しかし、このロボットも今考えられているような金属と電気配線から成るものではなく、外観は人間そっくりだが、人間とは異なる肉体組成をもつ〈バイオノイド〉に近い。

つまり、かつて人間と他の動物は不連続であったが、進化論によって連続となった。同様に、これまで人間と〈異類〉との境界が明確であったが、今は曖昧になってきた。人間とロボットの間を考えたとき、スーパーヒューマン、ポストヒューマン、サイボーグ、ヒューマノイド、アンドロイドなど様々な言い方が存在しているが、AIが進化しシンギュラリティを迎えるとき、我々自身がむしろ異類となりつつある時代を迎えている。

ピンカーは『心の仕組み』（一九九七年）で次のような思考実験をする。まずただ一つのニューロンを同等の入出力機能をもつマイクロチップで置き換える。その段階ではおそらくその人はその人自身であろう。しかしこの操作を無限に続けていくことができたとき、この人は果たしてもとの人なのか。二〇一八年十一月末頃中国においてゲノム編集を使ってエイズの免疫をもった赤ちゃんが誕生した。生きた人間の〈製造〉の影響は強い非難を受け、ほぼ一年後、当該研究者は有罪判決を受けた。ホーキング博士は、『ビッグ・クエスチョン〈人類の難問〉に答えよう』（二〇一八年）で、ゲノム編集による〈スーパーヒューマン〉の誕生の可能性を指摘し、警鐘を鳴らしている。

人間自体も異類に容易に成り得る。単に素朴な昔話にすぎなかった異類婚姻譚も、SFの領域と接続し、新たなアレゴリーとして今読み直す意義は大きい。

【特別寄稿】

パプアニューギニアの犬娘婚神話

紙村徹

はじめに——ヨーロッパの異類婚姻譚と対比して

異類婚姻譚について伊藤清司は、「異類との結婚そのものが問題となるばかりではなく、その異常な結婚を可能にした経緯、あるいは異類側から提示された結婚の条件があり、それに対する人間側の対応およびその結果が重要である」と述べている。[1] これは結婚という制度が、異性同士であれ同性同士であれ、相互の性的結合が必要条件とはなるが、同時に社会的承認をも十分条件として求められるからである。ところが世界中に分布している異類婚姻譚は、ほとんど男性と女性との性的結合として、つまり異性婚として設定されている。その理由は、おそらく同性婚は女性同士であれ男性同士であれ、伝統的に社会的に承認されてきたアフリカ以外では、あまり社会制度としては実施されてこなかったからであろう。同性婚が制度化されてきたアフリカ諸社会で、はたして異類婚姻譚があるのか、あるいはどのように語られているのか、今後検討してみたい課題である（アフリカの同性婚については、手近なものとして、ロバート・ブレイン『友人たち／恋人たち』第二章「女の夫と男の妻」、和田正平『性と結婚の民族学』第三章「女性婚とはなにか」参照）。

結局、異類婚姻譚は、男女の異性婚を制度化した社会においてこそ想像され語り出されてきた説話であると考えることができるのだ。そうであれば、異類婚姻譚は、これを語り出した社会における、他の社会関係にも増して、男女の強い差異化や対立、あるいはそれを乗り越えての和合の成就、そしてそれと反対の不和・軋轢・背反などの社会関係と大いに親和的であるということができるであろう。ここには物語の二分化の展開の可能性がある。男女の出会いがハッピーエンドに終わるか、それとも破局に終わるかである。極端には、悪い冗談だが、女性たちの正体は宇宙の彼方から飛来したエイリアンで、地球に定着・融合するために妻という生態学的適所を発見したのだというＳＦさえある。こうなると異性婚は異類婚へと還元されることになる。

一般的にいって異類婚姻譚とは、異類が男性であれ女性であれ、男性と女性との出会い、結婚、性的結合、その果実としての子どもの出産、そして別離という、通例の男女の結婚生活の開始から終結へ至る説話の形式をとっている。したがってここでは、この説話上の物語の時間的順序を、三つのテーマ（物語内容）の継起的連結として捉えてみる。すなわち【出会い】――【結婚生活】――【別離】のテーマである。【結婚生活】には、性的結合、出産、子育てなどが含まれる。

ヨーロッパの異類婚姻譚の代表例として、フランスのメリュジーヌ伝説を見てみる[2]（本書第2章参照）。

山中で狩りをしていた美貌の青年が、一人の美女メリュジーヌと出会い、青年は美女に求婚する。美女は知恵を授けて、青年を裕福にしてあげる。二人には子どもができる。メリュジーヌが出した結婚の条件は、土曜毎にメリュジーヌが部屋にこもるので、けっして覗いてもならないし、入室してもならないことだった。メリュジーヌは部屋の中で下半身が蛇の（あるいは蛇である妻の正体を衆人の前で口にしたため）正体を現す。メリュジーヌに疑念を抱いた夫が約束を破って覗いたため、メリュジーヌは夫のもとを立ち去る。メリュジーヌの子どもたちは繁栄する。

この説話では、美女は人間の女性の姿形で夫と生活し、子どもも人間の姿形をしている。明示されてはいないが、性生活や子育てもまた通常の人間の行ないと同一であろう。ここではとくに明示的表現か、あるいは暗示的表現かに注目してみよう。特徴的なことは、やはりメリュジーヌ伝説では、先述した三つのテーマのうち中間の【結婚生活】で、性生活や子育てについての明示的語りが見られないことである。常識的に考えれば、異類のメリュジーヌは人間の姿形で暮らしているわけだから、その性生活や子育てなどの行動は当然ながら通常の人間同士の夫婦と変わるところはないと考えられ、ことさら伝説の語りの中で明示的に表現する必要性はないと考えられたからであろう。源氏物語ではないが、「このほどのことくだくだしければ、例のもらしつ」である（『源氏物語』夕顔の巻）。

すなわちメリュジーヌ伝説では、三つのテーマのうち中間の【結婚生活】がほとんど語られることなく、あくまで聞き手の想像にまかされていて、むしろ語りの重点は最初の【出会い】と最後の【別離】にあるのだ。

ジャン・コクトーが映画化しジャン・マレーが主演した『美女と野獣』（本書第5章参照）やグリム童話にある「カエ

ル王子」などの異類婚姻譚は、異類の婿候補はあくまで魔法にかけられ異類にされているだけで、本体は人間の男性であるとされている。そして話は主にこの異類婿候補が魔法を解かれ、幸せな結婚を迎えるというハッピーエンドに終わる。つまり三つのテーマのうち最初の【出会い】のみが語られているにすぎない。我々の日常的なハッピーエンドのかたちとは、【出会い】のみに語りをとどめるに如くはない。多くのハリウッド映画のラブ・ロマンがこの形式をとっていることは当然であろう。

ヨーロッパの代表的異類婚姻譚が、三つのテーマのうち最初の【出会い】のみを語る形式、あるいはメリュジーヌ伝説のように中間の【結婚生活】をほとんど脱落させて、【出会い】と【別離】を重点的に語る形式が支配的であるといえよう。

さて本章では、以上のヨーロッパで語られてきた異類婚姻譚とは様相を異にし、三つのテーマのうち最初の【出会い】を脱落させ、中間の【結婚生活】、そして最後の【別離】のみをもっぱら語る形式を提示したい。語られたところは、ヨーロッパからはるかに離れた南太平洋の巨島ニューギニアの、東半部パプアニューギニアはセピック地区ワシクク丘陵に住むクォマ族の伝える「オオコウモリの神話」と呼ばれる長い神話の一部である。

パプアニューギニア、クォマ族の犬娘婚神話

パプアニューギニアのセピック川上流域の、クォマ族トングシェンプ村のキエチ氏族に伝承されてきた「オオコウモリの神話」の一部に明らかに異類婚姻譚が見られる。ここであえて詳しくキエチ氏族と記したわけは、たとえばクォマ族の神話と一般的にいえる神話はなく、固有の神話とは、クォマ族を構成している二三個の父系氏族毎に秘密に伝承・所有されていて、門外不出の固有財産であるからである。いわば知的財産権に近いものなのだ。たかが他愛もない説話を、なにを大層なと思うなかれ。

さてキエチ氏族の伝承する犬娘婚譚を以下に挙げる。

【クォマ族キエチ氏族の犬娘婚譚】

（原初に人間の夫婦と雄犬とが、一緒に家族として平和に暮らしていた。雄犬は言葉を話せたが、夫婦の性生活を覗き見たために、言葉を失ってしまい、森へ逃亡する）

夫婦が飼っていた雄犬が、近くの森に出かけては野豚などの獲物を捕まえ、夫婦の家に持ち帰るようになった。こうして近くの森では獲物を取り尽くしてしまったので、離れた森に遠出して獲物を取るようになった。ある日、森で雄犬は母犬と出会い、そのまま雄犬は母犬と暮らすようになった。

村では飼い犬が夕暮れになっても帰ってこないので、心配になった。犬の持ち主の男は、翌朝犬を捜しに遠くの森にまで足を延ばした。はるか彼方の森の中には、犬の村があった。

犬の村には、牛ほどの大きさの父犬と母犬、そしてたくさんの雄犬が人間の女と家族を成して暮らしていた。こうした様子を見て、男は怖くなり、傍に生えていた大きな木の上に逃げ隠れた。巨木の上から男は犬の村を眺めた。とりわけ大きな母犬が犬の群れの真ん中に居た。

犬の群れが森に狩りに出かけてしまってから、男は巨木から降り、急いで自分の村に帰った。そして妻に「ここからずいぶんと遠くの森まで行ってきたのだが、そこでついに犬の村を見つけてしまったよ。そこにはたくさんの犬がいて、とても怖かった。俺たちの犬はその村で暮らしていて、たくさんの犬と一緒に暮らしていたので、とても連れて帰れなかったよ」と報告した。さらに男は、「俺はもう一度あの犬の村に行ってくる。奴らがいったいなにをしているのか、確かめてみたいからな」、と付け加えた。

翌日、再び男は犬の村に戻った。そして同じ巨木の上に登って、村を見渡した。

犬たちはこの日も群れを作って、森に狩りに出ていた。犬たちは森で豚やヒクイドリを狩り取り、野生サゴ椰子の葉でその獲物をくるみ、翌日その獲物を村に持ち帰るのであった。犬の村には、「犬洗い」という名の川があった。犬たちは「犬洗い」川にイヌココヤシ木の幹を切り倒して橋を架けていた。犬たちはイヌココヤシ木橋を渡っては、森のあちこちを歩き回っていたのだ。

さて男が巨木の上から眺めていると、二人の女が魚を獲りに川辺にやって来るのが見えた。二人の女は魚を獲ろうと川面を見つめていたが、男はそのまま木の上に留まっていた。男は木の実を一つ取って、それを二人の女が立っている辺りに投げてみた。木の実は女たちの漁網の中に入った。二人の女はその木の実に気がついた。二人の女はそれぞれの名を、メルポンジサとバスブットムと言った。二人の女は、その木の実が犬に見つからないように、とり急ぎ手の中に隠し持ってから、いったい誰がこの木の実をここへ投げて寄こしたのかしらと思った。しかし二人の女はなかなかその男を見つけられなかった。いろいろとあちこちと捜しまわった挙句に、ついに一人の男が木の上に居ることを発見した。

二人の女は木の上の男に、「あなたはだれなの?」と尋ねた。男は、「私はミンポル・サウカパだよ」、と答えた。女二人は、「犬たちはみんな遠くの森に狩りに出かけているから、大丈夫だから降りてらっしゃい」、と言った。しかし男はなお怖がって木から降りようとしなかったので、女は、「けっして怖いことなどありませんよ」と、男を慰め、男はやっと安心して木から降りることができた。男一人と女二人とは連れだって村の入り口のイヌココヤシ木橋を渡り、女二人は男を導いて、かの女たちの家に連れていき、杭上家屋の床下に設置されている薪保存処の薪の中に男を隠した。

夕方には、犬の群れが森での狩りから帰ってきた。そして犬たちは匂いを嗅ぎ、「おかしいなあ。人間の匂いがするぞ」と唸った。犬たちは人間の男の匂いが堪らなく嫌いなので、イヌショウガを使って、人間の男の匂いを消そうとした。イヌショウガを自分の鼻に付けて嗅いだので、犬たちは何度もクシャミをし、鼻からまるでスプレーのように鼻水の飛沫を吹き飛ばして、そこらをクシャミをしながら走り回った。

犬たちの口には、森で捉えた獲物が咥えられていた。犬たちは口から獲物を離し、獲物を二つに分けた。そのうちのもっとも美味しい脂肪分の多い肉は、犬の村に入る道の入り口に立っている、身の丈の高くでっぷりと太った大女に分与した。この大女はスクウェイである。スクウェイとは首長を意味する。昔はどの村にもスクウェイがいたものだ。この犬の村では、女スクウェイが女たちを束ねていた。そして獲物の残りの部分、骨と皮とは、犬たちの妻である女たちに分与された。それを見ていた二人の女は、「どうして一番美味しい肉はスクウェイのもので、私たちには骨と皮しか分けてくれないのかしら？　こんなことでいいのかしら？　私たちは、いつまでも骨と皮で満足しなければならないのかしら？」、と疑問を抱いた。

食事の後で、犬は穴を掘り、その穴の中に自分の妻である女を、頭から逆様に押し入れた。女は自分の頭を穴に突っ込んで、逆立ちをした格好になった。そして逆立ちしたまま、小便を放出した。雄犬たちは女が放出した小便を浴び、狂喜して吼えつつ逆立ちした女の周りをぐるぐると走り廻った。

男は隠れ場所の薪の塊の中から、そっと雄犬と女とのじゃれあいの様子を覗き見た。そして犬を殺して女を自分のものとして、あんな風にして女とじゃれあいたいものだと切望した。

【中略】（ここではミンポル・サウカパが自分の村に帰り、村の男たちの支援を得るべく、村の男たち一人一人に、犬の村の女を一人ずつ割り当てる）

ミンポル・サウカパは一人の女だけは自分のために確保しておいて、その他の犬の村の女たち全員を一人ずつ村の男たちに配分した。そして男たちは、犬の村のすべての犬たちを殺してしまおうと、皆で意思一致した。男たちは、犬の村の入り口にあるイヌココヤシ木橋に忍び寄って、橋の裏側に石斧を使って切り込みを入れ、橋の幹材が少しの重さでも折れやすいように細工した。

犬たちが狩りを終えて森から戻ってきた。彼らの村の手前にあるイヌココヤシ木橋を渡っていこうとした。犬の群れの最後の一匹が木橋を渡ろうとしたときは、いまだ他の犬たちは木橋を渡り終えていなかった。最後尾の犬が木橋を渡り始めたときに、まさしく木橋が真っ二つに折れた。

男たちは川下の草叢に身を隠して犬たちを見張っていた。男たちの目の前で、イヌココヤシ木橋が真っ二つに折れ、すべての犬が川の中に落ちていった。犬たちは川に流されて、男たちが隠れ潜んでいるところまで流されてきた。男たちは犬たちの鼻面目掛けて棍棒を打ち降ろし、さらに石斧の柄で殴り、ほとんどすべての犬たちを殺害した。たった一匹の犬だけがなんとか男たちの手を逃れ生き残った。この逃げだした犬の子孫こそが、現在私たちが見る犬となったのだ。

男たちは次いでスクウェイを槍で殺した。こうして犬の村には、今や本当の人間の女たちだけが残った。男たちはこの村に移ってきて、女たち一人一人と結婚した。この村はミンポル・サウカパの村となった。

［口述者はトングシェンプ村キエチ氏族のボロンガイ長老、二〇〇六年八月十一日　紙村採録］

以上がクォマ族キエチ氏族に伝承されている「オオコウモリの神話」のうちの異類婚姻譚である。この神話の以降の流れでは、ミンポル・サウカパの村はハッピーエンドに終わることなく、村人たちは一人の老婆を残してすべてオオコウモリに変身し、一旦、村は滅ぶという展開になる。残されたたった一人の老婆からキエチ氏族の始祖が生まれるのだ。

右記の犬娘婚譚を読んで気づくのは、ここでは異類婚姻というモチーフは当初から予め犬の村において設定されているのであって、通例の異類婚姻譚のように異類とのなんらかの出会いがあってから、その結果として婚姻が成立しているわけではないという点である。雄犬と人間の女とが夫婦を成して子どもさえ設け、家族生活を実現していることが当然のこと、あるいは自然の事態として語られているわけだ。我々にとっては相当に異常な事態が、なんの説明もなく、その起源を語ることもなく、はじめから設定されていることになる。なぜこのような家族、つまり雄犬と人間の女との夫婦が、自然の家族の在り方と考えられたのであろうか。今のところ考えられることは、この神話的世界では、雄犬と人の女とが夫婦を成して家族生活を営むことが当たり前の有り方で、なんら特別な説明を必要としないとされているということだ。人の男と女とが夫婦結合し家族を形成することとまったく対等に、雄犬と人の女とが家族を成すことがあるとされているのである。

【類似の犬の村の伝承】

犬の村の神話的モチーフは、パプアニューギニア各地で同様に語られ分布している可能性がある。ただし現在のところ資料はきわめて乏しい。

ニューギニア中央高地縁辺部シュレーダー山脈の谷間に住むカラム族は、ラルフ・バルマーによれば、クォマ族と同様の神話を伝えていて、やはり犬が人間と同種の社会を形成し、犬と結婚していた女を男が盗み取って、自分の妻にしたと語られている（Rulf Bulmer, 1967）。神話の詳細をバルマーは報告していないために細部は不明だが、カラム族のテリトリーは、クォマ族のそれとはかなり離れているし、両民族集団の間には、セピック川低地と、急激に標高を上げていくほとんど無人地帯を挟んでシュレーダー山脈へと至るといった具合に生態環境もはなはだしく異なるため、とても二つの民族集団の間で直接の接触交渉があったとは考えられない。それにもかかわらず、きわめてよく似た神話が伝えられているのだ。

クォマ族のテリトリーから、セピック川本流の川下三〇〇キロメートルにセピック川の一大支流カラワリ川が南から北へと本流に流れ込んでいて、そのカラワリ川の上流域にアラフンディ族が住んでいる。クォマ族とアラフンディ族の間には、十集団以上の民族集団が分布している。つまり両民族集団の間に直接の交渉があったとは考えられないのである。アラフンディ族の伝える文化英雄神アペの数々の功業のうち、料理法と性交の方法をアペが人間に伝授した神話においても、犬の村について語られている。(3) この神話に依れば……

バンドゥアン山から下界の湿原を眺めていたアペは、湿原に煙が上がっているのを見て、そこで二人の姉妹がサゴ・デンプンの採取を行なっていたことを知る。アペは湿原に降り、自分の顔を水鏡に映して、姉妹に見つけてもらう。姉妹は黒い雄犬と人間の女との間の子どもたちである。姉妹はアペを自分たちの家へ連れていった。そして家の床下の薪の塊の中にアペを隠した。姉妹の夫たちもまた黒い雄犬であった。姉妹は食宴を催すことにして、夫である雄犬たちを森へ豚狩りにやり、獲物の豚を持ち帰らせた。そして豚を料理して、黒犬たちと女たちとで腹一杯食べ尽くした。その後、姉妹は満腹して動けなくなったすべての黒犬たちを殺し、川に死体を捨てた。それから隠しておいた床下の薪の塊の中からアペを出し、家の中に招き入れた。他の女たちは、初めて美しいアペを見て、誰もがアペを欲しいと思い、姉妹の手からアペを奪い取ろうと争い始めた。アペは、姉妹だけを自分の妻として選び、他の女たちを遠ざけたが、代わりに彼女たちの下半身に野鶏の卵を貼り付けてワギナを細工してやった。また、女たちの兄弟たちには野生タロイモを細工してペニスを作ってやり、アペ自身が率先して姉妹と性交して、村の全員に性交術を伝授した。サゴ・デンプンの調理法も伝授した。

［口述者はアウイム村ジョン・カンドゥアイ、一九八五年八月二六日、紙村採集］

この神話でも、雄犬と人間の女とが夫婦となって村の生活を送り、妻たちは息子として黒い雄犬を産み、娘として人間の女も生むとされている。細部はともかく、ほとんどクォマ族の犬娘婚譚と同じであることが判明する。パプアニューギニアの内陸部には、地理的にも文化的にも相当な距離があるにもかかわらず、犬の村の生活という同一のモチーフが見られるわけで、おそらくこのモチーフは、パプアニューギニア内陸部により広範に分布しているのではないかと推察される。

【犬の村の社会構造】

クォマ族がどのような家族社会学的思考をもってきたかを考えてみるために、如上の犬の村の記述を検討してみる。犬の村では、牛ほどの大きさの父犬と母犬とがおり、彼らの息子たちはすべて雄犬であり、人の女と結婚している。雄犬と人の女とは当然ながら夫婦生活を享受している。彼らの夫婦生活は、ことに性生活のスタイルはユニークである。雄犬が地面に穴を掘り、その穴に妻である女が頭を穴に突っ込んで逆立ちする。それから女は放尿し、女の周りを夫である雄犬が走り廻って、尿をその身体に浴び狂喜するのだ。なんと風変わりな性の営みであろうか。世界中の異類婚姻譚の中でも、これほど夫婦の性生活が懇切丁寧に表現されているものは、きわめて稀有なことと断じていいであろう。

このような性生活のスタイルは、通例のクォマ族のそれの転倒形態と考えられる。なぜなら通例のクォマ族の性生活は、伝統的には夫婦だけのプライベート空間（家族の出造り小屋）で、立位で女の後背から、男が女の体内に精液（クォマ語で「男の水」と言う）を注入するのだが、これに対して、犬娘婚譚ではあくまで公開のパブリックな空間で、女が逆立ちして、女の尿（クォマ語で「女の水」と言う）を雄犬の背中目掛けて体外に振りかけるからである。さらに女が動かずに恍惚になるのでなく、これとは逆転して、男、つまり雄犬こそが、女の身体の周りをぐるぐると走り廻って狂喜するのだ。一見奇抜な性生活と思われたが、論理的にこれは現実の男女の性生活の転倒・逆様だということが判明する。犬の村の性生活が現実のそれの転倒形態だということから、性生活以外の夫婦および家族の生活形態もまた、現実の家族生活の転倒であるという推論も可能であるかもしれない。

犬の村の政治形態は、太った大女がスクウェイとして村の入り口に立ち、雄犬たちや人の女たちの上に君臨している。スクウェイは「首長」を意味する。犬たちは森で猟獲してきた獲物の一番美味い部位、おそらくは脂身であろうが、これを大女スクウェイに捧げて、他方で獲物の骨や皮は、自分たちの妻に分与している。獲物の部位の配分の差異は、当然ながら分与する側と分与される側との社会関係を反映している。スクウェイは一番美味な部位を分与されているのだから、分与する雄犬たちよりも格上と見なされている。そして骨と皮しか与えられない妻たちは、夫である雄犬たちよりも格下と見なされていることになる。神話の語り手の注釈によれば、太った大女スクウェイは、ココヤシ木ほどの身の丈があったと言うが、これはあくまでもパプアニューギニア流の修辞的表現であって、単にとても身の丈の大きい女だと言っているにすぎない。そうではあっても、スクウェイは相当に人間離れのした大女であったと解釈できる。すなわち犬の村にいる女たちは二派に分割されている。一派はスクウェイ一人のみ、もう一派はその他雄犬の妻となっている人間の女たちである。スクウェイ自身も、サイズ以外は人間の姿形をした女であったと思われる。この大女が多くの雄犬と女との夫婦衆の上に君臨していたらしい。ただし、どのような支配形態を取っていたのかについては、神話は具体的にまったく語ってはいない。スクウェイとは首長を意味するので、犬の村には首長制が採用されていたと考えられる。しかし現実の実態としては、パプアニューギニア内陸部では、クォマ族も含めて、大半の民族集団は首長制をまったくとっていない。クォマ族は、相互に対等な長老衆の合議によるいわば民主制がとられているのだ。この点において犬の村の首長制は、現実のクォマ族の平等主義的な民主制と相互に正反対に対立している。ちなみにクォマ族の現実政治には首長制はかけらも見られないが、彼らの神話的想像力によって、首長制を構想できたのだ。彼らの観念の世界では首長制が存在しえたわけである。クォマ族のような首長制をまったく知らない人々が、たとえ観念の世界であれ首長制社会を構想できたことは、充分に注目しておくべきである。

次に犬の村の生業経済を見てみる。犬の村では、昼間に夫である雄犬の群れは一団となって森に狩猟に出かける一方、妻である女たちは川へ漁労に出かける。つまり、ことさらに農業を営んでいるとは表現されていない。雄犬たちはどうやら森で集団猟を行なっているらしい。女たちはせいぜい二人組で魚を獲っている。なぜならミンポル・サウカパが川で働いていた二人の女と出会っているからだ。つまりここでは、男と女とが完全に性分業体制をとっているのだ。しかも森での狩猟は犬たちによる集団猟方式である。森の猟獲物の配分は、夫である雄犬たちの専管事項である。川での漁獲物の配分については神話はとくに語っていない。ともあれ犬の村の生業形態は、典型的な狩猟漁労経済であると断じることができる。

現実のクォマ族の村では、性分業は部分的に行なわれているにすぎない。主食であるサゴ椰子デンプンの採取作業は男女協業である。クォマ族の基本的生業は農業であり、畑でのバナナ、サトウキビ、イモ類、ココヤシやパンダナスなどの果樹類などの作物の植えつけ・下草取り・収穫など一連の農作業は、やはり男女協業である。この点で、神話の犬の村の生業の形態と明らかに対照的に対立している。ただし、補助的に狩猟と漁労・採集を行なっている。狩猟は男が担い、漁労は女が担っている。狩猟については、クォマ族のテリトリーであるワシクク丘陵はそれほど大きな山地ではなく、獲物になるような野生動物は、野豚以外は現在ではほとんど生息していない。したがって、男が狩猟を行なうといってもきわめて限定的である。漁労は、村の周囲の沼や川で、女が網掛け漁で行なう。結構とれるので、自家消費以外を、女たちが燻製にして町の市場に売りに行く。採集は、女たちが森に入って、昆虫の幼虫を採集し、火に炙って食べる。

結局、クォマ族は狩猟採集を補助的に行ない、主たる生業は農業を営む人々であるといえる。世界中の多くの農耕民が、このような農業と補助的な狩猟採集をしてきた。近世日本の農民もまた、里山での採集活動や農閑期のイノシシ・兎などの狩猟を行なってきたのだ。この意味で、クォマ族はまさしく農業民である。

したがって現実のクォマ族は農耕民で、家族単位の男女共同（夫婦協働）で農作業をしているのに対して、神話上の犬の村では、男（雄犬）はもっぱら森での集団猟に従事し、女は川で漁労に従事している狩猟漁労民である。男女協業体制の農耕民と性分業体制の狩猟漁労民という、まさしく転倒した対立がここには見られるのである。

以上のように、性生活、政治形態、生業経済の三局面を検討してみると、神話の中の犬の村の生活形態と、現実のクォマ族の村落生活とでは、三つの局面において相互に転倒・逆転して対立していることが判明する。犬の村と本来の人間の村とは、相互に転倒・逆転しつつ、どちらが優越するわけでもなく、あくまで対等に対立しつつ向きあっているのだ。まるで外の像が暗箱の小さな穴を通して暗箱の壁面に逆転した像を結ぶかのようだ。犬の村と人間の村とが対等であるからこそ、犬の村の女たちはごく自然に雄犬と結婚しているのだ。もし雄犬と人間の女とが結婚するのは異例のことであり、犬の村はこの世とは異なる他界、山中他界、天上界あるいは地下界に存在し、それら他界はこの世の上位あるいは下位にあるとされ、けっしてこの世と対等の位置にはないと考えられていたならば、当然ながら現実にはありえない雄犬と人間の女とがどのような経緯で結婚するに至ったかを説明しなければならないであろう。すなわち異類婚姻が成立する契機となる出会いの語りが要請されるはずである。ところがこの神話では、雄犬と人間の女とがまるで人間の男と女とが結婚するがごとくに当たり前で、なんの説明も要らないものとして扱われているのだ。あえていえば、クォマ族の通例の結婚のように、氏族外婚をしているだけのようである。

繰り返し強調しておきたいが、神話上の犬の村の生活とは、現実の人間の村の生活と対照的に、性生活、政治、生業経済の三つの局面において転倒・逆転しつつ、全体的な共同体レベルにおいては相互に同じ地平で水平的に対等に向きあっているのである。こうなってくると、この神話における犬の村とは、異類の村というよりは、むしろクォマ族にとっては「異族」カテゴリーに入る村と言った方が適切ではないだろうか。

しかし犬と結婚している女たちの話だから、やはり異類婚姻の一つであろう。したがって我々は犬と人間との関係性を検討せねばならないであろう。クォマ族のみならずカラム族でも、犬は人間のような霊魂をもっていると認識されている。死んでもなお生き残る霊魂である。犬以外の動物では、豚やヒクイドリが霊魂をもっているとされるが、犬だけが人間と同じく個体ごとの固有名をもっている。最近ヨーロッパ人によってこの他に導入され犬のカテゴリーに入っているネコですら、個体毎の固有名はもっていない(4)。つまりパプアニューギニアでは、犬は元来人間と限りなく近い動物であり、それにもかかわらず人間とは異なる動物と考えられてきたのだ。このような位置づけにある動物は、日本であればさしずめ猿がそれに当たるであろうか。しかし猿はニューギニアには生息していない。

【破局から別離へ】

犬の村での生活では、狩猟活動は雄犬たちの専業であった。大女スクウェイの取り分たるもっとも美味な部位とは、白い皮下脂肪層や白い精液、白い脳組織を指し、クォマ語でも「脂」(koukou)と総称される。そしてもっとも不味い部位の骨(hap)と皮(sap)とは、犬の妻たる女たちに与えられた。神話では直接語られていないが、おそらくは赤身の肉と内臓(omo)と血(fii)とは、夫たる雄犬たちが自分たちの取り分としたのであろう。

このような獲物の配分法は、通常のクォマ族の村では、もっとも美味な部位は男たちが独占するが、残りの赤身の肉・内臓や皮は男たちと女たちに配分され、骨のみが犬に与えられることと大きく異なる。大きく異なったその要因は、もっとも美味な部位の取り分がスクウェイに与えられたことが、スクウェイ殺害によって頂点のスクウェイが消滅し、美味な部位から不味な部位へと続く配分序列が順繰りに格上げされたことによると考えられる。

ところで村外から侵入してきた男たちによってスクウェイ首長は殺害されたが、彼女は槍で刺殺された。この殺害法はまさに敵を殺す作法である。身内であれば血を流すことは禁忌であるからだ。すなわち村外から侵入した男たちは、女首長の君臨する犬の村、つまりここは一種の女王国のような専制支配的な村共同体であるが、この女王を殺害して、犬の妻たる女たちを奪取し、男性長老衆の合議による長老支配政へと革命的な権力奪取を図ったと見ることができる。夫である雄犬たちを殺して女たちを自分たちの妻として奪い取っているのだから、これは略奪婚ということができる。そして侵入してきた男たちは、女たちと夫婦生活を営むべくこの村に婿入りしてきている。つまり妻方居住婚によってこの村を乗っ取ったわけだ。

犬たちの殺害法は、棍棒や石斧の柄を使った撲殺であって、けっして血を流していない。これは現在でもクォマ族の村々で実践されている犬の殺害法と同一である。犬は飼い主のいわば身内として捉えられていて、そのために流血させてはならないと考えられているからだ。神話の中での夫たる雄犬の殺害法が撲殺である理由も、その犬たちが、男たちがこれから妻に迎えようとしている女たちの夫であったから、やはり一種の身内として捉えられたからであろう。

そもそも犬の村での夫婦関係が破綻した理由は、森の獲物の分配において、妻たちへの分与分が骨と皮のみであったことに対して、日常的に妻たちが不満を抱いていたことにあった。食べ物の怨みは怖いといわれるが、これはまさにそうであった。現実のクォマ族の生活なら骨なぞは犬の餌扱いであるが、神話ではその骨が妻たちの取り分であったのだ。いわば犬の妻たちは、通常の生活と比べれば、犬のような家畜扱いをされていたことになる。妻たちが不満を抱き怒らないわけがなかろう。このような不満を抱いたまま生活していたのだから、妻たちは湿原で出会った人間の男ミンポル・サウカパに惚れた、あるいは気を移したのだ。類似の神話であるアラフンディ族のヴァージョンでは、山から降りてきた美しく装ったアペに、二人の姉妹は明確に惹かれている。つまり夫たちの獲物の分配法に不満を抱いた妻たちが、他所者の男に気を移すことを契機として、夫婦結合の破局が始まるのである。

今少し明確にすれば、妻たちが、夫の提供する獲物の配分に不満を抱いていたにせよ、この不満が直接の原因になって夫婦関係の破綻に至ったとは考えられない。神話はそのようには語っていないのだ。神話は、発端で先ず二人の女が湿原で働いていたときに、たまたま男と出会い、その男に気を移し、家へ連れて帰り、家の床下に男を隠して匿ったと語っている。そしてその後に、犬の村での日常の生活が語られ、獲物の配分についても語られているのだ。神話の語りを文脈に沿って素直に読めば、確かに犬の妻たちは獲物の分配について日常的に不満をもっていたが、その不満が直接夫婦関係の破綻に発展するものではなかった。それでもこうした夫に対する不満は、妻たちの心の底の通奏低音として潜在していたであろう。よくある夫婦関係ではある。これが夫婦関係の破綻・破局へと発展してゆくには、破局へ向かうより直接の要因が要請されねばなるまい。これこそが村外から来訪する外部の男との出会いである。

クォマ族の犬娘婚譚では、二人の女が他所者の男を気に入ったとは語られていないが、自分の家に連れ帰り、床下の薪の塊の中に、夫に見つからないように隠匿したというのだから、二人の女は他所者の男に惹かれたのだろう。前述したようにアラフンディ族の犬娘婚譚では、明確に女たちが他所者の男に心を移している。すなわちパプアニューギニアの異類婚姻譚では、伊藤清司の言うように「異類との結婚の結果、［中略］『破局』型は、主として男性である人間の異類である妻に対する背信行為が原因として語られる」（伊藤清司「異類婚」三二〇頁）という特徴をもつとされることとは真逆で、男性である異類（犬）に対して、人間の妻が人間の男に気を移すという背信行為を行なっているのだ。すなわち事前に妻たちが、夫である犬に対して裏切っていたことが先行しているのだ。事前の妻たちによる夫に対する裏切り、あるいは離反、その心の底には夫への不満があったのだが、この裏切りや離反を決定的契機にして、犬の村の夫婦結合は破局を迎えていく。

破局型の異類婚姻譚は日本に特徴的に伝えられ、「破綻のため異類の姿に戻った女が、夫あるいは子どもとの別離の悲哀を強調する」（伊藤 三一二頁）と言われる。確かに小泉八雲の「雪女」や「鶴女房」譚やこれを基にした木下恵介の戯曲「夕鶴」などは、異類の女が夫や子どもと別れる悲哀を描いている。実に日本的な情緒的でロマンティックな別離の物語だ。これに比べると、パプアニューギニアの破局型の異類婚姻譚は、妻たちが間男を引き込んで、夫を殺させるという悪女の典型のようで、ロマンティックさは欠片もない。女たちの夫が〝犬畜生〟であるから、彼女たちが人間の男を優先的に選ぶことが当然であるといった、現代人が無意識に前提にしている人間と動物の序列は、この神話では予め排除されている。そのため女たちが外来の男に気を移すことは、けっして当たり前のことではなかったと考えねばならない。これが悪女の典型と考えた由縁である。

このようなパプアニューギニアの異類婚姻譚を、ここでは〈犯罪へと向かう破局〉型と呼んでおこう。この〈犯罪へと向かう破局〉型の異類婚姻譚を、〈破局〉型の異類婚姻譚の亜型として提案したい。

先述したように、クォマ族の犬娘婚譚では、夫たる雄犬たちを、侵入してきた男たちがイヌココヤシ木橋を落として、全員水没させ、川を流されてきた雄犬たちを棍棒・石斧柄を使って撲殺している。流血沙汰にはなっていない。この撲殺という殺害作法は、あくまで身内に対する作法であり、敵を殺すような交戦状態での戦死と区別されねばならない。そうであるからこそ、我々はこれを〈犯罪へと向かう破局〉と見なしたわけである。侵入してきた男たちは、女たちの夫である雄犬を殺し、残された妻たちを自分のものとして、犬の村を自分たちの村として乗っ取り、ミンポル・サウカパの村に変換した。つまり男たちは文字通りの略奪婚を実践し、犬の村を占拠したのだ。しかしながら、略奪婚といっても一種の婚姻形態であるから、一応犬の村と人間の村とは婚姻交換可能な間柄と捉えられていたと考えられる。ただ夫たちを虐殺し、彼らの妻たちを奪うやり方は、通例の縁組交換からの逸脱であると判定しなければならない。まさに〈犯罪へと向かう破局〉にほかならない。

結論に代えて

ヨーロッパの通例の異類婚姻譚と比較してみると、異類婚姻譚の一般的な三つのテーマのうち、ヨーロッパ版は中間の【結婚生活】がほとんど語られることがなく、むしろ【出会い】の語りに重点があるらしい。そして【出会い】での異類との約束を破ることによって哀しい【別離】が導き出されることが多い。それに対してパプアニューギニア版では、なんと【出会い】がほとんど脱落している点に特徴がある。しかも中間の【結婚生活】が相当に詳細に語られる。そこでは夫婦の性生活さえもが具体的に表現されているのだ。おそらく世界中に分布している異類婚姻譚で、これほどあからさまに性生活が表現されているヴァージョンは、パプアニューギニア版くらいのものだろう。

犬である夫と人間の女である妻との性生活がどのように成り立つのか、確かにそのこと自体が興味を惹かないわけではないが、あまりに露骨な性生活の表現は、やはり引いてしまいがちになる。多くの異類婚姻譚では、異類が人間の姿形に変身していて、一応人間の姿をもった者同士の性生活であれば、どのような性生活かは誰でも想像可能で、説話の語りでは暗示されるに留まっている。ヨーロッパの民話カエル王子は、カエルのまま娘と出会っているが、性生活が語られることはない。異色なのは、滝沢馬琴作『南総里見八犬伝』の冒頭で、伏姫が愛犬八房の背に乗って安房国富山の岩穴に逃避し一緒に暮らすが、性交渉があったとは語られず、伏姫は処女懐胎し八つの玉を産み、八犬士をこの世に登場させるというエピソードである(5)。すなわち異類が異類の姿形のままで人間と性交渉することを、どのように想像したらよいのか難しいところなのだ。クォマ族の異類婚姻譚は、この点で一つの解決法を提供している。犬の村についてのあるインフォーマントの注釈によると、この雄犬たちを「犬男」とする。犬男と人間の女との結婚であれば、南欧の狼男伝説に限りなく近くなる。

パプアニューギニア版の異類婚姻譚では、三つのテーマのうち最初の【出会い】が脱落していると述べた。その理由として考えられることは、異類である犬の村がけっして異界や他界に設定されているのでなく、単に人間の村の延長に同一の地平に存在し、人間の村と犬の村とは、性生活、生業、政治形態の三つの局面で相互に転倒・逆転しているものの、相互に水平的に対等に向きあっている。そうであるからこそ、人間の男女が結婚し家族を営むことが当たり前でことさら説明を要しないことと同様に、犬と女とが結婚し夫婦となることもまたことさら説明を要しないと考えられたのであろう。犬とは限りなく人間に近く、人間のような霊魂をもち、個体ごとに固有名をもつとされので、人間の女と結婚しても不思議ではないのだ。犬の村は確かに森の奥深くに設定されてはいるが、そこはけっして山中他界、天上界、地下界のような、この世とは上位あるいは下位に位置づけられている他界ではないのだ。いわば犬の村とは、パプアニューギニア人にとってやや侮辱のニュアンスをもった隣接の異族の村か、もしくは外国人の村のようなものであろう。今でも村に住むパプアニューギニア人は、筆者に対し、日本はどこなのか、北の森をずっと歩いて、森の中で幾晩寝たら到着するのかと尋ねることがある。彼らにとって、外国とはそのような認識なのである。パプアニューギニアの森の奥のイメージと、たとえばヨーロッパのヘンゼルとグレーテルの話のように、森の中で道に迷って、いつの間にか帰途の道もわからないままに、異界である魔女の家に到着するイメージとは、明らかに大いに違いがある。ヨーロッパの昔話で、森の中に迷い込むとは、異界へのジャンプなのだ。日本でもおそらくそうだ。他方でパプアニューギニア人は、いくら森の奥深くでも、道に迷うことなどありえない。パプアニューギニアには、子どもが森に迷い込んで神隠しに遭ったなどという事件はまったくない。

三つのテーマのうち最後の【別離】もまた異例の展開を語っている。筆者はこれを〈犯罪へと向かう破局〉として、破局型の亜型として考えた。クォマ族ヴァージョンの犬の村では、なんと妻である女たちが、外部から来訪した男を自分の家に引き込んで、男を唆して、夫である雄犬たちを撲殺させてしまう。アラフンディ・ヴァージョンでは、他所者の男に一方的に惚れ込んで、女たち自身が夫である黒犬を殺してしまう。ここでは犬は人格的存在であるのだから、犬を撲殺する行為は、限りなく犯罪としての「殺人」に近い。つまり違法行為なのだ。戦闘で敵を殺すこととは訳が違う。これはもはやクォマ族の日常的秩序からの逸脱である。外部から来訪した男たちが犬の村の妻たちを奪い取って自分たちの妻とした略奪婚もまた、通常の婚姻交換からの逸脱である。このように夫である犬たちの虐殺にしろ、略奪婚にしろ、まさにクォマ族が信じる日常的生活を成り立たせている規範・倫理からの逸脱である。

クォマ族の犬娘婚譚は、発端の【出会い】が脱落していて、ごく当たり前の男と女の結婚生活が行なわれる如くに、犬と人間の女との結婚が行なわれていた。おそらくは当人の親同士の話しあいの形式をとって結婚が決められたのであろう。このようにして始まった平凡な結婚生活が、第三の男の介入によって突然破局を迎える。破局はしたがって、ごく平凡な日常性からの逸脱として語り出されねばならない。【別離】の物語は、規則に則った婚姻交換から暴力的犯罪を伴う略奪婚へと、夫に従順な妻から間男を引き込む悪女へと、夫婦結合は破綻を極大化していく。

このような【別離】では、たとえ後に人間の男と女とが結婚し家族を形成したとしても、いまだ充分には人間の共同体の秩序を構築しているとはいえない。ハッピーエンドというわけにはいかないのだ。事実、クォマ族のこの神話は次のエピソードへと続いていく。つまり異類婚姻譚として完結せずに開かれたまま不安定なのだ。言葉を失い吼えるだけだが、霊魂と知性をもつ犬と、言葉、知性と霊魂をもつ人間とが共生する共同体がどのようにして成ったか、その起源を語ることこそ、クォマ族のキエチ氏族の神話の全体的メッセージであろう。その一部である、本章で扱った犬娘婚譚の顛末は、犬を撲殺する行為が犯罪であることを明らかにしている。確かに現在でも、少なくともキエチ氏族の人々は、犬を撲殺することを禁じられている。犬はキエチ氏族の代表的トーテムだが、犬殺しの禁止則は、この限りではまさにトーテミズムの古典的定義であるトーテム崇拝仮説に合致するといえる。

＊＊＊

註

（1）伊藤清司「異類婚」大林太良・伊藤清司・吉田敦彦・松村一男編『世界神話事典』二九一頁

（2）伊藤 三〇九～一〇頁参照。なお伊藤清司はメリュシヌと表記しているが、本章では、フランス文学専攻の山内淳氏の教示に従って、メリュジーヌと表記した。

（3）一九八四年八月、一九八五年八月の二度にわたって、アラフンディ族アウイム村にて、筆者が聞き取り調査した。血まみれタングダム神族の一人アペは、ママイエ兄弟の長兄であり、この物語はメアカンビットという山奥の山頂で、煮えたぎる血の充満した創造の土壺アングマイからすべての動物、精霊、妖術使い、人間を創造した神話の中の一つのエピソードとして語られた。

（4）クォマ語で、ネコをpusii asaと言う。pusiiは英語のネコの俗語pussyに由来し、asaはクォマ語で犬の総称。つまりクォマ族はネコを一種の犬と見なしていることになる。家屋に棲みついたネズミを退治する動物としてネコを飼っている。ちなみに犬もネコもことさら毎日餌を与えて飼っているわけではない。

（5）曲亭馬琴『南総里見八犬伝』初輯。高田衛『八犬伝の世界――伝奇ロマンの復権』四七～五三頁。

引用・参考文献

Bulmer, Rulph 1967 "Why is the Cassowary not a bird? A Problem of Zoological Taxonomy among the Karamu of the New Guinea Highlands." Man (n.s.) vol.2. no.1.

大林太良・伊藤清司・吉田敦彦・松村一男編『世界神話事典』角川書店、一九九四年

曲亭馬琴（石川博編）『南総里見八犬伝』角川書店、二〇一九年

高田衛『八犬伝の世界――伝奇ロマンの復権』中公新書、一九八〇年

谷崎潤一郎訳『源氏物語』巻一、中公文庫、二〇一三年

ハーン、ラフカディオ『新編　日本の怪談』池田雅之編訳、角川書店、二〇一九年

ブレイン、ロバート『友人たち／恋人たち　友愛の比較人類学』木村洋二訳、みすず書房、一九八四年（original text: Robert Brain 1976 *Friends and Lovers*. Hart Davis, MacGibbon Ltd, London.）
プロップ、ウラジミール『魔法昔話の研究　口承文芸学とは何か』齊藤君子訳、講談社学術文庫、一九五四年
紫式部（柳井滋・室伏信助・大朝雄二・鈴木日出男・藤井貞和・今西祐一郎・校注）『源氏物語』（一）桐壺――末摘花』岩波文庫、二〇一七年
和田正平『性と結婚の民族学』同朋舎出版、一九八八年
小林正樹監督作品（小泉八雲原作）『怪談』一九六五年、二〇一二年、株式会社デアゴスティーニ・ジャパン発行、東宝特撮映画ＤＶＤコレクション二〇一二年二月十四日増刊、通巻六一号付録
ジャン・コクトー監督『美女と野獣』DVD video ,Cosmic Pictures 一一七、株式会社コスミック出版、一九四六年

コラムⅨ

† 世界のアニメーション映画における異類婚

松野敬文

アニメーション映画はその歴史の始まりから、異類――人ならざるものを召喚する装置であった。映画が十九世紀末のパリにおいて産声をあげたことは、よく知られている。そして映画術の発明以前、人々が熱狂していたのは奇術だった。奇術師は自らの舞台上に幽霊や悪魔、人魚から異星の美女まで、様々な異類を呼び出してみせた。舞台から銀幕へと大衆の興味が移り変わるなか、元奇術師の映画作家が異類の演芸から映像への橋渡し役を買って出た。メリエス『月世界旅行』(一九〇二年)では、月に到達した人類を節足動物めいた怪物と肌も顕な乙女たちが待ち受ける。

黎明期のアニメーターは自分たちが職を奪った相手から、魔術師としての役割をも引き継いだ。「生命を吹き込む魔法」こそ、ディズニー社の精髄である。かくして動画や切り紙といった平面素材から、人形や粘土などの立体素材まで、ありとあらゆる技法を用いて、あやかしのものたちが映画館の闇の中へと解き放たれた。マッケイ『恐竜ガーティ』(一九一四年)では監督自身が実写で現れ、線画で描かれた首長竜のメスを相手に曲芸を試みる。

しかしながら、異類と人との婚姻が明確に描かれることは、近年――たとえば『美女と野獣』(一九九一年)まで永らくなかった。銀幕を彩ったのは、ミッキーとミニーから『やぶにらみの暴君』(一九五二年)の羊飼い娘と煙突掃除人まで、異類同士の異性愛だった。『ファンタスマゴリー』(一九〇八年)の主役ファントーシュから続く伝統として、アニメーション映画は異類すなわちキャラクターに依存していた。むろん、なかにはベティ・ブープのように、人と異類の境界線上の存在もいた。ベティは当初、ビンボー・ザ・ドッグを愛するプードルとして登場した。だが、彼女は人気の高まりとともに獣の姿を失って、美女となる。その結果、私たちはフライシャー『ベティの家出』(一九三二年)のような、人と犬とが愛を交わす奇妙なフィルムを目撃するのだ。

コラムX

日本のアニメーション映画における異類婚

松野敬文

日本において、アニメーション映画はその誕生から、異類との婚姻を夢想していた。

誕生とは「日本最初の総天然色長編漫画映画」を自称する『白蛇伝』（一九五八年）の公開を指す。人間の青年が白蛇の化身である少女・白娘《パイニャン》と恋に落ち、苦難の末に結ばれるというこのフィルムは、以降の「漫画映画」での欲望のありかたを規定した。それは北斎の春画《蛸と海女》を始原とし、『妖獣都市』（一九八七年）ならびに『超神伝説うろつき童子』（一九八九年）を経由して『ポケットモンスター』（一九九八年）の成人向け二次創作へと到る、異類姦への欲望である。

白娘の存在は、こうしてうつくしい異類の少女を描く映画作家と、それらを愛でる観客との蜜月時代を準備した。高畑勲『太陽の王子　ホルスの大冒険』（一九六八年）における悪魔の妹ヒルダ、宮崎駿『未来少年コナン』（TV・一九七八年）の超能力者ラナが、彼女の代表的な眷属といえた。この女たちの大半は、男性の主人公と同年代ないしは年下だった。しかし、なかには『銀河鉄道９９９』（一九七九年）の異星人メーテルなど、年上女性の姿もあった。

いずれにせよ、異類の多くは女性であった。男性側が異類である作品の白眉としては、押井守『攻殻機動隊』（一九九五年）が挙げられる。同作において、全身を機械化した元軍属・草薙素子は情報の海で生まれた生命体・人形使いと融合し、人を超えた存在へと生まれ変わる。人形使いは女性型ロボットの身体を借りつつ、男性の声で話した。

『白蛇伝』から続く異類婚の物語は、マチスモの呪縛から次第に逃れて――あるいはより巧妙な隠蔽手段を身につけて――現在へと到る。幾原邦彦『ユリ熊嵐』（TV・二〇一五年）では、人間の娘が人食い熊の化身である少女・百合城銀子を愛し、それゆえに自らが熊となる選択をする。それは、異類婚姻譚が異性愛を前提としてきたことと、恋愛の成就のために怪異が人間に転じること双方への異議申し立てに他ならない。

解説

山内　淳

異類婚姻譚は人と人にあらざる者たちすなわち異界の住人たちとの愛憎の物語であり、文学や音楽や絵画の世界では古くから各地で普遍的なテーマとなってきた。西洋に限っても、オリュンポスの神々と人間、森の泉の精と騎士、妖術師マーリンの両親のような夢魔と乙女、それにもとは人間だったが魔法で姿を変えられた野獣と美女の物語など、枚挙にいとまがない。住む世界を異《こと》にする男女が結ばれそして別れを迎えるというのがこれらの物語の典型的なかたちであるが、昨今ではこの組み合わせを乗り越えようとする作品が現れていることにも注目したい。

本書は古代から現代まで、欧米諸国の異類婚をテーマとした文学作品についての論集であるが、「特別寄稿」としてパプアニューギニアの犬娘婚についての考察も収めた。

「エウリピデスの悲劇『メデイア』――異類との婚姻が破綻するとき」（ギリシア）

古代ギリシアの演劇は、紀元前六世紀半ばからアテナイで執り行なわれた酒神ディオニューソス祭における奉納行事がその起源といわれているが、とりわけ運命の不条理に翻弄される人間を巧みに描く悲劇の数々は、後代の文学や演劇に大きな影響を与え続けてきた。

このいわゆるギリシア悲劇はその典拠の多くを神話に求めているが、その一つである太陽神ヘリオス（のちにアポロンと習合）の孫メデイアに関するもっとも古い伝承は、ヘシオドスの叙事詩『神統記』（前七三〇年頃）の中に見られる。

そして伝承が悲劇作品として書かれ現存しているのはエウリピデスの『メデイア』(前五世紀。初演は前四三一年)と、ローマ帝政下に生きたセネカの『メデア』(出版年不明)だけである。後者の作品は前者に大きく倣っているが、しかし主人公メデイア(=メデア)の描写においては、エウリピデスは彼女を激しい気性をもつが人間味ある女性に、またセネカは恐ろしい魔女としている点に違いが見られる。

イアソンはメデイアのおかげで金羊毛を手にし、さらには復讐も果たし、その後二人は幸せな日々を送っていた。しかし夫はその生活に飽き足らず、「名誉や名声」のために妻と子どもを捨て王の娘との結婚を選ぶ。それは妻に対する許しがたい裏切りだった。夫を罰するためにメデイアは、その原因を作った王とその娘を残酷な方法で殺し、なおかつ夫婦にとって最愛の息子二人も夫の目の前で刺し殺す。すべてを失ったイアソンをあざ笑いながら、メデイアは竜の曳く車に乗って空の彼方に飛び去っていく。

「メリュジーヌ伝説考——蛇の尾をもつ妖精の悲劇」(フランス)

口承で伝えられてきた妖精譚が西欧で初めて活字化され始めたのは十二世紀頃、フランス出身のイギリス王ヘンリー二世の宮廷においてだった。記録に携わったのは主に修道士たちということもあり、キリスト教の聖なる力が妖精を追放するという物語が多かった。しかし、たとえキリスト教とは対立する古代異教の存在であっても、これら妖精は人間を超えた力をもつと信じられ、一族の祖神や守護神と見なす伝統も消えてはいなかった。

英仏戦争渦中の十四世紀末から十五世紀初頭にかけて二人の作家によって著された蛇の尾をもつ妖精メリュジーヌの物語は、「見るな」「言うな」のタブーを核とする、汎世界的な「異類婚姻譚」の一つである。しかしこの物語の斬新さは、単なる妖精譚という枠を越え、始祖伝説、騎士道の心得、立身出世、土地の開墾、城の建築、イスラム戦士との戦いなど、中世社会そのものが絵巻物のように描かれている点にある。さらに、異類の妻が、人間の夫や子どもたちを置いて立ち去る痛ましい情景は読む者の心に「哀れ」の感情を引き起こし、キリスト教全盛時代の作品としては誠に希有なものといえる。

とはいえ、メリュジーヌの蛇の尾は明らかに彼女が古代の豊饒神の末裔であることを意味しており、結局彼女が人間界から追放されたのは、教会の圧倒的な影響下にあった当時の人々の、妖精という存在に対する考え方そのものを映し出しているのであろう。その名はいまもヨーロッパの妖精の象徴として記憶されている。

「婚礼に足——騎士シュタウフェンベルク伝説とその周辺」（ドイツ）

フランスのメリュジーヌ物語二冊が活字化されてから約半世紀後の一四五六年、ドイツではクードレットの韻文がドイツ語に翻訳され公刊された。だが、このフランスの妖精譚が多くの人の目に触れるようになるのは、その約一〇〇年後にスイスの医学者パラケルススが著した『妖精の書』（書名は本論稿に従う）以降のことである。妖精には魂がないと本書で主張する彼は、シュタウフェンベルク家の祖先と水の精の婚姻伝説についても語っている。

この物語は隣国の妖精譚と同じく異類婚に始まる始祖伝説の一つであり、ドイツ語圏では十四世紀頃にはすでに知られていたらしい。騎士と妖精との出会い、禁忌、幸福な生活、背信、別れなど、独仏二つの物語の骨子はほぼ同じであるが、禁忌に対する人の裏切りの代償がフランスでは二人の別離で終わるのに対して、ドイツではそれが騎士の死に繋がっているという違いが見られる。

悲劇的な死のエピソードで終わる騎士と水の妖精の物語は、十九世紀のフケーの『ウンディーネ』（一八一一年）に受け継がれる。しかし彼の影響下にあったオランダのアンデルセンの『人魚姫』（一八三七年）では人魚が海の泡となり、フランスのジャン・ジロドゥの戯曲『オンディーヌ』（一九三九年）では人魚の記憶は消されてしまう。そしてディズニー映画『リトル・マーメイド』（一九八九年）では、人魚は人間となり王子と幸せに暮らすことで物語は終わる。人間と異類との婚姻の結末は時代とともに変遷するのである。

「ヘンデルの『エイシスとガラテア』――牧歌世界の悲劇」（イギリス）

十八世紀のイギリスは、発達した科学や経済や軍事力を背景に積極的に海外との接触を求めていったが、その結果、物質的には前代と比べて飛躍的に豊かになった。ドイツに生まれのちにイギリスに帰化したヘンデルはこの時代の著名な作曲家の一人だが、一七一八年、彼はオラトリオ『エイシスとガラテア』を発表した（公開公演は一七三二年）。

当時流行の「牧歌」風なこの作品は、ローマ帝政期の詩人オウィディウスの『変身物語』中の「アチスとガラテイア」に想を得たものであり、発表後たちまち評判となり多くの形式に編曲され、今日においてもイギリスでもっとも人気のあるオペラの一つとなっている。

物語は神々の黄金時代に繰り広げられる、海の女神ガラテアと羊飼いの少年エイシスの愛の物語である。しかし少年は、女神に横恋慕する巨人に殺される。そこで女神は、少年の遺体から流れる血を川に変え、この愛人に永遠の命を与えた。それは女神アフロディテ（ローマ神話のヴィーナス）に愛されたがゆえに嫉妬した彼女の愛人の軍神アレスに殺された少年アドニス、そして彼の体から流れ出た血からアネモネが生まれたというギリシア神話と重なる。アドニスやエイシスは死と再生、復活と豊饒の象徴であるが、不死の女神と人間との恋は不幸な結果をもたらすということでもある。

異世界に住む者たちが愛しあう物語が十八世紀のイギリスで人気の楽曲となったのは、この国がそれまでとは比べられない速さと濃密さとで、他文化やそこに暮らす人々と触れあうようになったということも一因であろう。

「二つの『美女と野獣』――妖精物語とその驚異《メルヴェイユ》」（フランス）

イギリスでヘンデルのオラトリオが好評を博していた同じ十八世紀、フランスでも今日まで多くの人に愛されてきた文学作品が生まれた。それが『美女と野獣』である。この物語の作者は二人いると考えられており、一人はヴィルヌーヴ夫人、もう一人はボーモン夫人である。前者がまず発表した作品を、より簡潔により教育的につまり今日我々が知っているかたちにまとめたのが後者、というのが一般的な評価である。

物語のいわゆる祖型はアプレイウスの『黄金の驢馬』の一挿話「クピードーとプシューケー」という、新古典主義の風潮にふさわしいものだった。そしてこの物語が喜んで受け入れられたのは、人の価値は身分や外面ではなく心の美しさで決まるという、この時代においてはかなり新鮮な考えが物語の中心テーマだったからであろう。さらには幼い頃より耳にしていた様々な民間伝承や、このような伝承を採集したシャルル・ペローの昔話いわゆる『童話集』などに、どこか似たものを感じていたからでもあろう（たとえば「シンデレラ」には「クピードーとプシューケー」や『美女と野獣』と同じく、妹の幸せに嫉妬する欲深い姉たちが登場する）。

作品はフランスの宮廷文化の流れを引き継いだサロン文化の薫りを漂わせ「驚異《メルヴェイユ》」の世界を創り上げているが、ヴィルヌーヴ夫人のテキストが演劇やオペラ形式を意識して書かれていることとも相まって、今日まで映画やバレエやミュージカルなど、様々な分野に取り入れられてきたのである。

「女吸血鬼カーミラと少女ローラ――レ・ファニュの吸血鬼譚を現代的観点から読み直す」（アイルランド）

ダーウィンの『種の起源』（一八五九年）が発表されて以降、信仰はそれまでにない揺らぎを経験し、その結果この時代には幽霊や怪物の登場するいくつもの詩や小説が生まれたが、とりわけ吸血鬼ものが多くの読者を獲得した。そして今日に続く吸血鬼のイメージを作り上げたのが、アイルランド人のブラム・ストーカーによる『ドラキュラ』（一八九七年）である。

しかしこの作品には、彼と同国のシェリダン・レ・ファニュ作の『カーミラ』（一八七二年）が多くの影響を与えているといわれる。後者の作品の特徴は、それまでの吸血鬼の概念を覆し、血を吸う者と吸われる者が異性ではなく同性という点にある。吸血鬼カーミラは、狙った相手の女性に言う。「わたくしはあなたのなかに生きているのよ。あなたはわたくしのために死ぬのよ。それほどわたくし、あなたを愛しているの」（平井呈一訳）。まさにエロスとタナトス、濃厚な性愛と死の世界である。女吸血鬼が巧みな言葉で相手の女性を自分の世界に誘い込み、女性も怖れを抱きながらも知らず知らずのうちにそれに応えていく。
結局、カーミラは灰と化すが、しかし彼女がその血と愛を求めた続けたローラの心からは、カーミラの思い出は消え去ることはない。発表されたのは風紀に厳しいヴィクトリア朝だったが、しかし昨今の結婚形態を考えると、一五〇年後の今日を予見した作品だったのかも知れない。愛とは、たとえ相手が異性であろうが同性であろうが、「相手の中に生きること、そして、相手を心に生かすこと」（本章より）なのだから。

「狼男ではない「狼男」との婚姻――異類が困難な時代」（イタリア）

ヨーロッパにおける狼男の歴史は古く、ギリシア神話ですでにその姿が確認されている。本章は、シチリア島出身の劇作家・小説家・詩人で、ノーベル文学賞を受賞したルイジ・ピランデッロの作品「月の病」（一九一三年）の主人公を通して、今日における狼男または異類婚に対する考え方やその文学的可能性について論じている。

主人公のバタは、満月の夜になると狼のように凶暴になる運命を背負っているが（しかし狼に変身するとの断定は避けられている）、妻のシドーラは苦しんでいる夫の目を盗み、情欲のおもむくまま従兄を誘惑しようとする。満月の夜以外は心優しい「人間的な」夫と、人の姿をしていてもその心は理性を欠いている「非人間的な」妻を対比させ、人間と異類を転倒して描くことで、ピランデッロは外見的特徴からのみ他者や異文化を判断する危うさと過ちを、多様な文化の中に生きる現代人に対して警告している。それは紀元前八世紀のギリシア人による植民化とそれに続くローマの属州化以来今日まで、様々な人種や宗教が共存・共栄してきた彼の故郷シチリア島の歴史的状況から得た考えではないかと思われる。

シチリア島では未だ神話が息づいているといわれるが、ピランデッロの「狼男」が意味するところのものは、彼の同郷の二人の作家ジョヴァンニ・ヴェルガと、ジュゼッペ・トマージ・ディ・ランペドゥーザそれぞれの作品（前者は「ルーパ」、後者は「セイレーン」）に触れることで、より一層明らかになるだろう。

「ラヴクラフトの〈反転〉する恐怖」（アメリカ）

十九世紀のヴィクトリア朝、イギリス本国やアイルランドやヨーロッパ大陸では怪奇・幻想物語の一大流行を見たが、アメリカ大陸におけるこの分野への関心も無視できない。

この潮流の中で少年時代を過ごし、また長じては活発な創作活動を行なったのがこの国のハワード・フィリップス・ラヴクラフトである。生前の彼はほとんど無名だったが、今日では彼が創作し体系づけた物語は「クトゥルフ神話」（クトゥルーや他の呼び方もある。彼の造語である）と名づけられ、そこに登場する悪魔的な神々や作品から受ける恐怖は、世界中のエンターテインメント系の小説やゲームや映画の原作として、多くのファンを得ている。たとえば、本章で考察されている『ダンウィッチの恐怖』（一九二八年）も、約四十年後ではあるが、『ダンウィッチの怪』として映画化された（ただ、その評判は、原作を知っているホラー映画愛好者たちの間では芳しくなかったようである）。

本章で論じられる小説は悪魔と人間の女性の交わりから生まれた双子の兄弟の物語である。結局、二人は「悪魔祓い」により消滅してしまうが、このような異類婚の始まりと経緯とその結果は、キリスト生誕にまつわる聖霊とマリアの物語の「反転」と見えなくもない。たとえば悪魔の子の一人ウィルバーは犬（dog）に殺されるが、それは文字の綴りを逆にするとわかるように、神（God）の手が下されたことを暗示しているのであろう。その他、物語中にはラヴクラフトならではの「反転」の仕掛けがいくつも見られる。

「パプアニューギニアの犬娘婚神話」

南太平洋のニューギニア島の東半分と周辺の島々からなるパプアニューギニアは、今日の日本人にとってはなじみ深い国とはいえないが、人類学の研究においては極めて重要な地域と考えられている。

大航海時代（十五世紀半ばから十七世紀半ば）にオランダ人やポルトガル人が来訪して以来二十世紀半ば以降まで、本島は蘭・独・英・豪などによって保護領あるいは領土とされてきたが、第二次世界大戦中は日本軍が進駐し、連合国軍と激しい戦闘を行なった地域でもある。一九七五年に本島の東部と周辺の島々は、「パプアニューギニア独立国」となり、国内では現在数百にも及ぶ（八〇〇以上ともいわれる）言語グループの存在が確認されている。つまり、少なくともそれと同じだけの言語・文化集団がいると考えられる。そこで採集された物語には動物に関係したものが多く見られるが、本章で紹介されているのは、その中でもいくつかの部族に共通して見られる雄犬と人間の女の夫婦の物語である。

この島に伝わる神話では、犬は霊魂をもち、固有名をもち、限りなく人間に近い存在と見なされている。世界の多くの地域で知られている異類婚には「出会い」「結婚生活」「別離」の三要素が欠かせないが、この物語では、異類同士の「出会い」が欠如していることにとくに注意を払いたい。その理由は、犬の村は人間の村の延長上につまり同一の地平にあり、犬と人間の両者は対等な関係として考えられているのであり、それゆえ犬と人間の結婚は最初から異類婚とは考えられてはいないからだと本章では結論づけられている。

異類婚をテーマとした文学作品にはどのようなものがあるだろうか。また、このテーマが飽くことなく世界中で書かれてきたのはどうしてなのだろうか。そんな漠とした考えで研究会を始めたのが今から二年ほど前のことである。その後、各自がそれぞれの専門分野で興味深い作品を見つけては発表してきたが、その結果をまとめたのが本書である。

これまで多くの研究者が考察してきた異類婚ではあるが、すべての前提となっているのは、人と人以外の存在との精神的・肉体的交わり、ということである。人以外とは、あるときは動物であり、あるときは植物であり、またあるときは神と呼ばれる存在である。

かつて、世界の多くは森に覆われていた。荒々しい動物が暮らし多くの植物が繁茂している場所に人は神秘を感じ怖れを抱き、そこは神々の住まう聖所であると考えた。徘徊する動物は神の使いあるいは神そのものであり、木々には人智を超えた聖なる力が宿っていると信じた。一方、森は動物の肉や果実や木の実を提供し、人を養ってくれる。それゆえ人は森を怖れながらも感謝し、神々を祀った。海辺や山中においてもそれは同じだった。

このように我々人間は、古くから自然との深い結びつきの中で生きてきたのであるが、生あるものはいつか滅びる。大地の植物は秋から冬にかけては枯れてしまう。だが、春が来るとそこからは新しい芽が顔を出し、木々のつぼみはまた実を結ぶ。生命の循環あるいは再生である。毎年繰り返されるその自然の神秘を目にし、人はやがてその移ろいを擬人化し物語を作るようになる。それを我々は「神話」と呼んでいる。

西洋の神話においては、すべてを生み育てる大自然は豊饒の地母神となり、枯れて死んだように見える植物は生き返って若々しい植物神となる。そして、この神々が暮らす世界と人の世界を隔てる壁はかつて低いものだった。神々は容易に壁を飛び越えやってきて人と結ばれた。

だがその後、キリスト教が成立すると状況は一変する。人と自然そのものである神々との黄金の日々は終わる。教会は、生者と死者の間に作った深い溝と同じように人と神々の世界を隔てる壁を無限に高くし、それまで自由に通れた壁の扉も永遠に閉ざしてしまった。さらに人が人以外の存在と語りあったり契りを結んだりすることはもちろんのこと、それらを考えることさえも禁じた。古代の神々は森の奥深くに追われてしまったのである。それゆえ、キリスト教が行き渡った西洋では、人と人以外の存在が交わる物語の数は驚くほど少ない。

しかし、自然の中に聖なる存在を認め、神として祀ってきた東洋では事情は異なる。この世界では、生者と死者は西洋と比べるとより親しい関係にあり、死後にまた現世に生まれ変わった者たちやあるいは動植物が人に姿を変えた者たちとの交わりも、現存する数多くの物語で明らかなように、殆ど抵抗なく受け入れられてきた。「異類婚姻譚」とは人と自然との交わりであり、そして近年盛んに使われている言葉を拝借するなら人と自然との共生あるいはともに生きたいという願いの物語なのである。キリスト教が強い影響力をもつ西洋社会においてもその願いは同じであろう。

ところで伝えられてきた異類婚姻譚のほとんどは「別離」という悲劇的な結末で終わっているが——異類の妻が夫や

子どもや「思い出」を残して立ち去る、子どもだけを連れ去る、裏切った夫の命を奪い去る、我が子の命を奪い去るなど――、しかし最近では幸せな結末を迎えている作品が少なからず存在するし、とくにアニメ映画をはじめとする映像系の分野においては積極的に様々な組み合わせや展開が考えられている。異類婚といえばこれまで人間と神々や動植物との交わりだったが、将来どのような結びつきが生まれるのか、これもまたはなはだ興味深いところである。

最後になるが、本書を刊行できたのは、ひとえに小鳥遊書房代表の高梨治氏と同社編集担当の林田こずえ氏のご厚意の賜物である。両氏からは多くの有益なご助言をいただいた。心より感謝申し上げます。ありがとうございました。

二〇二〇年（令和二年）十月

【作品名】

【事項】

索　引

＊家系図・図版のキャプション・参考文献は、ノンブルに含んでいない。
＊人名の項目には、架空の人物名も含めた。

【人名】

久保 陽子（くぼ・ようこ）【第 6 章】

1973 年生まれ。日本大学芸術学部教授。共著に、『二つのケルト：その個別性と普遍性』、（世界思想社、2011 年）、『ヘルメスたちの饗宴　英語英米文学論文集』（音羽書房鶴見書店、2012 年）、『ジェイン・オースティン研究の今　同時代のテクストも視野に入れて』（彩流社、2017 年）など。共訳に、『イギリスの今　文化的アイデンティティ［第四版］』（世界思想社、2013 年）、『トルコ軍艦エルトゥールル号の海難』（彩流社、2015 年）、『チビ犬ポンペイ冒険譚』（彩流社、2017 年）など。

倉重 克明（くらしげ・かつあき）【第 7 章】

1973 年生まれ。東京大学大学院人文社会系研究科欧米系文化研究専攻博士号（文学）取得（2014 年）。現在大学非常勤講師。論文に「語りの位相に関する：考察 ジョヴァンニ・ヴェルガ『敗者たち』の二作品をめぐって」（東京大学大学院南欧語南欧文学研究室紀要『イタリア語イタリア文学』第 3 号）、「ジョヴァンニ・ヴェルガ『罪深き女』における語りの試行」（『イタリア学会誌』第 59 号）、「ヴェルガ『山の炭焼き党員』の語り手をめぐって：マンゾーニとの比較分析」（『イタリア語イタリア文学』第 6 号）など。

植月 惠一郎（うえつき・けいいちろう）【第 8 章】

1956 年生まれ。日本大学芸術学部教授。専門は十七～十八世紀イギリス文学。共著に、『トランスアトランティック・エコロジー：ロマン主義を語り直す』（彩流社、2019 年）、『旅と文化：英米文学の視点から』（音羽書房鶴見書店、2018 年）、*The Expanding World of the Gothic: from England to America.*（Asahi Press, 2020）など。

紙村 徹（かみむら・とおる）【特別寄稿】

1948 年生。天理大学附属天理参考館海外民俗部学芸員を経て、神戸市看護大学看護学部人間科学領域教員として在職し、2013 年 3 月定年退職。現在立教大学アジア地域研究所特任研究員。専門分野は文化人類学、ニューギニア民族誌学。台湾、フィリピン、パプアニューギニアをフィールドワーク、調査研究。主な著書・論文に、『台湾原住民文学選 5　神々の物語』（草風館、2006 年）、The return of the dead or the visit of the demon spirit? : The anxiety of the influences "white men" cultures among East Sepik, Papua New Guinea（*Language and Linguistics in Oceania* vol.3, 2011）、「パプアニューギニア高地、サカ・エンガ族の系譜伝承の解読」（『民族学研究』52 巻 1 号、1987 年、日本民族学振興会）、「パリジャリジャオ首長国大首長の贈与交換形態の典型とその変形と屈折・転倒：1867 年から 1872 年までの台湾南部恒春地方の歴史人類学的考察」（『台湾原住民研究』18 号、2014 年）など論文多数。

松野 敬文（まつの・たかふみ）【コラム IX】【コラム X】

1980 年生まれ。関西学院大学非常勤講師。同大学院文学研究科美学専攻博士課程修了。専門領域は、20 世紀のフランス絵画と現代日本のアニメーション。寄稿に『ユリイカ 2014 年 4 月号 特集バルテュス：20 世紀最後の画家』（共同執筆）など。

執筆者一覧

【監修者】

山内 淳（やまうち・あつし）　【第２章】【解説】

1951年生まれ。早稲田大学第一文学部フランス文学専攻卒業、ディジョン大学（現ブルゴーニュ大学）大学院博士課程修了（文学博士）。現在、日本大学芸術学部教授。フランス文学、比較文学専攻。『ブルターニュ古謡集　バルザス＝ブレイス』（監訳　彩流社、2018年）、『二つのケルト：その個別性と普遍性』（編著　世界思想社、2011年）、共訳に『啓蒙のユートピア』第三巻（法政大学出版局、1997年）、『フランス怪奇民話集』（社会思想社、1993年）、『フランス民話　ブルターニュ幻想集』（社会思想社、1991年）など、他論文多数。

【執筆者】（掲載順）

佐藤 りえこ（さとう・りえこ）　【第１章】

広島大学大学院文学研究科博士課程後期単位取得退学。アテネ大学哲学部にギリシア政府国費留学生として留学。現代ギリシア文学、特に近現代詩を研究している。現在、広島大学大学院人間社会科学研究科客員講師。共著に、「メリサンシ」（沓掛良彦編『詩女神《ミューズ》の娘たち：女性詩人、十七の肖像』、未知谷、2000年）。論文に、「パパディアマンディスの木のイメージ：『高貴なる樫の木の下で』を素材として」（『プロピレア』第七号、1995年）。翻訳に、「訳詩ノート(3)　フィヴィ・ヤニシ　詩集『ホメロス風詩集』より詩三編」（『プロピレア』第25号、2019年）。

須藤 温子（すとう・はるこ）　【第３章】

1972年生まれ。千葉大学大学院社会文化科学研究科博士課程修了、博士（文学）。現在、日本大学芸術学部教授。専門はドイツ語圏文学、表象文化論。とくにヨーロッパのテキストとイメージの関係について研究している。著書に『エリアス・カネッティ：生涯と著作』（月曜社、2019年）、『ウィーン 1945-1966：オーストリア文学の「悪霊」たち』（共著、日本独文学会研究叢書114号、2016年）、翻訳に『エリアス・カネッティ　伝記』（上下巻、共訳、SUP上智大学出版、2013年）など。

島森 尚子（しまもり・ひさこ）　【まえがき】【第４章】

1956年生まれ。ヤマザキ動物看護大学教授。早稲田大学大学院文学研究科英文学専攻博士後期課程単位取得退学。専門は18世紀イギリス文学で、英国の近代化とそれに伴う文化の変容に興味がある。また、アニマルスタディーズにも取り組んでおり、中でも、飼い鳥の歴史・文化と人間との関係を研究している。主な論文に、「『ウィンザーの森』とポウプのヴィジョン」（『英文学』90号）、「フウィヌム、ヤフー、ポストヒューマン」（『十八世紀イギリス文学研究』第5号）、「花鳥茶屋から考える日本の動物文化試論：歴史的文脈から見た動物カフェ」（『ヤマザキ学園大学雑誌』第7号）など。

白川 理恵（しらかわ・りえ）　【第５章】

1968年生まれ。上智大学大学院文学研究科フランス文学専攻博士課程修了、博士（文学）。現在、上智大学、ヤマザキ動物看護大学、大妻女子大学ほか非常勤講師。専門は、18世紀フランス文学、とくにジャン＝ジャック・ルソーの文学。著書に『基礎からレッスン：はじめてのフランス語』（ナツメ社、2016年）、共著に『近代フランス小説の誕生』（水声社、2017年）、共訳書に『ブルターニュ古謡集　バルザス＝ブレイス』（彩流社、2018年）など。

西洋文学《せいようぶんがく》にみる異類婚姻譚《いるいこんいんたん》

2020年10月25日　第1刷発行
2023年　8月15日　第3刷発行

【監修者】
山内 淳

発行者 : 高梨 治

発行所：株式会社**小鳥遊《たかなし》書房**
〒102-0071　東京都千代田区富士見1-7-6-5F
電話 03 (6265) 4910（代表）／FAX　03 (6265) 4902
http://www.tkns-shobou.co.jp

装幀　鳴田小夜子（坂川事務所）
印刷　モリモト印刷株式会社
製本　株式会社村上製本所

ISBN978-4-909812-44-5　C0098